AÑO 2017: TU HORÓSCOPO PERSONAL

Joseph Polansky

Año 2017:
Tu horóscopo personal

Previsiones mes a mes
para cada signo

U R A N O

Argentina - Chile - Colombia - España
Estados Unidos - México - Perú - Uruguay - Venezuela

Título original: *Your Personal Horoscope 2017*
Editor original: Aquarium, An Imprint of HarperCollins Publishers
Traducción: Amelia Brito Astorga

Copyright © 2016 by Star Data, Inc.
73 Benson Avenue
Westwood, NJ 07675
U.S.A.
www.stardata-online.com
info@stardata-online.com
© 2016 *by* Ediciones Urano, S.A.U.
Aribau, 142, pral. – 08036 Barcelona
www.mundourano.com

ISBN: 978-84-7953-950-4
E-ISBN: 978-84-16715-09-1
Depósito Legal: B-7.002-2016

Fotocomposición: Ediciónes Urano, S.A.U.
Impreso por Romanyà-Valls, S.A. – Verdaguer, 1 – 08786 Capellades (Barcelona)

Impreso en España – *Printed in Spain*

Índice

Introducción

He escrito este libro para todas aquellas personas que deseen sacar provecho de los beneficios de la astrología y aprender algo más sobre cómo influye en nuestra vida cotidiana esta ciencia tan vasta, compleja e increíblemente profunda. Espero que después de haberlo leído, comprendas algunas de las posibilidades que ofrece la astrología y sientas ganas de explorar más este fascinante mundo.

Te considero, lector o lectora, mi cliente personal. Por el estudio de tu horóscopo solar me doy cuenta de lo que ocurre en tu vida, de tus sentimientos y aspiraciones, y de los retos con que te enfrentas. Después analizo todos estos temas lo mejor posible. Piensa que lo único que te puede ayudar más que este libro es tener tu propio astrólogo particular.

Escribo como hablaría a un cliente. Así pues, la sección correspondiente a cada signo incluye los rasgos generales, las principales tendencias para el 2017 y unas completas previsiones mes a mes. He hecho todo lo posible por expresarme de un modo sencillo y práctico, y he añadido un glosario de los términos que pueden resultarte desconocidos. Los rasgos generales de cada signo te servirán para comprender tu naturaleza y la de las personas que te rodean. Este conocimiento te ayudará a tener menos prejuicios y a ser más tolerante contigo y con los demás. La primera ley del Universo es que todos debemos ser fieles a nosotros mismos; así pues, las secciones sobre los rasgos generales de cada signo están destinadas a fomentar la autoaceptación y el amor por uno mismo, sin los cuales es muy difícil, por no decir imposible, aceptar y amar a los demás.

Si este libro te sirve para aceptarte más y conocerte mejor, entonces quiere decir que ha cumplido su finalidad. Pero la astrología tiene otras aplicaciones prácticas en la vida cotidiana: nos explica hacia dónde va nuestra vida y la de las personas que nos rodean. Al leer este libro comprenderás que, si bien las corrientes cósmicas no nos obligan, sí nos impulsan en ciertas direcciones. Las secciones «Horóscopo para el año 2017» y «Previsiones mes a mes» están destinadas a orientarte a través de los movimientos e influencias de los planetas, para que te resulte más fácil dirigir tu vida en la dirección deseada y sacar el mejor partido del año que te aguarda. Estas previsiones abarcan orientaciones concretas en los aspectos que más nos interesan a todos: salud, amor, vida familiar, profesión, situación económica y progreso personal. Si en un mes determinado adviertes que un compañero de trabajo, un hijo o tu pareja está más irritable o quisquilloso que de costumbre, verás el porqué cuando leas sus correspondientes previsiones para ese mes. Eso te servirá para ser una persona más tolerante y comprensiva.

Una de las partes más útiles de este libro es la sección sobre los mejores días y los menos favorables que aparece al comienzo de cada previsión mensual. Esa sección te servirá para hacer tus planes y remontar con provecho la corriente cósmica. Si programas tus actividades para los mejores días, es decir, aquellos en que tendrás más fuerza y magnetismo, conseguirás más con menos esfuerzo y aumentarán con creces tus posibilidades de éxito. De igual modo, en los días menos favorables es mejor que evites las reuniones importantes y que no tomes decisiones de peso, ya que en esos días los planetas primordiales de tu horóscopo estarán retrógrados (es decir, retrocediendo en el zodiaco).

En la sección «Principales tendencias» se indican las épocas en que tu vitalidad estará fuerte o débil, o cuando tus relaciones con los compañeros de trabajo o los seres queridos requerirán un esfuerzo mayor por tu parte. En la introducción de los rasgos generales de cada signo, se indican cuáles son sus piedras, colores y aromas, sus necesidades y virtudes y otros elementos importantes. Se puede aumentar la energía y mejorar la creatividad y la sensación general de bienestar de modo creativo, por ejemplo usando los aromas, colores y piedras del propio signo, decorando la casa con esos colores, e incluso visualizándolos alrededor de uno antes de dormirse.

Es mi sincero deseo que *Año 2017: Tu horóscopo personal* mejore tu calidad de vida, te haga las cosas más fáciles, te ilumine el camino, destierre las oscuridades y te sirva para tomar más conciencia de tu conexión con el Universo. Bien entendida y usada con juicio, la astrología es una guía para conocernos a nosotros mismos y comprender mejor a las personas que nos rodean y las circunstancias y situaciones de nuestra vida. Pero ten presente que lo que hagas con ese conocimiento, es decir, el resultado final, depende exclusivamente de ti.

Glosario de términos astrológicos

Ascendente

Tenemos la experiencia del día y la noche debido a que cada 24 horas la Tierra hace una rotación completa sobre su eje. Por ello nos parece que el Sol, la Luna y los planetas salen y se ponen. El zodiaco es un cinturón fijo que rodea la Tierra (imaginario pero muy real en un sentido espiritual). Como la Tierra gira, el observador tiene la impresión de que las constelaciones que dan nombre a los signos del zodiaco aparecen y desaparecen en el horizonte. Durante un periodo de 24 horas, cada signo del zodiaco pasará por el horizonte en un momento u otro. El signo que está en el horizonte en un momento dado se llama ascendente o signo ascendente. El ascendente es el signo que indica la imagen de la persona, cómo es su cuerpo y el concepto que tiene de sí misma: su yo personal, por oposición al yo espiritual, que está indicado por su signo solar.

Aspectos

Los aspectos son las relaciones angulares entre los planetas, el modo como se estimulan o se afectan los unos a los otros. Si dos planetas forman un aspecto (conexión) armonioso, tienden a estimularse de un modo positivo y útil. Si forman un aspecto difícil, se influyen mutuamente de un modo tenso, lo cual provoca alteraciones en la influencia normal de esos planetas.

Casas

Hay doce signos del zodiaco y doce casas o áreas de experiencia. Los doce signos son los tipos de personalidad y las diferentes maneras que tiene de expresarse un determinado planeta. Las casas indican en qué ámbito de la vida tiene lugar esa expresión (véase la lista de más abajo). Una casa puede adquirir fuerza e importancia, y convertirse en una casa poderosa, de distintas maneras: si contiene al Sol, la Luna o el regente de la carta astral, si contiene a más de un planeta, o si el regente de la casa está recibiendo un estímulo excepcional de otros planetas.

Primera casa: cuerpo e imagen personal.
Segunda casa: dinero y posesiones.
Tercera casa: comunicación.
Cuarta casa: hogar, familia y vida doméstica.
Quinta casa: diversión, creatividad, especulaciones y aventuras amorosas.
Sexta casa: salud y trabajo.
Séptima casa: amor, romance, matrimonio y asociaciones.
Octava casa: eliminación, transformación y dinero de otras personas.
Novena casa: viajes, educación, religión y filosofía.
Décima casa: profesión.
Undécima casa: amigos, actividades en grupo y deseos más queridos.
Duodécima casa: sabiduría espiritual y caridad.

Fases de la Luna

Pasada la Luna llena, parece como si este satélite (visto desde la Tierra) se encogiera, disminuyendo poco a poco de tamaño hasta volverse prácticamente invisible a simple vista, en el momento de la Luna nueva. A este periodo se lo llama fase *menguante* o Luna menguante.

Pasada la Luna nueva, nuestro satélite (visto desde la Tierra) va creciendo paulatinamente hasta llegar a su tamaño máximo en el momento de la Luna llena. A este periodo se lo llama fase *creciente* o Luna creciente.

Fuera de límites

Los planetas se mueven por nuestro zodiaco en diversos ángulos en relación al ecuador celeste (si se prolonga el ecuador terrestre hacia el Universo se obtiene el ecuador celeste). El Sol, que es la influencia más dominante y poderosa del sistema solar, es la unidad de medida que se usa en astrología. El Sol nunca se aparta más de aproximadamente 23 grados al norte o al sur del ecuador celeste. Cuando el Sol llega a su máxima distancia al sur del ecuador celeste, es el solsticio de invierno (declinación o descenso) en el hemisferio norte y de verano (elevación o ascenso) en el hemisferio sur; cuando llega a su máxima distancia al norte del ecuador celeste, es el solsticio de verano en el hemisferio norte y de invierno en el hemisferio sur. Si en cualquier momento un planeta sobrepasa esta frontera solar, como sucede de vez en cuando, se dice que está «fuera de límites», es decir, que se ha introducido en territorio ajeno, más allá de los límites marcados por el Sol, que es el regente del sistema solar. En esta situación el planeta adquiere más importancia y su poder aumenta, convirtiéndose en una influencia importante para las previsiones.

Karma

El karma es la ley de causa y efecto que rige todos los fenómenos. La situación en la que nos encontramos se debe al karma, a nuestros actos del pasado. El Universo es un instrumento tan equilibrado que cualquier acto desequilibrado pone inmediatamente en marcha las fuerzas correctoras: el karma.

Modos astrológicos

Según su modo, los doce signos del zodiaco se dividen en tres grupos: *cardinales, fijos* y *mutables*.

El modo *cardinal* es activo e iniciador. Los signos cardinales (Aries, Cáncer, Libra y Capricornio) son buenos para poner en marcha nuevos proyectos.

El modo *fijo* es estable, constante y resistente. Los signos fijos (Tauro, Leo, Escorpio y Acuario) son buenos para continuar las cosas iniciadas.

El modo *mutable* es adaptable, variable y con tendencia a buscar el equilibrio. Los signos mutables (Géminis, Virgo, Sagitario y Piscis) son creativos, aunque no siempre prácticos.

Movimiento directo

Cuando los planetas se mueven hacia delante por el zodiaco, como hacen normalmente, se dice que están «directos».

Movimiento retrógrado

Los planetas se mueven alrededor del Sol a diferentes velocidades. Mercurio y Venus lo hacen mucho más rápido que la Tierra, mientras que Marte, Júpiter, Saturno, Urano, Neptuno y Plutón lo hacen más lentamente. Así, hay periodos durante los cuales desde la Tierra da la impresión de que los planetas retrocedieran. En realidad siempre avanzan, pero desde nuestro punto de vista terrestre parece que fueran hacia atrás por el zodiaco durante cierto tiempo. A esto se lo llama movimiento retrógrado, que tiende a debilitar la influencia normal de los planetas.

Natal

En astrología se usa esta palabra para distinguir las posiciones planetarias que se dieron en el momento del nacimiento (natales) de las posiciones por tránsito (actuales). Por ejemplo, la expresión Sol natal hace alusión a la posición del Sol en el momento del nacimiento de una persona; Sol en tránsito se refiere a la posición actual del Sol en cualquier momento dado, que generalmente no coincide con la del Sol natal.

Planetas lentos

A los planetas que tardan mucho tiempo en pasar por un signo se los llama planetas lentos. Son los siguientes: Júpiter (que permanece alrededor de un año en cada signo), Saturno (dos años y medio), Urano (siete años), Neptuno (catorce años) y Plutón (entre doce y treinta años). Estos planetas indican las tendencias que habrá durante un periodo largo de tiempo en un determinado ámbito de la vida, y son importantes, por lo tanto, en las previsiones a largo plazo. Dado que estos planetas permanecen tanto tiempo en un signo, hay periodos durante el año en que contactan con los planetas rápidos, y estos activan aún más una determinada casa, aumentando su importancia.

Planetas rápidos

Son los planetas que cambian rápidamente de posición: la Luna (que sólo permanece dos días y medio en cada signo), Mercurio (entre veinte y treinta días), el Sol (treinta días), Venus (alrededor de un mes) y Marte (aproximadamente dos meses). Dado que estos planetas pasan tan rápidamente por un signo, sus efectos suelen ser breves. En un horóscopo indican las tendencias inmediatas y cotidianas.

Tránsitos

Con esta palabra se designan los movimientos de los planetas en cualquier momento dado. En astrología se usa la palabra «tránsito» para distinguir un planeta natal de su movimiento actual en los cielos. Por ejemplo, si en el momento de tu nacimiento Saturno estaba en Cáncer en la casa ocho, pero ahora está pasando por la casa tres, se dice que está «en tránsito» por la casa tres. Los tránsitos son una de las principales herramientas con que se trabaja en la previsión de tendencias.

Aries

El Carnero
Nacidos entre el 21 de marzo y el 20 de abril

Rasgos generales

ARIES DE UN VISTAZO

Elemento: Fuego

Planeta regente: Marte
   Planeta de la profesión: Saturno
   Planeta del amor: Venus
   Planeta del dinero: Venus
   Planeta del hogar y la vida familiar: la Luna
   Planeta de la riqueza y la buena suerte: Júpiter

Colores: Carmín, rojo, escarlata
   Colores que favorecen el amor, el romance y la armonía social:
     Verde, verde jade
   Color que favorece la capacidad de ganar dinero: Verde

Piedra: Amatista

Metales: Hierro, acero

Aroma: Madreselva

Modo: Cardinal (= actividad)

Cualidad más necesaria para el equilibrio: Cautela

Virtudes más fuertes: Abundante energía física, valor, sinceridad, independencia, confianza en uno mismo

Necesidad más profunda: Acción

Lo que hay que evitar: Prisa, impetuosidad, exceso de agresividad, temeridad

Signos globalmente más compatibles: Leo, Sagitario

Signos globalmente más incompatibles: Cáncer, Libra, Capricornio

Signo que ofrece más apoyo laboral: Capricornio

Signo que ofrece más apoyo emocional: Cáncer

Signo que ofrece más apoyo económico: Tauro

Mejor signo para el matrimonio y/o las asociaciones: Libra

Signo que más apoya en proyectos creativos: Leo

Mejor signo para pasárselo bien: Leo

Signos que más apoyan espiritualmente: Sagitario, Piscis

Mejor día de la semana: Martes

La personalidad Aries

Aries es el activista por excelencia del zodiaco. Su necesidad de acción es casi una adicción, y probablemente con esta dura palabra la describirían las personas que no comprenden realmente la personalidad ariana. En realidad, la «acción» es la esencia de la psicología de los Aries, y cuanto más directa, contundente y precisa, mejor. Si se piensa bien en ello, este es el carácter ideal para el guerrero, el pionero, el atleta o el directivo.

A los Aries les gusta que se hagan las cosas, y suele ocurrir que en su entusiasmo y celo pierden de vista las consecuencias para ellos mismos y los demás. Sí, ciertamente se esfuerzan por ser diplomáticos y actuar con tacto, pero les resulta difícil. Cuando lo hacen tienen la impresión de no ser sinceros, de actuar con falsedad. Les cuesta incluso comprender la actitud del diplomático, del creador de consenso, de los ejecutivos; todas estas personas se pasan la vida en interminables reuniones, conversaciones y negociaciones, todo lo cual parece una gran pérdida de tiempo cuando hay tanto trabajo por hacer, tantos logros reales por alcanzar. Si se le explica, la persona Aries es capaz de comprender que las conversaciones y negociaciones y la armonía social conducen en último término a acciones mejores y más eficaces. Lo interesante es que un Aries rara vez es una persona de mala voluntad o malévola, ni siquiera cuando está librando una guerra. Los Aries luchan sin sentir odio por sus contrincantes. Para ellos todo es una amistosa diversión, una gran aventura, un juego.

Ante un problema, muchas personas se dicen: «Bueno, veamos de qué se trata; analicemos la situación». Pero un Aries no; un Aries piensa: «Hay que hacer algo; manos a la obra». Evidentemente ninguna de estas dos reacciones es la respuesta adecuada siempre. A veces es necesario actuar, otras veces, pensar. Sin embargo, los Aries tienden a inclinarse hacia el lado de la acción, aunque se equivoquen.

Acción y pensamiento son dos principios totalmente diferentes. La actividad física es el uso de la fuerza bruta. El pensamiento y la reflexión nos exigen no usar la fuerza, estar quietos. No es conveniente que el atleta se detenga a analizar su próximo movimiento, ya que ello sólo reducirá la rapidez de su reacción. El atleta debe actuar instintiva e instantáneamente. Así es como tienden a comportarse en la vida las personas Aries. Son rápidas e instintivas para tomar decisiones, que tienden a traducirse en acciones casi de inmediato. Cuando la intuición es fina y aguda, sus actos son poderosos y eficaces. Cuando les falla la intuición, pueden ser desastrosos.

Pero no vayamos a creer que esto asusta a los Aries. Así como un buen guerrero sabe que en el curso de la batalla es posible que reciba unas cuantas heridas, la persona Aries comprende, en algún profundo rincón de su interior, que siendo fiel a sí misma es posible que incurra en uno o dos desastres. Todo forma parte del juego. Los Aries se sienten lo suficientemente fuertes para capear cualquier tormenta.

Muchos nativos de Aries son intelectuales; pueden ser pensadores profundos y creativos. Pero incluso en este dominio tienden a ser pioneros y francos, sin pelos en la lengua. Este tipo de Aries suele elevar (o sublimar) sus deseos de combate físico con combates intelectuales y mentales. Y ciertamente resulta muy convincente.

En general, los Aries tienen una fe en sí mismos de la que deberíamos aprender los demás. Esta fe básica y sólida les permite superar las situaciones más tumultuosas de la vida. Su valor y su confianza en sí mismos hacen de ellos líderes naturales. Su liderazgo funciona más en el sentido de dar ejemplo que de controlar realmente a los demás.

Situación económica

Los Aries suelen destacar en el campo de la construcción y como agentes de la propiedad inmobiliaria. Para ellos el dinero es menos importante de por sí que otras cosas, como por ejemplo la acción, la aventura, el deporte, etc. Sienten la necesidad de apoyar a sus socios y colaboradores y de gozar de su aprecio y buena opinión. El dinero en cuanto medio para obtener placer es otra importante motivación. Aries funciona mejor teniendo su propio negocio, o como directivo o jefe de departamento en una gran empresa. Cuantas menos órdenes reciba de un superior, mucho mejor. También trabaja más a gusto al aire libre que detrás de un escritorio.

Los Aries son muy trabajadores y poseen muchísimo aguante; pueden ganar grandes sumas de dinero gracias a la fuerza de su pura energía física.

Venus es su planeta del dinero, lo cual significa que necesitan cultivar más las habilidades sociales para convertir en realidad todo su potencial adquisitivo. Limitarse a hacer el trabajo, que es en lo que destacan los Aries, no es suficiente para tener éxito económico. Para conseguirlo necesitan la colaboración de los demás: sus clientes y colaboradores han de sentirse cómodos y a gusto. Para tener éxito, es necesario tratar debidamente a muchas personas. Cuando los Aries desarrollan estas capacidades, o contratan a alguien que se encargue de esa parte del trabajo, su potencial de éxito económico es ilimitado.

Profesión e imagen pública

Se podría pensar que una personalidad pionera va a romper con las convenciones sociales y políticas de la sociedad, pero este no es el caso de los nacidos en Aries. Son pioneros dentro de los marcos convencionales, en el sentido de que prefieren iniciar sus propias empresas o actividades en el seno de una industria ya establecida que trabajar para otra persona.

En el horóscopo solar de los Aries, Capricornio está en la cúspide de la casa diez, la de la profesión, y por lo tanto Saturno es el planeta que rige su vida laboral y sus aspiraciones profesionales. Esto nos dice algunas cosas interesantes acerca del carácter ariano. En primer lugar nos dice que para que los Aries conviertan en realidad todo su potencial profesional es necesario que cultiven algunas cualidades que son algo ajenas a su naturaleza básica. Deben ser mejores administradores y organizadores. Han de ser capaces de manejar mejor los detalles y de adoptar una perspectiva a largo plazo de sus proyectos y de su profesión en general. Nadie puede derrotar a un Aries cuando se trata de objetivos a corto plazo, pero una carrera profesional es un objetivo a largo plazo, que se construye a lo largo del tiempo. No se puede abordar con prisas ni «a lo loco».

A algunos nativos de Aries les cuesta mucho perseverar en un proyecto hasta el final. Dado que se aburren con rapidez y están continuamente tras nuevas aventuras, prefieren pasarle a otra persona el proyecto que ellos han iniciado para emprender algo nuevo. Los Aries que aprendan a postergar la búsqueda de algo nuevo hasta haber terminado lo viejo, conseguirán un gran éxito en su trabajo y en su vida profesional.

En general, a las personas Aries les gusta que la sociedad las juzgue por sus propios méritos, por sus verdaderos logros. Una reputación basada en exageraciones o propaganda les parece falsa.

Amor y relaciones

Tanto para el matrimonio como para otro tipo de asociaciones, a los Aries les gustan las personas pasivas, amables, discretas y diplomáticas, que tengan las habilidades y cualidades sociales de las que ellos suelen carecer. Nuestra pareja y nuestros socios siempre representan una parte oculta de nosotros mismos, un yo que no podemos expresar personalmente.

Hombre o mujer, la persona Aries suele abordar agresivamente lo que le gusta. Su tendencia es lanzarse a relaciones y matrimonios. Esto es particularmente así si además del Sol tiene a Venus en su signo. Cuando a Aries le gusta alguien, le costará muchísimo aceptar un no y multiplicará los esfuerzos para vencer su resistencia.

Si bien la persona Aries puede ser exasperante en las relaciones, sobre todo cuando su pareja no la comprende, jamás será cruel ni rencorosa de un modo consciente y premeditado. Simplemente es tan independiente y está tan segura de sí misma que le resulta casi imposible comprender el punto de vista o la posición de otra persona. A eso se debe que Aries necesite tener de pareja o socio a alguien que tenga muy buena disposición social.

En el lado positivo, los Aries son sinceros, personas en quienes uno se puede apoyar y con quienes siempre se sabe qué terreno se pisa. Lo que les falta de diplomacia lo compensan con integridad.

Hogar y vida familiar

Desde luego, el Aries es quien manda en casa, es el Jefe. Si es hombre, tenderá a delegar los asuntos domésticos en su mujer. Si es mujer, querrá ser ella quien lleve la batuta. Tanto los hombres como las mujeres Aries suelen manejar bien los asuntos domésticos, les gustan las familias numerosas y creen en la santidad e importancia de la familia. Un Aries es un buen miembro de la familia, aunque no le gusta especialmente estar en casa y prefiere vagabundear un poco.

Para ser de naturaleza tan combativa y voluntariosa, los Aries saben ser sorprendentemente dulces, amables e incluso vulnerables con su pareja y sus hijos. En la cúspide de su cuarta casa solar, la del hogar y la familia, está el signo de Cáncer, regido por la Luna. Si en su carta natal la Luna está bien aspectada, es decir, bajo influencias favorables, la persona Aries será afectuosa con su familia y deseará tener una vida familiar que la apoye y la nutra afectivamente. Tanto a la mujer como al hombre Aries le gusta llegar a casa después de un arduo día en el campo de batalla de la vida y encontrar los brazos comprensivos de su pareja, y el amor y el apoyo incondicionales de su familia. Los Aries piensan que fuera, en el mundo, ya hay suficiente «guerra», en la cual les gusta participar, pero cuando llegan a casa, prefieren la comodidad y el cariño.

Horóscopo para el año 2017[*]

Principales tendencias

Desde hace varios años tienes en tu signo al dinámico Urano, y este año continuará en él; han cambiado radicalmente las condiciones y circunstancias de tu vida; el viejo dicho «la vida puede cambiar en cualquier momento» te viene de perlas; lo vives. El Cosmos lleva un tiempo liberándote de viejas restricciones, y a veces tiene que hacer esto de maneras drásticas, tal vez explosivas; el trabajo de cambio en tu cuerpo e imagen ha sido continuado, y cada vez que piensas que lo tienes justo de la manera que quieres, se te ocurre una nueva idea y otra vez comienzas a cambiarlo. Lo bueno de todo esto es una sensación de libertad personal que tal vez no habías conocido nunca. Es una sensación embriagadora. Por el momento es posible que hayas aprendido las lecciones de Urano, pero aún tienes por delante otro año más; deberías pasarlo con facilidad.

El 10 de septiembre del año pasado entró Júpiter en tu séptima casa, la del amor, y continuará en ella hasta el 10 de octubre. Este es uno de los principales titulares de este año. Es un año fuerte y feliz en lo social. Tal vez ya estás dispuesto y preparado para «establecerte», sobre todo después de tantos años de libertad, sin compromisos ni responsabilidades. Este año se ven posibilidades de relaciones románticas y de negocios. Volveremos sobre este tema.

El 11 de octubre Júpiter entra en tu octava casa; esto trae prosperidad al cónyuge, pareja o ser amado actual. Muchas veces este tránsito trae herencia, y esto no significa que tenga que morir alguna persona; tal vez alguien te nombra en su testamento, o se te asigna un puesto en la administración de una propiedad. También favorece los proyectos relacionados con la transformación personal, los regímenes de adelgazamiento y desintoxicación.

Saturno pasa casi todo el año en alineación armoniosa contigo; esto es buena señal para la salud. Pero al acabar el año (el 21 de

[*] Las previsiones de este libro se basan en el Horóscopo Solar y todos los signos que derivan de él; tu Signo Solar se convierte en el Ascendente, y las casas se numeran a partir de él. Tu horóscopo personal, el trazado concretamente para ti (según la fecha, hora y lugar exactos de tu nacimiento) podrían modificar lo que decimos aquí. Joseph Polansky

diciembre) entra en Capricornio, tu décima casa, y transitará por ella en un aspecto desfavorable. Entonces será necesario estar más atento a la salud (hasta bien entrado 2019). Saturno en tu novena casa indica una profesión feliz y en expansión; es muy probable que haya más viajes relacionados con la profesión. Pero cuando Saturno entre en tu décima casa (el 21 de diciembre) la profesión se vuelve más seria; tendrás que rendir; los jefes son estrictos y exigentes.

Plutón lleva muchos años en tu décima casa y este año continúa en ella; como hemos dicho en años anteriores, en tu profesión se está produciendo una desintoxicación cósmica. Esto tiene que ver con tu forma de enfocarla, tus estrategias y las personas relacionadas con tu profesión. En sentido figurado, es posible que pases por experiencias de casi muerte o cirugía en la profesión; hay cambios en la industria en que trabajas; cambian las reglas del juego.

La facetas de mayor interés para ti este año son: el cuerpo y la imagen (intereses de mucho tiempo); el amor, el romance y las actividades sociales (hasta el 10 de octubre); la transformación y la reinvención personales, la sexualidad y los estudios ocultos o herméticos (a partir del 11 de octubre); la religión, los estudios superiores y los viajes (hasta el 21 de diciembre); la profesión (otro interés de mucho tiempo); la espiritualidad (también interés de mucho tiempo).

Las facetas de mayor satisfacción para ti este año son: el amor, el romance y las actividades sociales (hasta el 10 de octubre); la transformación y la reinvención personales, la sexualidad y los estudios ocultos (a partir del 11 de octubre); la salud y el trabajo (hasta el 29 de abril); los hijos, la diversión y la creatividad (a partir del 29 de abril).

Salud

(Ten en cuenta que esta es una perspectiva astrológica de la salud, no una médica. Antaño no había ninguna diferencia, ambas eran idénticas, pero en esta época podrían diferir muchísimo. Para una perspectiva médica, por favor, consulta a tu médico o a otro profesional de la salud.)

Este año deberás estar más atento a tu salud; tres planetas lentos están en alineación desfavorable contigo; el 11 de octubre Júpiter sale de este aspecto, pero el 21 de diciembre Saturno entra en alineación desfavorable.

El problema es que tu sexta casa estará vacía la mayor parte del año; sólo transitarán por ella los planetas rápidos; tu tendencia será no hacer caso de los problemas de salud, y si bien no desatenderlos del todo, no prestarles la atención que necesitan. Tendrás que obligarte a prestarles más atención.

Como saben nuestros lectores son muchas las cosas que se pueden hacer para fortalecer la salud y prevenir problemas (o evitar que empeoren). Da más atención a las siguientes zonas, que son las vulnerables en tu carta:

El corazón. Irá bien trabajar los puntos reflejos. El corazón ha adquirido importancia en los últimos años, y será aún más importante después del 21 de diciembre, día en que Saturno entra en alineación desfavorable contigo. Los terapeutas espirituales están de acuerdo en que los problemas cardiacos están causados por la preocupación y la ansiedad excesivas; así pues, es necesario tener más fe y confianza.

Los pulmones, los brazos, los hombros y el sistema respiratorio. Estos son siempre importantes para ti; el regente de estas zonas, Mercurio, es tu planeta de la salud. Irán bien sesiones de reflexología para trabajar los puntos reflejos; el masaje periódico en los brazos y hombros es una terapia potente; protege bien las muñecas y los codos cuando hagas ejercicio.

La cabeza, la cara y el cuero cabelludo. Estas zonas también son siempre importantes para ti. Añade masajes periódicos al cuero cabelludo y la cara a tu programa de salud; estos masajes no sólo fortalecen las zonas inmediatas, sino también todo el cuerpo; en el cuero cabelludo y la cara hay puntos reflejos que afectan a todos los órganos y sistemas del cuerpo. En general, la terapia sacro-craneal es buena para Aries. Las diferentes zonas óseas del cráneo son móviles y es necesario mantenerlas en correcta alineación.

Las suprarrenales. Estas glándulas también son importantes para Aries; irá bien trabajar los puntos reflejos. Lo importante es evitar la ira y el miedo, que son las dos emociones que hacen trabajar en exceso a estas glándulas.

La musculatura. Los músculos también son siempre importantes para Aries. Para ti, más que para la mayoría, buena salud significa buena forma física (no sólo ausencia de síntomas). Un músculo débil puede desalinear la columna y el esqueleto, y esto es causa de todo tipo de otros problemas. Por lo tanto, el ejercicio físico es muy importante para ti, es un saludable tónico. En muchas ocasiones, unas cuantas horas en el gimnasio te serán más beneficiosas que una visita a un profesional de la salud.

Después de todos estos años sin duda nuestros lectores saben que Mercurio, tu planeta de la salud, avanza muy rápido; sólo la Luna es más rápida que él; a lo largo de un año transita por todos los signos y casas del horóscopo; así pues, son muchas las tendencias a corto plazo en la salud, así como los remedios, y estos es mejor tratarlos en las previsiones mes a mes.

Este año Mercurio hace movimiento retrógrado cuatro veces, lo cual es bastante excepcional (esto ocurrió también el año pasado); lo habitual es que sólo lo haga tres veces. Así pues, no es aconsejable hacer cambios drásticos en la dieta ni en el programa de salud durante estos periodos, que son los siguientes: del 1 al 8 de enero, del 9 de abril al 3 de mayo, del 11 de agosto al 5 de septiembre y del 3 al 23 de diciembre.

Hogar y vida familiar

Este año no está poderosa tu cuarta casa, la del hogar y la familia. Tampoco fue casa de poder el año pasado. Esto lo interpreto como algo positivo; estás esencialmente satisfecho con las cosas como están y no tienes ninguna necesidad urgente de hacer cambios importantes, drásticos. Con este aspecto se tiende a dejar las cosas como están.

Lógicamente, cada año trae consigo su cuota de crisis y dramas. Por lo general, cada año hay dos eclipses lunares, y estos tienen su efecto en el hogar y la familia (el planeta eclipsado, la Luna, es tu planeta del hogar y la familia); este año, pues, tenemos dos eclipses lunares, uno el 11 de febrero y el otro el 7 de agosto. Lo bueno es que te revelan lo que es necesario arreglar o reparar en la casa; es posible que haya problemas (que a veces son graves) de los que no te has dado cuenta; si estos problemas se dejan estar pueden producir daños importantes; pero los eclipses te los revelan para que puedas hacer las correcciones. Estos eclipses también producen dramas emocionales con los familiares, y en especial con un progenitor o figura parental. Durante los periodos de estos eclipses deberás tener más paciencia con ellos, y es aconsejable que reduzcan sus actividades y eviten situaciones de riesgo o peligro.

Plutón lleva muchos años en tu décima casa; esto indica problemas con un progenitor o figura parental de tu vida. Se han dado casos en que se ha producido el fallecimiento, pero en general sólo indica intervención quirúrgica o experiencias de casi muerte; esta tendencia continúa este año. Este progenitor o figura parental ha estado más espiritual los dos últimos años; hay mucho crecimiento interior. El 21 de diciembre, cuando Saturno cruza tu medio cielo, esta persona se vuelve más seria, más exigente, más disciplinaria; este año esta persona debería tener éxito en regímenes de desintoxicación o adelgazamiento.

Tu planeta de la familia, la Luna, es de movimiento muy rápido; es el más rápido de todos los planetas; cada mes transita por todo el horóscopo. Por lo tanto, hay muchas tendencias a corto plazo en la situación familiar, que es mejor tratar en las previsiones mes a mes.

En general, los problemas familiares tienden a ser de corta duración para ti.

Los hermanos o figuras fraternas de tu vida prosperan, pero tienen un año más o menos estable, sin cambios ni novedades en la situación doméstica y familiar; si están en edad de concebir, son más fértiles.

Una figura parental podría mudarse o trasladarse este año; hay buena suerte en la compra o venta de una casa para esta persona.

Algún hijo o figura filial podría mudarse después del 11 de octubre. Los nietos (si los tienes) han asumido más responsabilidad los dos años anteriores, y se ven prósperos; alguno de ellos podría mudarse después del 11 de octubre.

Si tienes planes para redecorar o embellecer la casa (cosas de tipo estético), del 21 de junio al 22 de julio y del 31 de julio al 26 de agosto son buenos periodos. Si piensas hacer renovaciones o reparaciones importantes, del 4 de junio al 22 de julio es buen periodo.

Profesión y situación económica

Tu casa del dinero no está poderosa este año, Aries; el dinero no es un foco importante de atención. Por lo general esto es bueno; indica satisfacción con las cosas como están, y por lo tanto la tendencia es a dejarlas como están. Claro que durante el año habrá periodos (cuando los planetas rápidos transiten por tu casa del dinero) en que las finanzas serán importantes y activas, pero estas son tendencias de corta duración, no tendencias para el año.

Pese a esto, este año se ve próspero. Venus, tu planeta del dinero, pasa muchísimo tiempo en tu signo, tres veces el tiempo normal; estará en tu signo del 3 de febrero al 4 de abril y luego nuevamente del 29 de abril al 6 de junio. Esto indica una importante novedad financiera, algo con muchas vueltas y revueltas; algo que avanza durante un tiempo y luego retrocede, reflejando el movimiento de Venus. También indica otras cosas: Venus te trae buenas rachas financieras; se encargará de que las oportunidades financieras te busquen y no que las busques tú; también traerá una oportunidad de formar una sociedad de negocios o empresa conjunta lucrativa. Pero debes tener paciencia; hay muchas arrugas que es necesario alisar.

Venus es planeta de movimiento rápido; a lo largo del año transita por todos los signos y casas del horóscopo; por lo tanto, los ingresos y las oportunidades de ingresos te llegarán de muchas maneras, en diferentes circunstancias y a través de muchas personas distintas, según dónde esté Venus en el momento; los aspectos que reciba también tienen un papel importante. Estas tendencias a corto plazo es mejor tratarlas en las previsiones mes a mes.

Este año tu profesión (el trabajo de tu vida, tu categoría y posición profesional) es mucho más importante que el simple dinero. A fin de año, y los dos próximos años, será más importante aún. Este año estás en una fase preparatoria. Hacia fin de año, cuando tu planeta de la profesión, Saturno, cruce tu medio cielo y entre en tu décima casa, te pedirán que asumas más responsabilidades, y has de estar preparado para esto. Así pues, no te hará ningún daño asumir responsabilidades extras desde ahora, para prepararte, para acostumbrarte.

Tu planeta de la profesión pasa la mayor parte del año en Sagitario, tu novena casa. Esto indica viajes relacionados con la profesión; tu buena disposición a viajar será un punto positivo para adelantar en tu profesión. También indica (y esto depende de tu edad y etapa en la vida) la necesidad de o bien enseñar y aconsejar a otros o bien de educarte tú en temas que den impulso a tu profesión. No dudes en asistir a seminarios o charlas relacionados con la profesión, o dar estas charlas tú.

Como hemos dicho, Plutón lleva muchos años en la cima de tu carta, en la casa más elevada; esto le da enorme poder e importancia. Esto indica que los jefes o figuras de autoridad pasan por intervenciones quirúrgicas o experiencias de casi muerte (es posible que alguno ya haya pasado por esto); se dan casos de verdadera muerte; también la empresa o industria en que trabajas ha tenido experiencias de casi muerte, y es posible que tu profesión haya «muerto y renacido», es decir, resucitado. Cuando Plutón termine su trabajo contigo (y para esto aún faltan años) serás intrépido, osado, en los asuntos profesionales; además, tendrás tu profesión «soñada», ideal.

Amor y vida social

Como hemos dicho, este es el verdadero titular del año; este es uno de los mejores y más felices años en tu vida amorosa y social desde hace mucho tiempo, tal vez desde hace doce años más o menos.

Hasta el 10 de octubre Júpiter está establecido en tu séptima casa. Si combinamos esto con el tránsito de tres meses de Venus por tu signo tenemos una receta para el romance, el matrimonio o una relación seria. Todo se ve muy feliz.

Desde hace muchos años no ha sido aconsejable el matrimonio, la relación comprometida; Urano en tu signo rechazaba esto. Tu voluntariedad, tu pasión por la libertad y la independencia, que son buenas en sí, no han sido favorables para relaciones serias y duraderas. Pero Urano ya casi ha acabado su trabajo contigo; dentro de uno o dos años habrá salido de tu signo. Estás preparado para cierta estabilidad en tu vida. Si naciste en la primera parte del signo (20 de marzo al 5 de abril) Urano ya ha terminado contigo; sería aconsejable el matrimonio o una relación seria «semejantes» a matrimonio. Si naciste entre el 6 y el 19 de abril, sería más aconsejable continuar esperando; disfruta del romance, pero no te precipites a nada, no hay ninguna prisa.

Si estás soltero o soltera, Júpiter en tu séptima casa indica que entra en tu vida una persona refinada y de formación superior; tal vez es extranjera y la conoces en otro país. Se trata de una persona a la que puedes admirar y respetar. La presencia de Júpiter en la séptima casa es un aspecto de la persona que se enamora del profesor universitario o el pastor religioso; hay atracción hacia las personas de tipo «mentor».

Desde el 3 de febrero al 6 de junio, tu planeta del amor, Venus, estará o bien en tu signo o muy cerca. Esto significa que el amor te persigue, que no tienes que hacer nada especial para encontrarlo; te encontrará. En tu carta el amor y el dinero van cogidos de la mano; Venus es tu planeta del amor y del dinero. Por lo tanto, si una faceta va bien, la otra también; cuando la vida amorosa es feliz, también lo es la vida financiera; cuando las finanzas van bien, el amor también. La riqueza de la otra persona es sin duda un atractivo añadido. Pero la formación, la cultura y la compatibilidad filosófica son igualmente importantes, y tal vez más aún este año.

Como hemos dicho, este año no es mucho lo que tienes que hacer para encontrar el amor. De todos modos son conducentes los ambientes de tipo formación y religioso. Personas que comparten tu culto hacen de casamenteras.

Venus es un planeta de movimiento rápido, como hemos dicho; a lo largo del año transita por todos los signos y casas del horóscopo. Por lo tanto, cada mes podrán cambiar los lugares o circunstancias para el amor, según dónde esté Venus en un determinado momento. Estas tendencias a corto plazo es mejor tratarlas en las previsiones mes a mes.

Si estás con miras a un segundo matrimonio, sigues necesitando paciencia; este año no es aconsejable el matrimonio. Si estás con miras a un tercer matrimonio, tienes muy buenas oportunidades; una persona de posición superior se interesa por ti.

Progreso personal

La posición de un planeta en lo más alto de la carta afecta a mucho más que a la profesión; significa que los asuntos regidos por el planeta son de la máxima prioridad para la persona, y que esta se ve involucrada en estos asuntos. Por lo tanto, Plutón en tu medio cielo desde hace muchos años indica que los asuntos relacionados con muerte, intervención quirúrgica (forma de experiencia de casi muerte), propiedades y, en algunos casos, deuda e impuestos, han sido muy importantes en tu vida durante estos años. Arreglártelas con estos asuntos ha sido tu principal prioridad, y tal vez parte de tu actual misión en la vida. Expresado así esto podría producir miedo, pero no es este el programa cósmico. Con estas experiencias te enfrentas a la muerte y adquieres una comprensión más profunda de ella. Esto ocurre tanto en el plano material como en el espiritual. Muy pocas personas entienden las complejidades de un testamento o las normas de validación mientras no han tenido la experiencia. Así pues, se amplía la comprensión puramente material; pero también hay comprensión espiritual. Te enteras de qué va la muerte física, por qué no hay que temerla, sino comprenderla. Cuando entendemos espiritualmente la muerte vivimos mejor y con más eficiencia. Debido al miedo a la muerte se bloquean nuestros deseos y esperanzas más acariciados. Una vez que pasamos por esto se nos abren nuevos panoramas de la vida.

Plutón en la décima casa también indica éxito en el trabajo relacionado con la transformación y la reinvención personales. En un sentido espiritual, esta es tu verdadera misión en este periodo. Se te llama a dar a luz a tu yo ideal.

La espiritualidad ha sido importante estos últimos años, desde que Neptuno entró en Piscis en febrero de 2012. Durante estos años Saturno ha puesto a prueba tu espiritualidad, y continuará haciéndolo la mayor parte de este año. A veces hay conflicto entre la profesión mundana y los valores espirituales; este es un conflicto clásico. Podría ocurrir que las fuerzas de la tradición (padres, mayores, figuras de autoridad) ataquen la espiritualidad de la persona, su práctica y sus ideales. Entonces la persona se ve obligada a integrar los dos deseos, el de una vida espiritual viable y una profesión mundana, vivir de modo práctico en el mundo sin abandonar las ideas espirituales. Esto no es fácil. Este año continúas teniendo este reto, pero pronto habrá acabado. El 21 de diciembre Saturno entra en Capricornio y este problema tendría que resolverse. Tal vez te sirva comprender que la espiritualidad es siempre eminentemente práctica. Da la impresión de ser de otro mundo pero tiene fabulosos efectos mundanos. La espiritualidad sólo indica un «enfoque diferente» de los asuntos prácticos, un enfoque mejor. Estos años se ha puesto a prueba tu intuición, y esto continúa este año. En último término esto es bueno. No se forja ningún instrumento o herramienta fiable sin probarlo para ver que funciona bien.

La entrada de Saturno en tu décima casa a fin de año traerá fuertes exigencias en la profesión. Tienes que triunfar por puro mérito, siendo el mejor en lo que haces. A veces esto trae un jefe estricto y exigente, que te carga de trabajo y espera «lo imposible», que nunca parece satisfecho, que es parco en elogios pero pronto a criticar. Esto no es agradable, pero si lo llevas bien te permitirá rendir al máximo; no te resistas a las exigencias, haz todo lo posible por cumplirlas. Te sorprenderás cuando comiences a hacer cosas que creías imposibles. En realidad estas cosas no son cargas sino dones espirituales; esto lo verás después, en retrospectiva.

Previsiones mes a mes

Enero

Mejores días en general: 5, 6, 13, 14, 22, 23, 24
Días menos favorables en general: 11, 12, 17, 18, 19, 25, 26
Mejores días para el amor: 2, 12, 17, 18, 19, 20, 21, 31
Mejores días para el dinero: 1, 2, 7, 8, 10, 12, 18, 19, 20, 21, 28, 29, 31
Mejores días para la profesión: 5, 6, 13, 14, 23, 24, 25, 26

Comienzas el año con el 90 por ciento de los planetas en la mitad superior de tu carta. Y no sólo eso, también está ultra poderosa tu décima casa, la de la profesión. Te encuentras en una cima profesional anual, y en la profesión debe estar la atención. Por ahora puedes desatender los asuntos domésticos y familiares; con el éxito externo vendrá el bienestar emocional. Lo mejor que puedes hacer por la familia y las amistades es triunfar en el mundo externo.

Este mes es necesario que estés más atento a la salud, en especial hasta el 19; la profesión te exige trabajo, y es interesante, pero procura programar más momentos de descanso. Tu planeta de la salud, Mercurio, pasa una buena parte del mes en el conservador Capricornio, así que eres conservador en asuntos de salud; los masajes en la espalda y las rodillas fortalecerán la salud. Cuida la postura; una mala postura podría desalinear la columna. Evita hacer cambios importantes en el programa de salud y en la dieta hasta después del 8, cuando Mercurio retoma el movimiento directo.

El mes pasado el poder planetario se trasladó de tu sector occidental al oriental, y esta será la situación los próximos cinco meses más o menos. Es un periodo para ejercitar más la independencia y crear las condiciones que deseas en la vida. Ahora el poder planetario avanza hacia ti y se aleja de los demás. Así pues, tu manera es la mejor en este periodo; es más probable que los demás se adapten a ti que no a la inversa.

Después del 28, cuando Marte cruza tu ascendente y entra en tu primera casa, tu independencia se hará más fuerte aún, si eso es posible. Cuando la persona está bajo la influencia de Marte es como si hubiera tomado anfetaminas; todo se acelera; hay más energía, pero también más impaciencia. En algunas personas es como si hubieran tomado una pastilla de «ira»; explotan por cosas que normalmente dejarían pasar. Estos son los principales peligros de un tránsito de Marte; la impaciencia y los prontos de genio pueden llevar a conflictos, accidentes y lesiones.

Venus, tu planeta del amor y del dinero, tiene su solsticio (pausa) a fin de mes, del 29 al 31; el solsticio del Sol fue el mes pasado. Así pues, conviene hacer una pausa en el amor y en las finanzas; habrá un breve periodo de pausa y luego es probable que haya un cambio de dirección.

Febrero

Mejores días en general: 1, 2, 9, 10, 19, 20, 28
Días menos favorables en general: 7, 8, 14, 15, 21, 22
Mejores días para el amor: 9, 10, 14, 15, 19, 20, 28
Mejores días para el dinero: 3, 4, 5, 6, 9, 10, 14, 15, 19, 20, 24, 25, 28
Mejores días para la profesión: 1, 2, 9, 10, 19, 20, 21, 22, 28

Marte pasa el mes en tu primera casa, y el 80 por ciento de los planetas continúan en el sector oriental de tu carta. Esto es fundamentalmente bueno, pero Aries podría tender a excederse en lo de su independencia. Es bueno ser independiente, esa es tu naturaleza, pero procura no tratar con desconsideración a los demás. Repasa lo que dijimos de Marte el mes pasado. Marte en tu primera casa ofrece cosas muy positivas también: da energía y carisma; deberías destacar en deportes o programas de ejercicio; haces las cosas rápido. La vida se acelera, tal como a ti te gusta (esto es más de lo normal: el 90 por ciento de los planetas están en movimiento directo a partir del 6; antes del 6 todos los planetas están en movimiento directo). El progreso es rápido este mes.

El principal titular este mes es que hay dos eclipses; esto garantiza cambios e inestabilidad.

El eclipse lunar del 11 (el 10 en América) ocurre en tu quinta casa, por lo tanto afecta a los hijos y las figuras filiales de tu vida; pasan por dramas e incidentes de esos que cambian la vida; haz todo lo posible por protegerlos de situaciones de riesgo o peligro durante el periodo del eclipse (unos cuantos días antes y otros tantos después). Todos los eclipses lunares afectan al hogar y la familia y a los padres o figuras parentales; ten más paciencia con ellos esos días; las emociones estarán exaltadas. A veces con este eclipse es necesario hacer reparaciones en la casa.

El eclipse solar del 26 ocurre en tu espiritual casa doce y hace impacto directo en Neptuno, tu planeta de la espiritualidad. Harás cambios importantes en tu vida espiritual que pueden tomar muchas formas; a veces la persona cambia de profesor o enseñanza, o de práctica. Si perteneces a alguna organización de tipo espiritual, habrá trastornos y reorganización en ella; habrá dramas en la vida del gurú o figura de gurú.

Todos los eclipses solares afectan a los hijos y figuras filiales; tenemos, pues, una continuación del eclipse lunar anterior. Nuevamente procura protegerlos todo lo posible de todo peligro o daño. Este eclipse afecta a las finanzas de un progenitor o figura parental, y esta persona va a hacer cambios muy drásticos en esta faceta. Si uno de los padres o figuras parentales está enfermo, este eclipse podría producir una experiencia de casi muerte.

La vida onírica será hiperactiva durante el periodo de este eclipse solar (e incluso antes de que ocurra), pero estos sueños no son importantes, no te preocupes, lo que pasa es que el eclipse ha agitado el mundo psíquico.

Marzo

Mejores días en general: 1, 9, 10, 18, 19, 28
Días menos favorables en general: 6, 7, 13, 14, 21, 22
Mejores días para el amor: 1, 9, 13, 14, 18, 27
Mejores días para el dinero: 1, 2, 3, 5, 6, 9, 13, 14, 18, 23, 24, 27, 30
Mejores días para la profesión: 1, 10, 19, 20, 21, 22, 28

Venus entró en tu signo el 3 del mes pasado y continuará en él todo este mes. Esto indica que el amor y el dinero te persiguen; la vida amorosa y social ha sido buena en lo que va de año y es mejor aún desde el 3 del mes pasado. La única pega es que Venus inicia movimiento retrógrado el 4. Podría parecer que la relación amorosa retrocede en lugar de avanzar; la persona amada continúa muy dedicada a ti, pero se siente menos segura. La vida amorosa está en revisión hasta el 15 del mes que viene. Durante este periodo evita tomar decisiones importantes en el amor, en uno u otro sentido. El movimiento retrógrado de Venus enlentece la vida social (Júpiter también está retrógrado, en tu séptima casa) pero no la frena. Esto es sólo una pausa que renueva.

El mismo fenómeno ocurre en las finanzas; sigue habiendo ingresos y expansión financiera, pero con más lentitud que antes. Es muy importante que no empeores las cosas por descuido. Comprueba que has firmado y puesto bien la fecha en los talones o cheques; lee la letra pequeña en los folletos de las compras que hagas; si compras artículos caros (es mejor que lo evites) comprueba que tienes todos los recibos y que en las normas de la tienda está la posibilidad de devolución. Poner cuidado al comienzo te ahorra muchos problemas después. Lo bueno es que estás muy atento a tus finanzas. Marte, el señor de tu horóscopo, entra en tu casa del dinero el 10; esta atención extra valdrá la pena.

Normalmente estando en movimiento directo el 80 por ciento de los planetas, a partir de tu cumpleaños sería un buen mes para iniciar proyectos o lanzar nuevos productos; pero el movimiento retrógrado de Venus (amor y dinero) sugiere que esperes un poco. El próximo mes podría ser mejor para estas cosas.

Pero en esencia este es un mes feliz. Tu primera casa está llena de planetas a partir del 20 (e incluso antes). Tienes energía, carisma y chispa; te ves bien y te vistes bien. A partir del 20 estás en el periodo de máximo poder e independencia personal. Si hay condiciones que no son muy de tu gusto, este es el periodo para hacer los cambios. Más adelante, dentro de un mes más o menos, será más difícil hacerlos. Tienes la vida según tus condiciones; el mundo atiende a tus gustos, que no a la inversa.

Si eres estudiante universitario tienes que aplicarte más en tus estudios. Si tienes planes para viajar al extranjero, será mejor que reprogrames el viaje.

Abril

Mejores días en general: 5, 6, 14, 15, 16, 24, 25
Días menos favorables en general: 3, 4, 10, 11, 17, 18, 30
Mejores días para el amor: 4, 10, 11, 12, 13, 23
Mejores días para el dinero: 1, 4, 10, 11, 12, 13, 19, 20, 21, 23, 26, 27, 28, 29
Mejores días para la profesión: 5, 6, 15, 16, 17, 18, 24, 25

Este es un mes feliz, Aries, disfrútalo. Ocurren muchas cosas buenas en el amor y en las finanzas, aunque tal vez ocurren de manera indirecta. Podría parecer que algo bueno, una oportunidad, se te aleja, pero volverá.

La salud se ve buena en este periodo; tienes energía y magnetismo. Sigues haciendo tu voluntad en la vida, lo que siempre es agradable, aunque una mala decisión puede tener consecuencias más adelante. Sigues en el periodo de máximo poder e independencia. Si todavía hay condiciones que te fastidian, haz los cambios ahora.

Venus pasa la mayor parte del mes en tu casa doce, la de la espiritualidad; así pues, ahora el amor es muy idealista; es posible que el idealismo sea tan fuerte que cualquier cosa inferior te desagrade. Por otro lado, tienes la capacidad para experimentar matices en el amor que muy pocos experimentan en su vida. Aumenta mucho tu capacidad para dar y recibir amor. Este mes (hasta el 28) las oportunidades románticas se presentan en ambientes espirituales; funciones benéficas, seminarios o charlas espirituales, reuniones para hacer oración, son lugares para el amor. Sigue tus ideales más elevados y el amor te encontrará en esas actividades. El 28 Venus cruza tu ascendente y entra nuevamente en tu primera casa; esto indica que el amor te persigue; no es mucho lo que necesitas hacer: te encontrará.

Todo el mes es bueno para comprar ropa y accesorios personales. Tu sentido del estilo y elegancia es excelente y las compras serán buenas.

Este es un mes próspero también. Venus retoma el movimiento directo el 15; esto solucionará muchos atascos o bloqueos en las finanzas; ya hay claridad financiera. El 19 el Sol entra en tu casa del dinero y comienzas una cima financiera anual, un periodo de ingresos cumbre. Cuando Venus entre en tu signo el 28 habrá beneficios inesperados y oportunidades financieras; estos también te llegan con poco o ningún esfuerzo por tu parte (es muy probable que el esfuerzo llegue más adelante).

El 20 del mes pasado el poder planetario se trasladó de la mitad superior de tu carta a la inferior; y continuará ahí muchos meses más. Tu planeta de la profesión, Saturno, inicia movimiento retrógrado el 6; por lo tanto, se hace menos importante la profesión. Es el periodo para estar más atento a la familia y a tu bienestar emocional.

Mayo

Mejores días en general: 2, 3, 12, 13, 21, 22, 29, 30
Días menos favorables en general: 1, 7, 8, 14, 15, 27, 28
Mejores días para el amor: 2, 3, 7, 8, 12, 13, 21, 22
Mejores días para el dinero: 2, 3, 7, 8, 12, 13, 17, 18, 21, 22, 23, 24, 25, 26
Mejores días para la profesión: 3, 13, 14, 15, 22, 30

La prosperidad continúa fuerte este mes. Tu planeta del dinero pasa el mes en tu primera casa; eres un «imán» para atraerte dinero y oportunidades financieras; tienes apariencia de persona rica y los demás te consideran próspero, esa es la imagen que proyectas. Hasta el 20 sigue muy fuerte tu casa del dinero lo que indica mucha atención a las finanzas, y, por la ley espiritual, obtenemos aquello en que centramos la atención.

Si eres estudiante, este mes es mejor que el pasado. Mercurio, el señor de tu tercera casa, ha estado retrógrado desde el 9 del mes pasado; esto suele enlentecer el aprendizaje y dificultar la retención de información, pero el 3 de este mes retoma el movimiento directo. Marte pasa todo el mes en tu tercera casa, y el 20 entra el Sol en esta casa: entonces la mente está más aguda y despejada; sientes anhelo de información y conocimiento; tienes mucha motivación para estudiar. En el caso de que seas profesor, escritor, periodista o trabajes en mercadotecnia, también tienes un mes mejor; están más fuertes las dotes de comunicación.

Del 10 al 14 Marte forma aspectos bellos a Júpiter; esto trae expansión financiera y oportunidades de viaje. Si eres estudiante y solicitas admisión en la universidad tendrías que tener noticias positivas, tienes las mejores posibilidades. Si tienes pendiente algún asunto legal o jurídico tendrás buenas noticias en este periodo.

La salud continúa buena; si hay alguna duda o problema se resuelve después del 3. Hasta el 16 puedes fortalecerla más con masajes en la cara y el cuero cabelludo y la terapia sacro-craneal; después del 16 con masajes en el cuello.

La vida amorosa es muy feliz este mes. Júpiter sigue en tu séptima casa, la del amor, y tu planeta del amor está en tu signo; el amor te persigue ardientemente; en tu vida social en general gozas de popularidad. Irradias simpatía; es como si hubieras tomado una «píldora de amor»; las personas reaccionan a esto aun cuando tal vez no te das cuenta de que lo proyectas.

El mes pasado aumentó la actividad retrógrada; el 40 por ciento de los planetas estaban en movimiento retrógrado; este mes disminuye al 30 por ciento. Aunque es mejor iniciar cosas cuando el impulso planetario es más de avance, este podría ser un periodo óptimo para iniciar un nuevo proyecto o lanzar un nuevo producto al mercado. Es mejor después de la Luna nueva del 25. En marzo y abril era menor la actividad retrógrada, pero Venus estaba en movimiento retrógrado, y Venus es un planeta ultra importante para ti. Así pues, este mes se ve mejor.

Junio

Mejores días en general: 8, 9, 18, 19, 26, 27
Días menos favorables en general: 3, 4, 10, 11, 12, 24, 25, 30
Mejores días para el amor: 3, 4, 10, 11, 20, 21, 28, 29, 30
Mejores días para el dinero: 3, 4, 10, 11, 13, 14, 20, 21, 22, 23, 28, 29, 30
Mejores días para la profesión: 9, 10, 11, 12, 19, 27

El señor de tu horóscopo, planeta muy importante, pasa «fuera de límites» casi todo el mes, del 1 al 29; esto indica que en tus actividades sales de tu esfera o entorno normal, estás «fuera de tus límites habituales».

Mercurio también pasa «fuera de límites» buena parte del mes. Esto significa que sales de tu esfera normal en los asuntos intelectuales y de salud; se te ocurren o adoptas métodos o ideas nuevos, diferentes, no ortodoxos.

En cierto modo esto es bueno. Después del 21 la salud es más delicada; necesitas soluciones nuevas, distintas, y te veo dispuesto a probarlas. Lo más importante, como hemos dicho muchas veces, es mantener elevada la energía; no te permitas cansarte en exceso; procura dormir lo suficiente. Hasta el 6 fortalece la salud con masajes en el cuello; del 6 al 21 respondes bien a masajes en los brazos y hombros; te irá bien hacer ejercicios de respiración; tomar aire fresco es bueno. Después del 21 se hace más importante la dieta; esto tendrías que consultarlo con un profesional. Observa tus estados de ánimo y tus emociones en este periodo; haz todo lo posible por mantenerlos positivos y constructivos.

Las finanzas se ven buenas. El 6 Venus entra en su signo y casa, tu casa del dinero, y continúa ahí el resto del mes. Venus (ingresos) es más fuerte cuando está en su signo y casa, que es Tauro, por lo tanto el poder adquisitivo es más fuerte de lo habitual. Las conexiones sociales son siempre importantes para tus finanzas, pero este més lo son más. Hay probabilidades de formar una sociedad de negocios o empresa conjunta. La pareja o ser amado actual te apoya financieramente; el planeta del dinero de esta persona inició movimiento retrógrado el 20 de abril y continúa retrógrado este mes, así que debe tener más cautela en sus asuntos financieros. Está pasando por un periodo de disminución del ritmo en sus finanzas, así que bien puede ayudarte a ti; curiosamente, esta atención a ti le produce más prosperidad (aunque habrá retrasos en esto).

Del 2 al 5 el Sol le forma aspectos hermosos a Júpiter y esto trae suerte en las especulaciones y «dinero feliz», dinero que se gana de modos felices. Los hijos y figuras filiaes prosperan estos días también.

La entrada de tu planeta del amor en tu casa del dinero indica un cambio en tu actitud en el amor. Ahora te seducen la riqueza y los regalos materiales. Si estás soltero o soltera esto te seduce muchísimo; se te presentan oportunidades amorosas cuando estás ocupándote de tus objetivos financieros normales y con personas relacionadas con tus finanzas; una visita al contable o al planificador financiero podría dar pie a un romance.

Julio

Mejores días en general: 5, 6, 15, 16, 23, 24
Días menos favorables en general: 1, 8, 9, 21, 22, 28, 29
Mejores días para el amor: 1, 10, 19, 20, 28, 29
Mejores días para el dinero: 1, 10, 11, 17, 18, 19, 20, 28, 29
Mejores días para la profesión: 5, 6, 8, 9, 15, 16, 23, 24

Tu cuarta casa, la del hogar y la familia, estuvo muy fuerte el mes pasado y hasta el 22 de este mes continúa fuerte. En sentido figurado, el poder planetario está lejos de tu profesión y de tus actividades externas; por lo tanto, estas actividades son menos importantes por un tiempo (tu planeta de la profesión continúa retrógrado todo el mes). Esto va a cambiar dentro de unos meses, pero esta es la situación ahora. Así pues, el Cosmos te impulsa a «atender a tu base», el hogar, la familia y tu vida emocional; el Cosmos tiene su manera de organizar estas cosas. Te vuelves nostálgico; recuerdas con nitidez viejos incidentes aparentemente oscuros; el deseo de explorar el inconsciente y el lado emocional de la vida es más fuerte que los tironeos del mundo externo. El Universo no se opone a tu profesión ni a tu progreso profesional, por el contrario, te obliga a ser más sano y más estable en tus emociones para que pueda producirse el progreso profesional en el futuro. De tanto en tanto tenemos que retroceder para continuar adelante. Este es uno de esos periodos.

Hay otros buenos motivos para centrar más la atención en la vida emocional; la salud no es la que debiera y es necesario que continúes atento a ella; tampoco la energía general es la que debiera; la actividad interior exige menos energía que la actividad externa.

Continúa fortaleciendo la salud con más ratos de descanso, pasando más tiempo tranquilo en casa, programando más sesiones de masaje y tratamientos naturales. Hasta el 6 sigue siendo importante la dieta; después da más atención al corazón; te irán bien masajes periódicos en el pecho. Programa más actividades de ocio con los hijos y la familia. Ríete más; la alegría es una potente modalidad de curación en este periodo.

Después del 20 hay una mejoría espectacular en la salud; tal vez una píldora, una hierba o un terapeuta se lleve el mérito, o tal vez una dieta milagrosa o un suplemento. Pero la verdad es que el poder planetario hizo un cambio a tu favor; las otras cosas fueron simplemente efectos secundarios de este cambio.

Este mes disminuye la importancia de las finanzas. El 5 Venus sale de tu casa del dinero, y esta queda esencialmente vacía, sólo la Luna transita por ella los días 19 y 20. Más o menos ya se han conseguido los objetivos financieros, los de corto plazo en todo caso, y tu atención pasa a otra cosa.

Los días 18 y 19 Venus forma aspectos hermosos a Júpiter; esto trae un bonito día de paga y, si estás soltero o soltera, un feliz encuentro romántico.

Agosto

Mejores días en general: 1, 2, 3, 11, 12, 20, 21, 29, 30
Días menos favorables en general: 4, 5, 18, 24, 25, 31
Mejores días para el amor: 9, 10, 18, 19, 24, 25, 28, 29
Mejores días para el dinero: 6, 7, 9, 10, 13, 14, 16, 18, 19, 24, 25, 28, 29
Mejores días para la profesión: 2, 3, 4, 5, 11, 12, 20, 21, 29, 30, 31

Este mes es fundamentalmente feliz y sano, pero dos eclipses producen exaltación y cambios. Estás en un periodo de fiesta; el 22 del mes pasado se hizo poderosa tu quinta casa, y continúa poderosa hasta el 22 de este mes. Puede que los eclipses interrumpan la fiesta, pero no le ponen fin.

El eclipse lunar del 7 es el más fuerte de los dos, en lo que a ti respecta; hace impacto en Marte, el señor de tu horóscopo; así pues, durante ese periodo tómate las cosas con calma y evita las situaciones difíciles o estresantes. Este eclipse ocurre en tu casa once y afecta al hogar y la familia y a las amistades; un familiar o persona amiga podría experimentar un drama de esos que cambian la vida. Podría ser necesario hacer reparaciones en la casa. Su impacto en Marte indica la necesidad de redefinirte tú y redefinir tu imagen, lo que piensas de ti, y cómo deseas que te vean los demás. Por lo general esto es bueno; cambiamos y crecemos constantemente y de vez en cuando necesitamos una redefinición; pero esto suele ocurrir de manera obligada; los acontecimientos nos obligan y esto puede hacerlo estresante o antipático. Pasa por pruebas el matrimonio y la vida social de hijos y figuras filiales; se produce una crisis.

El eclipse solar del 21 ocurre justo en la cúspide de tus casas quinta y sexta, por lo tanto afecta a los asuntos de ambas casas. Este eclipse es más fuerte en los hijos y figuras filiales; experimentan dramas, esas cosas que cambian la vida. Muchas veces estas experiencias son normales, el despertar sexual, la graduación, la entrada en la universidad, boda, divorcio, etcétera. Otras veces, si no han tenido cuidado con su dieta, podría producirse una desintoxicación del cuerpo; el cuerpo arroja la materia de desecho. A veces esto se diagnostica como enfermedad, pero desde el punto de vista astrológico no lo es. Los hijos se redefinen, en especial los mayores, y esto se manifiesta en una nueva imagen, una manera distinta de presentarse al mundo. Este es un proceso de seis meses. También se verán obligados a hacer importantes cambios en sus finanzas. Y para ti podría haber cambios laborales y cambios en tu programa de salud.

La salud general es buena; el eclipse podría ocasionar un susto, pero es muy probable que sólo sea eso, un susto.

Septiembre

Mejores días en general: 7, 8, 16, 17, 25, 26
Días menos favorables en general: 1, 14, 15, 20, 21, 28, 29
Mejores días para el amor: 7, 8, 16, 17, 20, 21, 28
Mejores días para el dinero: 3, 4, 7, 8, 10, 12, 13, 16, 17, 20, 21, 28, 30
Mejores días para la profesión: 1, 7, 8, 16, 17, 26, 27, 28, 29

El eclipse solar del 21 del mes pasado podría haber producido cambios en el trabajo; este suele ser un cambio de puesto en la misma empresa o un cambio a un trabajo en otra empresa; el cambio se ve muy afortunado para ti. Tu sexta casa está muy poderosa todo el mes, en especial hasta el 22, así que si buscas trabajo no tienes el menor problema en encontrarlo; hay todo tipo de oportunidades para ti, puedes elegir. La Luna nueva del 29 clarificará más aún esta situación; toda la información que necesitas para tomar una decisión conveniente te llegará dentro del periodo comprendido hasta la próxima Luna nueva el mes que viene.

La salud es buena, pero veo que hay mucha atención puesta en ella es de esperar que sólo se trate de una dieta o programa de salud preventivo. Muchas veces, cuando la salud es buena y la sexta casa está fuerte podría ocurrir que la atención sea excesiva; se intenta reparar cosas que no están rotas, o hacer de un problema pequeño uno grande.

La faceta finanzas se ve feliz. Hasta el 20 Venus está en tu quinta casa; esto indica dinero feliz, dinero que se gana de modos placenteros; hay dicha al hacer dinero. A veces indica que las oportunidades financieras se presentan cuando te estás divirtiendo, en un balneario, en el estadio o en el teatro. Gastas en actividades de ocio, pero también puedes ganar en eso; muchas veces algo que comienza siendo un entretenimiento se convierte en empresa de negocios. Siempre has sido arriesgado en las finanzas, pero hasta el 20 lo eres más aún. El problema de este aspecto, aun cuando es feliz, es la tendencia a gastar en exceso, de ser demasiado optimista en los asuntos financieros; a veces este optimismo no es realista. Después del 20, cuando Venus entra en Virgo, es más racional y conservador el juicio financiero; obtienes valor por tu dinero.

La vida amorosa también es placentera este mes. Si estás en una relación, te diviertes con el ser amado; hacéis juntos las actividades de ocio y diversión. Si estás soltero o soltera y sin compromiso, las oportunidades amorosas se presentan cuando estás ocupado en cosas que te gustan. Tu dicha no sólo genera riqueza, sino que también atrae amor. Cuando tu planeta del amor entra en Virgo comienza a viajar con Marte; esto quiere decir que se acerca un encuentro romántico, lo que también podría ocurrir el mes que viene. En este periodo los sitios para el romance son el lugar de trabajo, el balneario de salud, el gimnasio o el consultorio de un médico. Te atraen los profesionales de la salud y las personas relacionadas con tu salud.

Octubre

Mejores días en general: 5, 6, 13, 14, 22, 23, 24
Días menos favorables en general: 11, 12, 18, 19, 25, 26

Mejores días para el amor: 7, 8, 17, 18, 19, 27, 28
Mejores días para el dinero: 1, 7, 8, 10, 11, 17, 18, 20, 27, 28, 30
Mejores días para la profesión: 5, 6, 13, 14, 23, 24, 25, 26

El poder planetario está en su posición occidental máxima; incluso Marte, el señor de tu horóscopo, entra en tu séptima casa el 22. Es como si estuvieras muy lejos de ti, en un país lejano; no importan mucho tus necesidades ni intereses; todo va de los demás, de sus necesidades, sus intereses y lo que desean hacer. Esto es difícil para el independiente Aries, pero parece que lo llevas bien. Esto es terapéutico también; es saludable tomarse unas vacaciones de uno mismo de vez en cuando. Muchas patologías psíquicas y espirituales provienen de un exceso de preocupación por uno mismo, pues distorsiona la perspectiva de la vida.

Tu manera no es la mejor en este periodo; deja que se impongan los demás mientras esto no sea destructivo. Esta actitud aumenta tu popularidad social, que es fuerte y activa este mes.

Este mes el principal titular es la vida amorosa. Tu séptima casa está llena de planetas, y de los benéficos. La vida social ha sido buena todo el año, pero ahora estás en una cima social anual; es la culminación del año. Es posible que para ti sea una cima de toda la vida, o podría ser una de las cimas de la vida, mucho depende de tu edad. Hay romance en el ambiente, se huele. Si estás en una relación experimentas más felicidad en la relación. De todos modos, estés o no en una relación asistes a más fiestas, bodas y reuniones. Incluso los hijos y figuras filiales de tu vida tienen romance o hacen nuevas e importantes amistades (según la edad que tengan). Los días 26 y 27 se ven especialmente buenos para esto.

En este periodo te relacionas con todo tipo de personas; personas religiosas, académicos, personas adineradas, deportistas o atletas e intelectuales. Hay una amplia base en la vida social; es un buen mes para planificar una boda.

También hay posibilidades para formar una sociedad de negocios o empresa conjunta. Tu planeta del dinero entra en tu séptima casa el 14.

El otro titular importante del mes es la salida de Júpiter de tu séptima casa para entrar en la octava; esto ocurre el 11, e indica prosperidad para el cónyuge, pareja o ser amado actual. Su prosperidad continuará hasta bien entrado el año que viene.

Debes estar más atento a tu salud; hay muchos planetas en alineación difícil contigo. Como siempre, procura descansar lo suficiente. Hasta el 22 el ejercicio físico y masajes en el cuero cabelludo son especialmente potentes (estos siempre son buenos para ti); no iría mal dar más atención a las caderas y los riñones; también dar masajes periódicos en las caderas y las nalgas. Después del 17 es importante la moderación sexual, y me parece que en ese periodo eres más activo sexualmente; disfrútalo pero no te excedas.

Noviembre

Mejores días en general: 1, 2, 9, 10, 19, 20, 29, 30
Días menos favorables en general: 7, 8, 14, 15, 21, 22
Mejores días para el amor: 6, 7, 14, 15, 16, 17, 26, 27
Mejores días para el dinero: 3, 4, 6, 7, 8, 16, 17, 26, 27
Mejores días para la profesión: 2, 10, 20, 21, 22, 30

El 23 del mes pasado se hizo poderosa tu octava casa, y continuará muy poderosa hasta el 23. La octava casa adquirirá mayor interés en los próximos doce meses más o menos.

La octava casa va de librarse de cosas, que no de añadir más. Va de reducir el desorden y la acumulación; de limpiar y ordenar. Esto vale para el cuerpo físico, la vida mental y emocional y nuestras circunstancias físicas. En la octava casa nos expandimos y crecemos mediante la «contracción», librándonos de aquello a lo que no le corresponde estar en nuestra vida. Parece anti intuitivo hablar de expansión mediante la contracción, parece un oxímoron, la combinación de dos opuestos. Es más fácil entenderlo si piensas en la respiración: cuanto más completa es la espiración, más profunda es la siguiente inspiración. Cuanto más te libres de cosas que no tienen por qué estar en tu vida, mayor será la cantidad de cosas realmente importantes que entren.

*The life changing magic of tyidying up,** de Marie Kondö, es un libro muy el tipo octava casa. Deberías leerlo ahora, y el próximo año. Su pregunta para saber a qué le corresponde estar en tu vida es la «prueba de la alegría». Haces un montón con tus posesiones y las revisas una a una: «¿Esto me da alegría?» Si la respuesta es «sí», te la quedas; si la respuesta es «no», te libras de ella. Esta es una manera de hacerlo; la otra manera, que yo prefiero, es hacer

* Hay traducción al catalán: *La màgia de l'ordre*, Ara Llibres, Barcelona, 2015.

las preguntas: «¿Lo uso?, ¿Lo necesito?». Si la respuesta es «sí», te lo quedas; si la respuesta es «no», te libras de ello. Te soprenderá lo mucho más «liviano» que te sientes; has hecho espacio para que entre en tu vida lo nuevo y mejor.

Estando tan fuerte tu octava casa este mes (el 7 entra en ella tu planeta del dinero), es bueno para pagar deudas, para consolidar tus cuentas, si es posible; para refinanciar o reestructurar tus deudas de modo que queden más manejables. A veces es necesario pedir un préstamo y este es también un buen mes también para hacerlo. Tienes muy buen acceso a capital ajeno; si tienes buenas ideas, hay inversores que podrían interesarse.

La salud está mucho mejor que el mes pasado; en cambio, tal vez es menor tu autoestima y confianza en ti mismo; hay menos fanfarronería. Pero la energía general está mucho mejor. Hasta el 6 puedes fortalecer más la salud con limpiezas del colon y moderación sexual; los regímenes de desintoxicación van bien todo el mes; después del 6 serán potentes los masajes en los muslos. Si te sientes indispuesto podría convenirte una limpieza del hígado con infusiones de hierbas.

La vida social sigue muy activa, aunque menos que el mes pasado; continúa anteponiendo a los demás y cultiva tus dotes sociales.

Diciembre

Mejores días en general: 7, 8, 16, 17, 26, 27
Días menos favorables en general: 5, 6, 11, 12, 18, 19, 20
Mejores días para el amor: 7, 8, 11, 12, 16, 17, 28
Mejores días para el dinero: 1, 2, 5, 6, 7, 8, 14, 15, 16, 17, 24, 25, 28, 29
Mejores días para la profesión: 8, 17, 18, 19, 20, 28

El 22 de octubre el poder planetario comenzó a trasladarse a la mitad superior de tu carta; este mes, después del 21, el cambio es aún más pronunciado. Del 12 al 26, el 90 por ciento de los planetas están sobre el horizonte de tu carta, elevado porcentaje; los otros días será el 80 por ciento, también elevado porcentaje. Por lo tanto, ahora son importantes tu profesión y ambiciones en el mundo externo. Este mes está vacía tu cuarta casa, la del hogar y la familia; sólo transita por ella la Luna, los días 5 y 6; en cambio, tu décima casa está ultra poderosa, sobre todo a partir del 21. La profesión es el principal titular este mes, y en ella deberá estar tu atención. Tendrías que ver éxito este mes.

Saturno hace un traslado importante este mes (esto ocurre cada dos años y medio más o menos); el 21 entra en tu décima casa; el Sol entra en ella también el 21, y Venus el 25.

La entrada de Saturno en tu casa de la profesión es muy importante. Indica que asumes más responsabilidades. Sí, puede que estas sean pesadas, pero por lo general es señal de éxito; asumir más responsabilidades significa que ha habido ascenso o promoción. La profesión será exigente, sin duda. Pero si aceptas las cargas (no intentes evadirlas) encontrarás ayuda inesperada; y habrás dispuesto el escenario para un éxito duradero, a largo plazo.

Es probable que los jefes sean demasiado exigentes, estrictos, excesivamente dominantes. Normalmente esto no es agradable; la mejor manera de llevarlo es dar al jefe «más» de lo que pide. En esto hay una ley espiritual.

La salud es buena hasta el 21; después (y los dos próximos años) necesitará más atención; hay muchos planetas en alineación desfavorable contigo. No podrás eludir las exigencias de la profesión, pero si cuidas la energía puedes llevarlas con más eficiencia: delega tareas siempre que sea posible; tómate un rato de descanso cuando estés cansado; pasa más de tu tiempo libre en un balneario de salud o programa más sesiones de masaje u otro tipo de terapia natural. Atiende a las cosas realmente importantes de tu vida y deja estar las triviales. El consejo de Marie Kondö sobre las posesiones vale también para el proceso de pensamiento. Tu planeta de la salud pasa el mes en Sagitario, tu novena casa. Puedes fortalecer la salud con masajes en los muslos (que también fortalecen la parte inferior de la espalda) y cuidando del hígado.

El mes se ve próspero. Hasta el 25 tu planeta del dinero, Venus, está en el afortunado Sagitario (y la afortunada novena casa); aumentan los ingresos; gastas más, y tal vez en exceso, pero también ganas más. Tu actitud hacia las finanzas es despreocupada y optimista, tal vez demasiado optimista. Después del 25, cuando Venus entra en Capricornio, el juicio financiero será más realista, más conservador. Es posible que haya aumento de sueldo, ya sea de modo oficial o no oficial.

Tauro

El Toro
Nacidos entre el 21 de abril y el 20 de mayo

Rasgos generales

TAURO DE UN VISTAZO

Elemento: Tierra

Planeta regente: Venus
  Planeta de la profesión: Urano
  Planeta del amor: Plutón
  Planeta del dinero: Mercurio
  Planeta de la salud: Venus
  Planeta de la suerte: Saturno

Colores: Tonos ocres, verde, naranja, amarillo
  Colores que favorecen el amor, el romance y la armonía social:
  Rojo violáceo, violeta
  Colores que favorecen la capacidad de ganar dinero: Amarillo,
  amarillo anaranjado

Piedras: Coral, esmeralda

Metal: Cobre

Aromas: Almendra amarga, rosa, vainilla, violeta

Modo: Fijo (= estabilidad)

Cualidad más necesaria para el equilibrio: Flexibilidad

Virtudes más fuertes: Resistencia, lealtad, paciencia, estabilidad, propensión a la armonía

Necesidades más profundas: Comodidad, tranquilidad material, riqueza

Lo que hay que evitar: Rigidez, tozudez, tendencia a ser excesivamente posesivo y materialista
Signos globalmente más compatibles: Virgo, Capricornio
Signos globalmente más incompatibles: Leo, Escorpio, Acuario
Signo que ofrece más apoyo laboral: Acuario
Signo que ofrece más apoyo emocional: Leo
Signo que ofrece más apoyo económico: Géminis
Mejor signo para el matrimonio y/o las asociaciones: Escorpio
Signo que más apoya en proyectos creativos: Virgo
Mejor signo para pasárselo bien: Virgo
Signos que más apoyan espiritualmente: Aries, Capricornio
Mejor día de la semana: Viernes

La personalidad Tauro

Tauro es el más terrenal de todos los signos de tierra. Si comprendemos que la tierra es algo más que un elemento físico, que es también una actitud psicológica, comprenderemos mejor la personalidad Tauro.

Los Tauro tienen toda la capacidad para la acción que poseen los Aries. Pero no les satisface la acción por sí misma. Sus actos han de ser productivos, prácticos y generadores de riqueza. Si no logran ver el valor práctico de una actividad, no se molestarán en emprenderla.

El punto fuerte de los Tauro está en su capacidad para hacer realidad sus ideas y las de otras personas. Por lo general no brillan por su inventiva, pero sí saben perfeccionar el invento de otra persona, hacerlo más práctico y útil. Lo mismo puede decirse respecto a todo tipo de proyectos. A los Tauro no les entusiasma particularmente iniciar proyectos, pero una vez metidos en uno, trabajan en él hasta concluirlo. No dejan nada sin terminar, y a no ser que se interponga un acto divino, harán lo imposible por acabar la tarea.

Muchas personas los encuentran demasiado obstinados, conservadores, fijos e inamovibles. Esto es comprensible, porque a los

Tauro les desagrada el cambio, ya sea en su entorno o en su rutina. ¡Incluso les desagrada cambiar de opinión! Por otra parte, esa
es su virtud. No es bueno que el eje de una rueda oscile. Ha de
estar fijo, estable e inamovible. Los Tauro son el eje de la rueda de
la sociedad y de los cielos. Sin su estabilidad y su supuesta obsti-
nación, las ruedas del mundo se torcerían, sobre todo las del comercio.

A los Tauro les encanta la rutina. Si es buena, una rutina tiene
muchas virtudes. Es un modo fijado e idealmente perfecto de cuidar de las cosas. Cuando uno se permite la espontaneidad puede
cometer errores, y los errores producen incomodidad, desagrado
e inquietud, cosas que para los Tauro son casi inaceptables. Estro-
pear su comodidad y su seguridad es una manera segura de irri-
tarlos y enfadarlos.

Mientras a los Aries les gusta la velocidad, a los Tauro les gusta la lentitud. Son lentos para pensar, pero no cometamos el error
de creer que les falta inteligencia. Por el contrario, son muy inteligentes, pero les gusta rumiar las ideas, meditarlas y sopesarlas.
Sólo después de la debida deliberación aceptan una idea o toman
una decisión. Los Tauro son lentos para enfadarse, pero cuando
lo hacen, ¡cuidado!

Situación económica

Los Tauro son muy conscientes del dinero. Para ellos la riqueza es
más importante que para muchos otros signos; significa comodidad, seguridad y estabilidad. Mientras algunos signos del zodiaco
se sienten ricos si tienen ideas, talento o habilidades, los Tauro
sólo sienten su riqueza si pueden verla y tocarla. Su modo de pensar es: «¿De qué sirve un talento si no se consiguen con él casa,
muebles, coche y piscina?»

Por todos estos motivos, los Tauro destacan en los campos de
la propiedad inmobiliaria y la agricultura. Por lo general, acaban
poseyendo un terreno. Les encanta sentir su conexión con la tierra. La riqueza material comenzó con la agricultura, labrando la
tierra. Poseer un trozo de tierra fue la primera forma de riqueza
de la humanidad; Tauro aún siente esa conexión primordial.

En esta búsqueda de la riqueza, los Tauro desarrollan sus capacidades intelectuales y de comunicación. Como necesitan co-
merciar con otras personas, se ven también obligados a desarrollar cierta flexibilidad. En su búsqueda de la riqueza, aprenden el

valor práctico del intelecto y llegan a admirarlo. Si no fuera por esa búsqueda de la riqueza, tal vez no intentarían alcanzar un intelecto superior.

Algunos Tauro nacen «con buena estrella» y normalmente, cuando juegan o especulan, ganan. Esta suerte se debe a otros factores presentes en su horóscopo personal y no forma parte de su naturaleza esencial. Por naturaleza los Tauro no son jugadores. Son personas muy trabajadoras y les gusta ganarse lo que tienen. Su conservadurismo innato hace que detesten los riesgos innecesarios en el campo económico y en otros aspectos de su vida.

Profesión e imagen pública

Al ser esencialmente terrenales, sencillos y sin complicaciones, los Tauro tienden a admirar a las personas originales, poco convencionales e inventivas. Les gusta tener jefes creativos y originales, ya que ellos se conforman con perfeccionar las ideas luminosas de sus superiores. Admiran a las personas que tienen una conciencia social o política más amplia y piensan que algún día (cuando tengan toda la comodidad y seguridad que necesitan) les gustará dedicarse a esos importantes asuntos.

En cuanto a los negocios, los Tauro suelen ser muy perspicaces, y eso los hace muy valiosos para la empresa que los contrata. Jamás son perezosos, y disfrutan trabajando y obteniendo buenos resultados. No les gusta arriesgarse innecesariamente y se desenvuelven bien en puestos de autoridad, lo cual los hace buenos gerentes y supervisores. Sus cualidades de mando están reforzadas por sus dotes naturales para la organización y la atención a los detalles, por su paciencia y por su minuciosidad. Como he dicho antes, debido a su conexión con la tierra, también pueden realizar un buen trabajo en agricultura y granjas.

En general, los Tauro prefieren el dinero y la capacidad para ganarlo que el aprecio y el prestigio públicos. Elegirán un puesto que les aporte más ingresos aunque tenga menos prestigio, antes que otro que tenga mucho prestigio pero les proporcione menos ingresos. Son muchos los signos que no piensan de este modo, pero Tauro sí, sobre todo si en su carta natal no hay nada que modifique este aspecto. Los Tauro sólo buscarán la gloria y el prestigio si están seguros de que estas cosas van a tener un efecto directo e inmediato en su billetero.

Amor y relaciones

En el amor, a los Tauro les gusta tener y mantener. Son de los que se casan. Les gusta el compromiso y que las condiciones de la relación estén definidas con mucha claridad. Más importante aún, les gusta ser fieles a una sola persona y esperan que esa persona corresponda a su fidelidad. Cuando esto no ocurre, el mundo entero se les viene abajo. Cuando está enamorada, la persona Tauro es leal, pero también muy posesiva. Es capaz de terribles ataques de celos si siente que su amor ha sido traicionado.

En una relación, los Tauro se sienten satisfechos con cosas sencillas. Si tienes una relación romántica con una persona Tauro, no hay ninguna necesidad de que te desvivas por colmarla de atenciones ni por galantearla constantemente. Proporciónale suficiente amor y comida y un techo cómodo, y será muy feliz de quedarse en casa y disfrutar de tu compañía. Te será leal de por vida. Hazla sentirse cómoda y, sobre todo, segura en la relación, y rara vez tendrás problemas con ella.

En el amor, los Tauro a veces cometen el error de tratar de dominar y controlar a su pareja, lo cual puede ser motivo de mucho sufrimiento para ambos. El razonamiento subyacente a sus actos es básicamente simple. Tienen una especie de sentido de propiedad sobre su pareja y desean hacer cambios que aumenten la comodidad y la seguridad generales de ambos. Esta actitud está bien cuando se trata de cosas inanimadas y materiales, pero puede ser muy peligrosa cuando se aplica a personas, de modo que los Tauro deben tener mucho cuidado y estar alertas para no cometer ese error.

Hogar y vida familiar

La casa y la familia son de importancia vital para los Tauro. Les gustan los niños. También les gusta tener una casa cómoda y tal vez elegante, algo de que alardear. Tienden a comprar muebles sólidos y pesados, generalmente de la mejor calidad. Esto se debe a que les gusta sentir la solidez a su alrededor. Su casa no es sólo su hogar, sino también su lugar de creatividad y recreo. La casa de los Tauro tiende a ser verdaderamente su castillo. Si pudieran elegir, preferirían vivir en el campo antes que en la ciudad.

En su hogar, un Tauro es como un terrateniente, el amo de la casa señorial. A los nativos de este signo les encanta atender a sus visitas con prodigalidad, hacer que los demás se sientan seguros en su casa y tan satisfechos en ella como ellos mismos. Si una persona Tauro te invita a cenar a su casa, ten la seguridad de que recibirás la mejor comida y la mejor atención. Prepárate para un recorrido por la casa, a la que Tauro trata como un castillo, y a ver a tu amigo o amiga manifestar muchísimo orgullo y satisfacción por sus posesiones.

Los Tauro disfrutan con sus hijos, pero normalmente son estrictos con ellos, debido a que, como hacen con la mayoría de las cosas en su vida, tienden a tratarlos como si fueran sus posesiones. El lado positivo de esto es que sus hijos estarán muy bien cuidados y educados. Tendrán todas las cosas materiales que necesiten para crecer y educarse bien. El lado negativo es que los Tauro pueden ser demasiado represivos con sus hijos. Si alguno de ellos se atreve a alterar la rutina diaria que a su padre o madre Tauro le gusta seguir, tendrá problemas.

Horóscopo para el año 2017*

Principales tendencias

Urano lleva ya varios años en tu casa doce, la de la espiritualidad; esto ha generado cambios, y mucha experimentación, en tu vida y práctica espirituales. Es posible que hayas cambiado varias veces de profesor o maestro, o de enseñanza y práctica, y la tendencia continúa.

Puesto que Urano es tu planeta de la profesión, su presencia en la casa doce indica un creciente idealismo respecto a tu profesión y el trabajo de tu vida. No te basta tener éxito y destacar en tu profesión; sólo con eso te sientes vagamente insatisfecho; necesitas participar en cosas de verdadera importancia, que beneficien realmente a los demás y a todo el planeta.

Dentro de uno o dos años Urano entrará en tu signo y transi-

---

* Las previsiones de este libro se basan en el Horóscopo Solar y todos los signos que derivan de él; tu Signo Solar se convierte en el Ascendente, y las casas se numeran a partir de él. Tu horóscopo personal, el trazado concretamente para ti (según la fecha, hora y lugar exactos de tu nacimiento) podrían modificar lo que decimos aquí. Joseph Polansky

tará por él muchos años. Esto producirá un cambio drástico y repentino en tu vida. Tauro no se siente muy a gusto con el cambio; te gusta que las cosas sigan como están, te gusta la rutina; eres previsible y estable. Pero pronto, no falta mucho, tendrás que aprender a sentirte cómodo con el cambio. Trataremos más a fondo esto en 2018-2019.

Desde el 10 de septiembre del año pasado Júpiter está en tu sexta casa, la de la salud y el trabajo, y continuará en ella buena parte de este año, hasta el 10 de octubre. Este es buen mensaje para la salud. Si has tenido algún problema de salud deberías tener buenas noticias al respecto. Esto también indica que se te presentan oportunidades para el trabajo soñado. Si eres empleador, aumentas la fuerza laboral. Los hijos y figuras filiales de tu vida prosperan.

El 11 de octubre Júpiter entrará en tu séptima casa, la del amor. Si estás soltero o soltera y sin compromiso, esto trae amor y relación seria, tal vez incluso boda. Si estás casado o casada o en una relación comprometida, esto te trae nuevas amistades y una vida social más activa.

Tus creencias religiosas han pasado por verdaderas pruebas estos dos últimos años, y la tendencia continúa. Normalmente esto no es agradable, pero es bueno. Obliga a la persona a repensar y revaluar sus creencias, y muchas veces se modifican e incluso se desechan. Esto se acaba a fin de año; la entrada de Saturno en tu novena casa el 21 de diciembre afecta principalmente a los estudiantes universitarios. Si lo eres, deberás aplicarte más en tus estudios, ser más disciplinado; tendrás que lograr el éxito por puro mérito, sin «astucias en el juego».

Las facetas de mayor interés para ti este año son: la salud y el trabajo (hasta el 10 de octubre); el amor y el romance (a partir del 11 de octubre); la transformación y la reinvención personales, la sexualidad y los estudios ocultos o herméticos (hasta el 21 de diciembre); la religión, la formación superior, viajes al extranjero; los grupos, las actividades de grupo, el mundo de internet; la espiritualidad.

Los caminos para tu mayor satisfacción este año son: los hijos, la diversión y la creatividad (hasta el 29 de abril); el hogar, la familia y el bienestar emocional (a partir del 29 de abril); la salud y el trabajo (hasta el 10 de octubre); el amor y el romance (a partir del 11 de octubre).

Salud

(Ten en cuenta que esta es una perspectiva astrológica de la salud, no una médica. Antaño no había ninguna diferencia, ambas eran idénticas, pero en esta época podrían diferir muchísimo. Para una perspectiva médica, por favor, consulta a tu médico o a otro profesional de la salud.)

La salud se ve excelente este año. Hasta el 10 de octubre no hay ningún planeta en aspecto desfavorable para ti, e incluso después del 11 de octubre sólo Júpiter estará en aspecto desfavorable, y no es un planeta maléfico. Además, hasta el 10 de octubre está muy fuerte tu sexta casa; por lo tanto, estás atento a tu salud; en todo caso, es posible que estés demasiado atento, más de lo necesario, y esto suele llevar a la tendencia de convertir problemas menores en grandes problemas.

Como hemos dicho, si ha habido alguna enfermedad o problema, este año debería haber gran mejoría.

La salud es esencialmente buena, pero sin duda durante el año habrá periodos en que la energía no esté a la altura. Esto se debe a los tránsitos de los planetas rápidos, y son problemas temporales y no tendencias para el año. Cuando acaba el tránsito difícil se normalizan la salud y la energía.

Por buena que esté la salud, siempre se puede mejorar. Da más atención a las siguiente zonas, que son las vulnerables en tu carta:

El cuello y la garganta. Estas zonas son siempre importantes para Tauro; masajes periódicos en el cuello serán potentes métodos de recuperación y prevendrán problemas futuros. Para el cuello también es buena la terapia sacro-craneal.

Los riñones y caderas. También estas zonas son siempre importantes para Tauro. Venus, el planeta regente de estas zonas, es tu planeta de la salud. Te irá bien trabajar los puntos reflejos. Te convendría añadir masajes periódicos en las caderas y las nalgas a tu programa de salud. Una limpieza de los riñones con infusiones de hierbas te irá bien si te sientes indispuesto.

El hígado y los muslos. Estas zonas han adquirido importancia desde el 10 de septiembre del año pasado, y serán importantes hasta el 10 de octubre. Te irán bien masajes periódicos en los muslos; también será útil una limpieza del hígado con infusiones de hierbas.

Dado que estas son las zonas más vulnerables este año, si hubiera problemas (no lo permita Dios) lo más probable es que comiencen en ellas. Así pues, mantenerlas sanas y en buena forma es una buena medicina preventiva.

Dado que Venus es un planeta de movimiento rápido, en un año pasa por todos los signos y casas de tu carta; hay muchas tendencias a corto plazo en la salud que dependen de dónde está Venus en un determinado momento y de los aspectos que recibe. De estas tendencias es mejor hablar en las previsiones mes a mes

Puesto que Venus, además de ser el planeta regente de tu horóscopo es tu planeta de la salud, tiene una doble función. Hay una fuerte conexión entre la salud y la apariencia personal; el estado de tu salud se refleja al instante en tu apariencia personal. La buena salud hace más en tu apariencia que un montón de cosméticos, perfumes y polvos.

Júpiter es el señor de tu octava casa; su presencia en tu casa de la salud produce la tendencia a intervenciones quirúrgicas. La operación suele considerarse el «remedio rápido» para un problema. A veces lo es, a veces no. Antes habría que explorar los regímenes de desintoxicación; estos te darán buenos resultados.

Hogar y vida familiar

Tu cuarta casa, la del hogar y la familia, no estuvo fuerte el año pasado y no lo estará este año. Esto se podría interpretar como satisfacción con las cosas como están. Tiendes a dejar las cosas como están; no sientes ninguna necesidad de hacer cambios drásticos.

Sin duda a lo largo del año habrá periodos de emociones exaltadas y dramas familiares. Todos los años hay por lo menos dos eclipses solares; este año estos eclipses serán el 26 de febrero y el 21 de agosto. Dado que el Sol es tu planeta de la familia, estos eclipses producen cambios importantes en la vida familiar o en la casa. Podría haber algún problema o desperfecto oculto en ella, o tal vez un familiar tenía un problema o agravio; el eclipse hará aflorar estos problemas para que se puedan remediar. Este año hay también un eclipse lunar, el del 11 de febrero, que ocurre en tu cuarta casa y por lo tanto también afecta a la familia. Este eclipse producirá más o menos lo mismo que ya hemos dicho. Pero estas son cosas temporales que acaban pronto, y una vez que acaban, se vuelve a las cosas como están. El efecto de los eclipses lo trataremos con más detalle en las previsiones mes a mes.

Es probable que un hermano, hermana o figura fraterna se mude o traslade este año; la mudanza se ve feliz (podría estar relacionada con el trabajo).

También es posible que se mude un progenitor o figura parental, pero esto sería después del 11 de octubre.

No es aconsejable la mudanza para los hijos o figuras filiales, aunque tal vez lo deseen; este año se ven más deprimidos. Una psicoterapia o la meditación podría serles útil; una mudanza no hará mucho por su estado psíquico.

Los nietos (si los tienes) se han mudado tal vez varias veces en los últimos años, y esto podría continuar este año. Se ven inquietos emocionalmente, y si no se mudan o trasladan, harán obras de renovación en la casa o pasarán mucho tiempo en otros lugares; será «como si» se hubieran mudado.

Si tienes planes para redecorar o embellecer la casa (dar otra mano de pintura, cambiar las cortinas o comprar objetos de arte), del 22 de julio al 20 de septiembre es buen periodo. Si los planes son de más envergadura, por ejemplo obras importantes de construcción o reparación, del 20 de julio al 5 de septiembre es buen periodo.

La salud de un progenitor o figura parental mejora mucho respecto a años anteriores; esta persona podría beneficiarse de un régimen de desintoxicación; tiende a recurrir a intervenciones quirúrgicas. Los hijos y figuras filiales se benefician de ejercicio vigoroso y masajes en la cabeza, cara y cuero cabelludo. Los hermanos y figuras fraternas necesitan un programa de salud diario disciplinado; les irá bien dar más atención al hígado, los muslos, la columna, las rodillas, la dentadura y los huesos.

Profesión y situación económica

Desde hace unos años no ha estado prominente tu casa del dinero. Tauro siempre tiene enfocada la atención en el dinero, pero últimamente menos que de costumbre. Esto también lo considero positivo. Indica satisfacción con las cosas como están, no hay ninguna necesidad urgente de hacer cambios drásticos. Más o menos das por descontada la prosperidad, que es como debe ser. De todos modos, si surgiera algún problema financiero, una posible causa sería la falta de atención. Tendrás que obligarte a estar más atento.

Aun cuando está vacía la casa del dinero, supongo que tu año será próspero, no hay ningún impedimento financiero importante. Tienes mucha libertad en esta faceta; estás libre para ser Tauro:

próspero. Como hemos dicho, este año hay oportunidades lucrativas de trabajo; además, si tienes una empresa contratarás a más empleados; esto no es un mensaje de pobreza.

A partir del 11 de octubre, cuando Júpiter entra en tu séptima casa, hay prosperidad para el cónyuge, pareja o ser amado actual; esta persona tendrá importantes ingresos como caídos del cielo y muchas oportunidades financieras felices. Te vas a relacionar más con personas adineradas. Si tienes buenas ideas, te será fácil atraer inversores a tus proyectos.

Tu planeta del dinero, Mercurio, es de movimiento muy rápido, como saben nuestros lectores; sólo la Luna avanza más rápido que él. A lo largo del año transita por todos los sectores del horóscopo. Esto indica que los ingresos y oportunidades de ingresos te llegan de muchas maneras y a través de muchos tipos diferentes de personas, según dónde esté Mercurio en un determinado momento. Estas tendencias a corto plazo es mejor tratarlas en las previsiones mes a mes.

Este año Mercurio hace movimiento retrógrado cuatro veces (también fue así el año pasado). Esto es bastante excepcional; normalmente hace movimiento retrógrado tres veces al año. Así pues, este año hay más trabajo de reflexión, es necesario hacer más revisión de los objetivos y estrategias financieros y de las inversiones, más que de costumbre. Cuando Mercurio está retrógrado, la forma de plantearse las finanzas no es la que debiera, por lo tanto lo más importante es conseguir claridad mental y resolver las dudas. Cuando tengas la claridad, podrás hacer buenas gestiones una vez que Mercurio retome el movimiento directo. Este año Mercurio estará retrógrado del 1 al 8 de enero; del 9 de abril al 3 de mayo; del 11 de agosto al 5 de septiembre, y del 3 al 23 de diciembre. En las previsiones mes a mes hablaremos de esto con más detalle.

También está vacía tu décima casa, la de la profesión; la profesión no es un interés importante. Nuevamente debemos interpretar esto de forma positiva; al parecer estás satisfecho con las cosas como están y no tienes ninguna necesidad de hacer cambios. Habrá cambios, ciertamente; Urano, tu planeta de la profesión, es el planeta del cambio, pero es probable que los cambios sean felices. Como en muchos años anteriores, te será útil favorecer la profesión participando en causas benéficas y altruistas; estas son buenas de suyo, pero también cimentarán tu imagen profesional. Además, harás importantes contactos profesionales.

Tus habilidades tecnológicas y las actividades *online* en general también favorecerán tu profesión.

Los hermanos y figuras fraternas tendrán un año financiero sin novedades, pero los eclipses los obligarán a hacer cambios en su forma de pensar y en sus estrategias financieras.

Habrá prosperidad para el cónyuge, pareja o ser amado actual, como hemos dicho; esta persona tiene excelente intuición financiera hasta el 11 de octubre.

Los padres y figuras parentales tienen un año financiero estable, sin novedades ni cambios.

Los hijos y figuras filiales prosperan. Los nietos, si los tienes, tienen un año financiero sin novedades.

Amor y vida social

La última parte de 2015 y el año pasado fueron buenos en el amor. Es posible que te hayas casado o entablado una relación seria. En lo social las cosas han estado tranquilas desde el 10 de septiembre del año pasado; no ha habido novedades ni en uno ni en otro sentido. Esto es buena señal también; significa que estás contento, satisfecho, con los asuntos de esta faceta. Esto continúa así hasta el 10 de octubre de este año; entonces Júpiter entra en tu séptima casa, la del amor y el matrimonio, y se enciende y expande la vida amorosa.

Si estás en una relación, podrías decidir dar el siguiente paso y casarte. Si aún no estás en una relación comenzarás a conocer a personas con las que considerarías la posibilidad de casarte; habrá muchas oportunidades de relación seria. La vida amorosa irá bien hasta muy entrado el año que viene.

Tu planeta del amor es Plutón, el regente genérico de la sexualidad. Júpiter, el regente de la sexualidad en tu carta, entrará en tu séptima casa. ¿Necesitamos un mensaje más claro? El magnetismo sexual parece ser lo más importante; este es el atractivo elemental. La riqueza no hace ningún daño, pero está en segundo lugar. La buena relación sexual encubre muchos pecados en una relación o matrimonio, y si hay problemas en esto podrían poner en peligro la relación. Si surgieran problemas en el matrimonio o la relación, será necesario remediarlos.

La relación sexual, por buena que sea, no basta para hacer funcionar un matrimonio. La química sexual, incluso la mejor, tiene una duración limitada, alrededor de un año. La pareja comienza a acostumbrarse, a hastiarse. Son necesarias otras compatibilidades.

Tu planeta del amor, Plutón, está en tu novena casa, la de la religión y la filosofía, y Júpiter, el ocupante de tu séptima casa, es el regente genérico de estas cosas. Por lo tanto, el horóscopo dice que necesitas una buena compatibilidad filosófica con tu pareja. Esto no quiere decir que tengáis que estar de acuerdo en absolutamente todo, pero es importante que estéis en la misma onda, que tengáis una visión de la vida similar, que compartáis los mismos valores religiosos y los mismos sentimientos respecto a de qué va la vida, de su sentido y finalidad.

Un antiguo refrán dice: «Las personas que oran unidas permanecen unidas». Sin duda esto es cierto en tu caso; los problemas en la relación se pueden solucionar de esta manera. También os convendría hacer viajes juntos al extranjero o tomar clases en algo como pareja. Es necesario fortalecer la armonía filosófica, la armonía de los cuerpos mentales superiores.

Esta fuerte conexión de la novena casa en el amor indica también otras cosas. Si estás soltero o soltera, es posible que otros países sean lugares para encuentros románticos; también lo son el lugar de culto o la universidad. Las funciones y reuniones de tipo religioso o formativo aportan oportunidades románticas. Personas de tu lugar de culto se ven deseosas de presentarte posibles parejas.

Con este tipo de aspectos muchas veces la persona se enamora del pastor religioso o del profesor universitario. Te atraen personas de formativo superior, personas del tipo mentor. Te gustan las personas de las que puedes aprender.

Si estás con miras a un primer o segundo matrimonio, este año hay amor y oportunidades de boda. Si estás pensando en un tercer matrimonio, tus perspectivas mejoran después del 21 de diciembre; el año que viene traerá oportunidades de matrimonio.

Progreso personal

Normalmente para Tauro no es muy importante la vida espiritual, sobre todo si se trata de la de tipo abstracto. Tauro es una persona terrenal y práctica. Considera espiritual la vida en la Tierra, e incluso las cosas mundanas (y es muy probable que tenga razón). Se siente cerca de lo Divino cuando está cómodo y a gusto físicamente. Pero en esto se ha producido un cambio en los últimos seis o siete años. La vida espiritual no sólo ha sido importante, sino también activa y plena de cambios dinámicos; muy experimental; muy interesante. Urano, instalado en tu casa doce, se ha encargado de este cambio. Tu profesión es en parte responsable de esto: para llegar donde quieres ir debe aumentar tu comprensión espiritual. Y es muy posible que personas relacionadas con tu profesión estén en un camino espiritual y eso ha acicateado tu interés. Sea como sea, lo Divino sabe exactamente qué te atraerá.

Siendo Marte tu planeta de la espiritualidad, te agrada el camino de la acción. Te gusta expresar tus ideales espirituales en actos de tipo positivo. En general, la meditación silenciosa no es para ti. Te gusta hacer algo, construir un orfanato, un hospital o una iglesia; dar de comer a los hambrientos, hacer actos de caridad o beneficencia. Pero junto con esto el horóscopo dice que adquieras una base científica, intelectual. Urano es el planeta de la ciencia; un enfoque científico de la vida espiritual no desmerece ni limita tus actos sino que los realza, los mejora; sabrás por qué haces lo que haces; el conocimiento reforzará tu fe.

Urano rige la astrología, y esta tiene una base espiritual muy fuerte; llamamos esotérica a la astrología, es una filosofía de los astros. Por lo tanto, esta es un camino espiritual válido en este periodo. También serían interesantes el ñana yoga (o «sendero del conocimiento»), la ciencia hermética y la cábala, que son enfoques científicos racionales.

Urano en la casa doce indica «experimentación espiritual»; esto tiene sus puntos buenos y sus puntos malos. Por el lado positivo, la persona ve qué le da buenos resultados mediante observación, ensayo y error, el método científico. Por el lado negativo, podría convertirla en una especie de «picaflor espiritual», que va siempre tras las últimas modas o tendencias en espiritualidad, cambiando de una a otra. El progreso espiritual requiere perseverancia; si cambias de camino con demasiada rapidez, sólo entorpeces tu progreso.

El principal reto este año es integrar la espiritualidad con una profesión mundana. Cada persona encuentra su propia solución. Algunas optan por una profesión espiritual; trabajan en una empresa no lucrativa, o la crean y trabajan en ella a tiempo completo; otras continúan en su profesión mundana y a eso añaden trabajo en algo no lucrativo; algunas siguen con su profesión mundana y participan en obras benéficas. Tú encontrarás la solución para ti. No hay ninguna regla para esto.

Previsiones mes a mes

Enero

Mejores días en general: 7, 8, 15, 16, 25, 26
Días menos favorables en general: 1, 7, 8, 13, 14, 20, 21, 27, 28
Mejores días para el amor: 2, 7, 8, 12, 15, 16, 20, 21, 25, 26, 31
Mejores días para el dinero: 1, 6, 9, 10, 15, 18, 19, 25, 26, 28, 29
Mejores días para la profesión: 1, 5, 6, 13, 14, 23, 24, 27, 28

Este mes se ve feliz y próspero, Tauro. Que lo disfrutes. Hasta el 19 está fuerte tu novena casa, la de la suerte y la despreocupación. Se presentan, pues, felices oportunidades de viaje; es posible que no viajes, pero la oportunidad está. La vida se expande, se ensanchan los horizontes. Si eres estudiante universitario debería irte bien en los estudios.

Tu planeta del dinero pasa la mayor parte del mes en tu novena casa. Esto es buena señal financiera; indica expansión de los ingresos. El único problema es que hasta el 8 Mercurio está en movimiento retrógrado, por lo que podría haber retrasos y contratiempos en esta expansión. Hasta el 8 pon mucho cuidado y atención en tus gestiones financieras; lee atentamente la letra pequeña de todos los contratos (y será mejor que durante este periodo no firmes ninguno); también evita tomar decisiones importantes o hacer compras o inversiones importantes. El 13, cuando Mercurio vuelve a entrar en tu novena casa, y en movimiento directo, se resolverán todas las dudas o perplejidades financieras, y los ingresos llegarán más rápido.

El 19 el Sol cruza tu medio cielo y entra en tu décima casa, la de la profesión, y tú entras en una cima profesional anual y haces mucho progreso; cuentas con buen apoyo familiar, y se eleva la posición de la familia en su conjunto.

El mes pasado fue el solsticio del Sol. Este mes Marte y Venus tienen sus solsticios, más o menos en el mismo periodo; el de Marte es del 27 al 31 y el de Venus del 29 al 31. Esto sugiere una pausa, una pausa personal y una pausa en tu vida espiritual y benéfica. Y luego hay un cambio de dirección. Estas pausas son saludables. En el exterior parece que no se hiciera nada, pero en el interior se prepara el terreno para el futuro.

La mitad inferior de tu carta está casi totalmente vacía, sólo transita por ella un planeta lento. Esto quiere decir que la mitad superior es súper dominante. La atención estará en la profesión y en los objetivos externos, como debe ser. Puedes pasar a un segundo plano los asuntos domésticos y familiares.

Vemos la misma situación en los sectores oriental y occidental de tu carta; sólo hay un planeta lento en tu sector occidental; el sector oriental es abrumadoramente dominante. Estás, pues, en un periodo de independencia personal; es el periodo para hacer tu voluntad, para crear tu felicidad; ahora tienes el poder para forjar tu destino, para actuar. Si alguna condición te fastidia, haz el cambio; al final los demás se adaptarán y estarán de acuerdo contigo.

Febrero

Mejores días en general: 3, 4, 12, 13, 21, 22
Días menos favorables en general: 9, 10, 16, 17, 18, 24, 25
Mejores días para el amor: 3, 4, 9, 10, 12, 13, 16, 17, 18, 19, 20, 21, 22, 28
Mejores días para el dinero: 3, 4, 5, 6, 14, 15, 24, 25, 26
Mejores días para la profesión: 1, 2, 9, 10, 19, 20, 24, 25, 28

Desde el 19 del mes pasado la salud y la energía han estado menos bien que de costumbre, y esta es la situación hasta el 18 de este mes. Tu salud general es buena este año, como hemos dicho, pero en este periodo lo es menos, así que descansa siempre que sea posible; después del 18 mejorará.

Continúas en tu cima profesional y haces mucho adelanto. Después de que Mercurio cruce tu medio cielo el 7, podría haber aumento de sueldo (ya sea de modo oficial o no oficial); las figuras de autoridad de tu vida están bien dispuestas en favor de tus objetivos económicos.

El raudo movimiento de Mercurio este mes indica confianza financiera; cubres mucho terreno; el progreso financiero se ve rápido. El ritmo de los acontecimientos en general es más rápido de lo habitual; hasta el 6 todos los planetas están en movimiento directo y después lo están el 90 por ciento.

El principal titular del mes son los dos eclipses; sin duda estos producen trastornos y cierta exaltación.

El eclipse lunar del 11 (el 10 en América) ocurre en tu cuarta casa, la del hogar y la familia, por lo tanto tiende a producir dramas, a ti y a familiares, padres o figuras parentales; a veces son dramas de aquellos que cambian la vida. Podría presentarse una necesidad repentina de hacer reparaciones en la casa. Pone a prueba los coches y equipos de comunicación, y podría ser necesario repararlos o reemplazarlos. Este eclipse también afecta a los hermanos y vecinos, así que ten más paciencia con ellos en este periodo. Este eclipse es fuerte en ti (está en alineación desfavorable con tu Sol), así que durante el periodo del eclipse tómate las cosas con calma, reduce tus actividades y evita las que sean muy difíciles o estresantes.

El eclipse solar del 26 también afecta al hogar y la familia, como todos los eclipses solares; se refuerzan, pues, los efectos del eclipse anterior. Será necesario hacer cambios importantes en la casa y en las relaciones familiares; te enteras de cuáles son estos cambios; el eclipse te obligará. Este eclipse ocurre en Piscis, tu casa once, y hace impacto en Neptuno, que es el señor de esta casa. Por lo tanto, podría haber irregularidades o desperfectos en los teléfonos móviles de alta tecnología, ordenadores y programas informáticos; tal vez sea necesario repararlos o reemplazarlos. Comprueba que tienes copia de seguridad de tus documentos importantes. Personas amigas podrían pasar por dramas, de aquellos que cambian la vida. Se pone a prueba el matrimonio y vida social en general de hijos o figuras filiales. Los jefes y padres o figuras parentales se ven obligados a hacer cambios financieros importantes.

Este eclipse es menos fuerte en ti que el anterior, pero no te hará ningún daño reducir tus actividades de todos modos.

Este es un mes muy espiritual. El 3 entra Venus, el planeta regente de tu horóscopo, en tu casa doce, y pasa el resto del mes en ella; Urano y Marte ya están en esta casa, que, por lo tanto, está poderosa este mes. Te irá bien leer libros espirituales, asistir a clases, seminarios o talleres espirituales y dedicar más tiempo a tu práctica espiritual.

Marzo

Mejores días en general: 2, 3, 11, 12, 21, 22, 30
Días menos favorables en general: 9, 10, 16, 17, 23, 24
Mejores días para el amor: 1, 2, 3, 9, 11, 12, 16, 17, 18, 21, 22, 27, 31
Mejores días para el dinero: 4, 5, 6, 7, 8, 13, 14, 18, 19, 23, 24, 28, 29
Mejores días para la profesión: 1, 10, 19, 20, 23, 24, 28

Uno de los principales titulares este mes es el movimiento retrógrado de Venus, que se inicia el 4 y continúa hasta el 15 del mes que viene. Dado que es tu planeta regente, esto podría hacerte sentir menos seguro de ti mismo; sientes falta de orientación. Es interesante que esto te ocurra cuando estás en un periodo de fuerte independencia y poder personal. Tienes la energía y el poder que necesitas para tu felicidad, para hacer las cosas a tu manera, pero no sabes muy bien cuál es «tu manera». El 10 entra Marte en tu signo y esto aumenta aún más tu independencia. Podrías caer en la tentación de precipitarte a hacer cambios de los que tienes dudas, y esto te causaría dolores de cabeza más adelante. ¿De qué te servirá hacer cosas que después tendrás que deshacer? Tómate tiempo para aclararte respecto a tus objetivos personales: cómo quieres que sea tu cuerpo, qué tipo de imagen te conviene presentar al mundo, qué tipo de régimen o programa te conviene adoptar, etcétera. Tómate ese tiempo. Cuando tengas claridad, que la tendrás, estarás en buena posición para hacer realidad tus ideas.

Dado que Venus es también tu planeta de la salud, todavía no te lances a adoptar dietas o terapias milagrosas; infórmate y analiza más las cosas. En el caso de que busques trabajo, analiza más detenidamente las ofertas, y esto vale también en el caso de que seas empleador y contrates empleados. Infórmate, aclara las cosas, resuelve todas las dudas.

La salud es excelente este mes, pero si te sintieras indispuesto te irá muy bien el masaje en la cara y el cuero cabelludo. Además, respondes muy bien a terapias de tipo espiritual; si te sintieras indispuesto también te iría bien consultar a un terapeuta de orientación espiritual.

Este es un mes espiritual. No sólo está fuerte tu casa doce, sino que, además, a partir del 10 tendrás en tu primera casa (posición prominente) a Marte, el señor de tu casa doce. En este periodo se te dan naturalmente los intereses espirituales: hacer meditación o contemplación, llevar un diario, estudiar las sagradas escrituras. Como siempre cuando está fuerte la casa doce, hay muchas experiencias de tipo sobrenatural. Si estás en un camino espiritual harás mucho progreso; si no lo estás, simplemente te sentirás más idealista sin ningún motivo aparente.

Tu planeta del dinero entra en tu casa doce el 13 y pasa el resto del mes en ella. La intuición financiera será excelente; la conjunción de Mercurio con Neptuno los días 4 y 5 también trae buena intuición en las finanzas. Cuando viene una intuición rara vez parece racional en el momento; sólo después vemos lo racional que era.

Mercurio está en conjunción con Urano los días 26 y 27; esta trae beneficios financieros repentinos e inesperados, que pueden provenir de la profesión o llegar a través de los padres o figuras parentales.

Marte en tu signo a partir del 10 te hace más activo físicamente; deseas hacer más ejercicio, pasar más tiempo en el gimnasio, practicar deportes, etcétera. El ejercicio es bueno, pero tu carta favorece los de tipo más espiritual, yoga, tai chi, eurritmia; parecen mejor los ejercicios más refinados.

El verde es siempre un buen color para ti, es el color de tu signo. Este mes podría convenirte añadir más rojo, en especial después del 10. Usar los colores de los astros te sintoniza más con ellos y te ayuda en los planos sutiles.

El amor se ve algo problemático este mes; Venus está en movimiento retrógrado y Plutón, tu planeta del amor, recibe aspectos desfavorables. Aguanta, porque son problemas de corta duración.

Abril

Mejores días en general: 7, 8, 17, 18, 26, 27
Días menos favorables en general: 5, 6, 12, 13, 19, 20, 21
Mejores días para el amor: 4, 7, 8, 12, 13, 17, 18, 23, 26, 27
Mejores días para el dinero: 1, 7, 8, 10, 11, 18, 19, 20, 21, 24, 25, 28, 29
Mejores días para la profesión: 5, 6, 15, 16, 19, 20, 21, 24, 25

Hasta el 15 continúa aclarándote respecto a tus objetivos. Esto es lo más importante. Cuando Venus retome el movimiento directo el 15 vas a entrar en tu periodo de máximo poder personal. Valía la pena esperar. Los cambios que hagas serán buenos. Y tienes muchísimo poder para crear las condiciones como las deseas.

Hasta el 19 continúan tus intereses espirituales; después de esta fecha se apreciará exteriormente tu progreso espiritual.

Este es un mes feliz. El Sol entra en tu signo el 19. La familia se ve muy cariñosa contigo; hay buen apoyo familiar. Tienes energía y el atractivo de una estrella; resplandece tu apariencia personal. La salud es excelente. Si te sintieras indispuesto, sería potente una terapia de tipo espiritual.

Las finanzas van bien este mes, aunque más complicadas que de costumbre. Mercurio en tu signo trae beneficios inesperados y oportunidades financieras. Las personas adineradas de tu vida te apoyan, pero Mercurio inicia movimiento retrógrado el 9, así que los planteamientos podrían no ser realistas. Como siempre, a partir del 9 evita tomar decisiones financieras importantes y hacer compras o inversiones importantes. No se detiene tu vida por estar retrógrado Mercurio, pero evita los gastos importantes.

Las personas adineradas de tu vida podrían cambiar de decisión al estar retrógrado Mercurio o retrasar ciertas gestiones. Aprovecha estos retrasos para conseguir claridad y fijar objetivos para el futuro.

El 21 Marte entra en tu casa del dinero, y el 20 Mercurio vuelve a entrar en Aries, retrógrado. Entonces se hace importante la intuición financiera, aunque necesita más verificación. La orientación financiera te llegará en sueños y a traves de consultores espirituales: pastores religiosos, gurús, canalizadores espirituales, astrólogos, etcétera. Antes de tomar una decisión consulta a alguna de estas personas. Marte en tu casa del dinero te inclinará a tomar decisiones financieras rápidas, pero debes resistir el impulso hasta que Mercurio retome el movimiento directo, el 3 del próximo mes.

Hay éxito en la profesión los días 13 y 14, y también se ve éxito para la familia en su conjunto. Pero comienza a disminuir la atención a la profesión. El poder planetario comienza a trasladarse a la mitad inferior de tu carta; este cambio será más intenso el próximo mes, pero comenzarás a sentirlo a partir del 19 de este mes.

Mayo

Mejores días en general: 4, 5, 14, 15, 23, 24, 29, 30
Días menos favorables en general: 2, 3, 9, 10, 17, 18
Mejores días para el amor: 2, 3, 4, 5, 9, 10, 12, 13, 14, 15, 21, 22, 23, 24
Mejores días para el dinero: 2, 3, 7, 8, 13, 16, 17, 18, 23, 24, 25, 26
Mejores días para la profesión: 3, 13, 17, 18, 22, 30

Este mes es el cielo de Tauro, es un mes de prosperidad. El Cosmos te impulsa a hacer lo que más te gusta, centrar la atención en tus finanzas.

Este mes hay muchas novedades buenas en la faceta finanzas. Tu planeta del dinero retoma el movimiento directo el 3, por lo que tu intuición financiera es mucho más fiable. Del 1 al 11 Mercurio y Urano viajan juntos; esto trae beneficios financieros repentinos e inesperados; cuentas con el apoyo de padres y jefes. El 16 Mercurio cruza tu ascendente y entra en tu primera casa. Esto también trae beneficios inesperados y oportunidades financieras; las personas adineradas de tu vida te apoyan. Te ves rico y te sientes rico; se te considera una «persona adinerada». Marte continúa en tu casa del dinero todo el mes. Nuevamente esto indica una potente intuición financiera; del 10 al 14 es excepcionalmente buena; eres osado en los asuntos financieros esos días. El 20 el Sol entra en tu casa del dinero, dándole más energía, y trae buen apoyo familiar. Comienzas una cima financiera anual. Aumentarán los ingresos y la riqueza.

La salud sigue excelente todo el mes; no hay ningún planeta en aspecto desfavorable para ti, (sólo la Luna te formará aspecto desfavorable de tanto en tanto, pero son cosas de corta duración). Tienes muchísima energía, y con la energía aumentan las posibilidades. De todos modos, si en algún momento te sintieras indispuesto, sigues respondiendo bien a terapias de tipo espiritual; el ejercicio físico y el masaje en la cara y el cuero cabelludo siguen siendo terapias potentes.

El amor es agridulce este mes. Venus y Plutón no están en buen aspecto. Es posible, por tanto, que tengas desacuerdos con tu pareja o ser amado actual. Tienes que trabajar más por la relación. El mes que viene debería mejorar la vida amorosa.

Este mes aumenta la actividad retrógrada. Hasta el 3 el 40 por ciento de los planetas están en movimiento retrógrado; después del 3, el 30 por ciento. Para iniciar un proyecto o empresa siempre es mejor tener el mayor número posible de planetas en movimiento directo, pero si debes iniciar un proyecto o lanzar un nuevo producto, este podría ser el periodo para hacerlo, después del día de tu cumpleaños. Cuentas entonces con un ciclo solar personal creciente y un ciclo solar universal creciente. Del 3 al 10 y a partir del 25 son los mejores periodos este mes.

Junio

Mejores días en general: 1, 2, 10, 11, 12, 20, 21, 28, 29
Días menos favorables en general: 5, 6, 7, 13, 14, 26, 27

Mejores días para el amor: 1, 2, 5, 6, 7, 10, 11, 20, 21, 28, 29
Mejores días para el dinero: 1, 2, 3, 4, 13, 14, 22, 23, 24, 30
Mejores días para la profesión: 9, 13, 14, 19, 27

Este mes el poder planetario continúa establecido principalmente en el sector oriental de tu carta. El próximo mes esto comenzará a cambiar; así pues, si en tu vida hay condiciones que es necesario cambiar, este es el periodo para hacerlo; más adelante te resultará más difícil.

La salud continúa excelente. No hay ningún planeta en aspecto desfavorable, sólo la Luna de vez en cuando. Tienes toda la energía que necesitas para realizar lo que sea que te propongas. Si te sintieras indispuesto, hasta el 6 continúa con técnicas espirituales; después el masaje en el cuello y la garganta será potente.

La entrada de Venus en tu signo el 6 es afortunado: trae felices oportunidades de trabajo, si lo necesitas. Si necesitas vitaminas, suplementos u otro artículo de salud, te llega de manera natural y normal, sin que tengas que hacer ningún esfuerzo especial. La entrada de Venus en tu signo es como tomar una «píldora de gracia»; te da buen talante social, disposición amable, encanto y belleza. Te llevas mejor con los demás; mejora la vida amorosa; me parece que después del 6 se resuelve el desacuerdo con tu pareja o ser amado actual. El único problema para el amor en este periodo es el movimiento retrógrado de Plutón (lo inició el 20 de abril). No tienes ninguna necesidad de precipitarte a tomar decisiones importantes en el amor, ni en un sentido ni en otro. Deja que el amor siga su curso.

Hasta el 21 continúas en un fuerte periodo de prosperidad. Tu casa del dinero sigue poderosa; sigue bueno el apoyo de la familia (y es posible que gastes más en la casa y la familia). Las conexiones familiares son importantes en las finanzas. El 6 Mercurio entra en tu casa del dinero, otra buena señal. Estará en su signo y casa, y por lo tanto será más poderoso por ti; deberían aumentar los ingresos. Sea cual sea el negocio o empresa en que estás, son importantes las buenas ventas, la mercadotecnia, las relaciones públicas y la publicidad. Esto es así todo el mes. Es necesario que la gente se entere de tu producto o servicio. Mercurio en tu casa del dinero también trae buenas ideas para la riqueza.

El 21 ya tendrías que haber conseguido tus objetivos financieros a corto plazo; se vacía tu casa del dinero. Tu atención pasa a otras cosas, a los intereses intelectuales y la comunicación, y así es como debe ser. El dinero sólo es un medio para un fin, no es la finalidad de la vida; compra libertad y tiempo para que la persona pueda crecer mental y espiritualmente. Este es un periodo para crecer mentalmente.

El 6 ya estará completo el traslado del poder planetario de la mitad superior de tu carta a la inferior. Durante los próximos meses la mitad inferior de tu carta será más dominante que la superior. Puedes pasar a un segundo plano la profesión. Ha llegado el periodo para centrar más la atención en tu base hogareña y tu bienestar emocional.

Julio

Mejores días en general: 8, 9, 17, 18, 23, 24
Días menos favorables en general: 3, 4, 10, 11, 23, 24, 30, 31
Mejores días para el amor: 3, 4, 8, 9, 10, 17, 18, 19, 20, 25, 26, 28, 29, 30, 31
Mejores días para el dinero: 1, 4, 10, 11, 16, 19, 20, 25, 26, 28, 29
Mejores días para la profesión: 6, 10, 11, 16, 24

Tu planeta del dinero, Mercurio, ha estado «fuera de límites» desde el 18 del mes pasado; el 1 de este mes sigue fuera de límites, pero ya va de regreso a sus límites normales. Esto significa que en tu vida financiera has salido de tu ambiente o entorno normal para actuar en terreno no explorado. Después del 1 vuelves a tu esfera normal.

Este es un mes próspero. Venus (planeta importantísimo en tu horóscopo) entra en tu casa del dinero el 5 y pasa en ella el resto del mes; esto indica muchísima atención a las finanzas, y eso es el 90 por ciento de la batalla; obtenemos aquello en que centramos la atención. Gastas en ti y adoptas la imagen de la riqueza; la apariencia personal es ultra importante para los ingresos. Pero ten cuidado, no permitas que el ego se entrometa en tus finanzas; cualquier cosa que distorsione el juicio es un problema.

Mercurio, tu planeta del dinero, está en tu tercera casa desde el 21 del mes pasado y continúa en ella hasta el 6. Hasta esa fecha, pues, siguen en vigor las tendencias financieras que explicamos el mes pasado: son ultra importantes una buena mercadotecnia, la publicidad y las relaciones públicas. El 6 Mercurio entra en tu cuarta casa, lo que indica la importancia de la familia y las conexiones familiares; el apoyo familiar debería ser bueno; también es probable que gastes más en la casa y la familia. El planeta del dinero en Leo te hace más arriesgado en las finanzas, más especulador; esto no es normal en ti. Por otro lado, a veces es necesario arriesgarse para superar el miedo. El 26 Mercurio entra en Virgo, tu quinta casa. Sigues especulador, pero es mejor el juicio financiero. Tenemos la impresión de que a partir del 6 llega dinero «feliz»; hacer dinero es más placentero. Gastas en cosas placenteras también.

Tu cuarta casa se hace muy poderosa a partir del 20 (Marte entra en ella el 20, y el Sol el 22). Por lo tanto, la atención está puesta en el hogar, la familia y tu bienestar emocional. Curiosamente, estos intereses favorecen tu profesión, de modo directo. El mes que viene esto será más fuerte; los poderes fácticos aprueban una buena vida familiar y doméstica.

Cuando la cuarta casa está fuerte, el bienestar emocional y la armonía familiar son los factores dominantes; si eso va bien, todo lo demás va bien. Pero si hay discordia nada funciona bien.

Después del 20 es un buen periodo para hacer obras de renovación en la casa. La salud se vuelve más delicada también; procura descansar lo suficiente.

Agosto

Mejores días en general: 4, 5, 13, 14, 22, 23, 31
Días menos favorables en general: 6, 7, 8, 20, 21, 26, 27
Mejores días para el amor: 4, 5, 9, 10, 13, 14, 18, 19, 22, 23, 26, 27, 28, 29, 31
Mejores días para el dinero: 4, 5, 6, 7, 13, 14, 16, 22, 23, 24, 25, 31
Mejores días para la profesión: 2, 3, 6, 7, 8, 11, 12, 20, 21, 29, 30

Me parece que el 18 o el 19 de junio tuviste un bonito día de paga; y tal vez una feliz oportunidad de trabajo también.

Tu cuarta casa sigue tan poderosa como el mes pasado. Continúa trabajando en tu bienestar emocional y en la armonía del ambiente doméstico. Según la filosofía de la astrología, cuando manejamos bien la cuarta casa entramos en un periodo de dicha, de tipo vacaciones. La quinta casa, la de la diversión, viene después de la cuarta, no la precede. La diversión ocurre después de que conseguimos la armonía emocional, no antes.

Este mes tenemos dos eclipses. Los dos se ven fuertes en ti, así que durante esos periodos tómate las cosas con calma y reduce tus actividades.

El eclipse lunar del 7 ocurre en tu décima casa, la de la profesión; hay, por lo tanto, trastornos o reorganización en la empresa o industria en que trabajas; es probable que esto te exija tomar medidas correctivas. A veces hay drama en la vida de un jefe, progenitor o figura parental; a veces cambian las normas gubernamentales. Pasa por pruebas el matrimonio de un progenitor o figura parental; esto podría ocurrirle a un jefe también. Asimismo se ponen a prueba los coches y los equipos de comunicación. Y en este periodo te conviene conducir con más precaución.

El eclipse solar del 21 ocurre en tu cuarta casa, pero muy cerca de la cúspide (límite) de la quinta casa, por lo tanto afecta a ambas casas. Como todos los eclipses solares, este afecta al hogar y la familia. Hay drama en la vida de un familiar, y en la de un hijo o hija también. A veces es necesario hacer reparaciones (y extensas). Cuando ocurre un eclipse en la cuarta casa nos enteramos de problemas ocultos en ella; el problema podría llevar un tiempo, pero no lo sabíamos; tal vez había ratones u otros roedores por ahí, o se había acumulado moho en la pared en un lugar no visible, o en una tubería había una fuga de agua no visible. Estas cosas son incómodas, sin duda, pero es bueno que el problema ya no esté oculto; se puede remediar.

La actividad retrógrada es muy fuerte este mes. Del 13 al 25 el 50 por ciento de los planetas están en movimiento retrógrado; esto complica la solución de los problemas revelados por los eclipses, que exigen atención inmediata, aunque los planetas retrógrados producen retrasos. También tu planeta del dinero estará retrógrado, desde el 11. Así pues, como ya sabes, evita las compras y las decisiones financieras importantes hasta el 5 del próximo mes, cuando Mercurio retoma el movimiento directo.

Septiembre

Mejores días en general: 1, 10, 18, 19, 28, 29
Días menos favorables en general: 3, 4, 16, 17, 23, 24, 30
Mejores días para el amor: 1, 7, 8, 10, 16, 17, 18, 19, 23, 24, 28, 29
Mejores días para el dinero: 3, 4, 8, 9, 12, 13, 18, 19, 20, 21, 28, 29, 30
Mejores días para la profesión: 3, 4, 8, 17, 27, 30

La salud y la energía están mucho mejor que el mes pasado. El mes pasado surgieron problemas, o, mejor dicho, se revelaron, pues existían antes de que ocurrieran los eclipses, y ahora tienes toda la energía que necesitas para solucionarlos. Puedes fortalecer la salud prestando más atención al corazón hasta el 20, y después al instestino delgado. Darte permiso para divertirte, para gozar de la vida, eso también fortalecerá tu salud.

Tu quinta casa sigue muy fuerte (se hizo fuerte el 22 del mes pasado). Así pues, ocúpate de tus problemas y responsabilidades, pero procura divertirte también; puedes hacer ambas cosas. A veces la mejor manera de arreglárselas con un problema insuperable es dejarlo estar; hacer otra cosa, buscar algo creativo, divertirse. Después, cuando devuelves la atención al problema descubres la solución. La atención obsesiva nos bloquea; muchas veces la solución es irrisoriamente sencilla.

Este es un mes para estar más por tus hijos y las figuras filiales de tu vida; te relacionas muy bien con ellos; seguro que hay algo de niño en ti. También es muy fuerte la creatividad en este periodo; es bueno expresarla. Tu espíritu alegre, de diversión, te será útil para el cuadro financiero también. Como hemos dicho, esto indica dinero feliz; ganas o tienes oportunidades de ingresos cuando te estás divirtiendo, tal vez en el cine o en el teatro, tal vez en un balneario o en una fiesta.

La vida amorosa va mucho mejor este mes también. Tu planeta del amor, Plutón, continúa retrógrado, pero recibe muy buenos aspectos. Así pues, la vida social es feliz; hay muchas oportunidades románticas y sociales. Pero no te precipites a nada y disfruta de las cosas por lo que son.

La vida amorosa de los hijos o figuras filiales se ve algo difícil este mes. Si están casados o en una relación seria, deben tener más paciencia; parece que los problemas se deben a asuntos de la pareja, no de ellos.

Del 1 al 3 Marte forma aspectos hermosos a tu planeta de la profesión. Participar en obras o causas benéficas favorece la profesión.

Octubre

Mejores días en general: 7, 8, 15, 16, 25, 26
Días menos favorables en general: 1, 13, 14, 20, 21, 27, 28, 29
Mejores días para el amor: 7, 8, 15, 16, 17, 18, 20, 21, 25, 26, 27, 28

Mejores días para el dinero: 1, 9, 10, 11, 20, 30
Mejores días para la profesión: 1, 6, 14, 23, 24, 27, 28, 29

Júpiter está en tu sexta casa en lo que va de año y continuará en ella hasta el 10 de este mes. Tu sexta casa se hizo poderosa el 22 del mes pasado y este mes lo es más aún; el 60 por ciento de los planetas o están instalados en ella o transitan por ella; esto es muchísimo poder. Es un periodo maravilloso en el caso de que busques trabajo; se presentan muchísimas oportunidades (todo este año ha sido bueno para esto, pero este periodo es mejor). También indica mucha atención a la salud. Como ya hemos dicho, esta atención podría ser excesiva; no tienes por qué convertir en gran problema cosas insignificantes.

El 11 Júpiter entra en tu séptima casa, la del amor, y continúa en ella hasta bien avanzado el próximo año. Mercurio entra en esta casa el 17 y el Sol el 23. A partir del 23 el amor es el principal titular; estarás en una cima amorosa y social anual. Si estás soltero o soltera tienes más citas; te atraes relaciones serias, valiosas; dentro de los próximos doce meses podría haber boda. Si ya estás casado o casada, o en una relación, asistes a más bodas y reuniones; haces nuevas e importantes amistades; podría hacerse realidad una sociedad de negocios o empresa conjunta.

La entrada de Júpiter en tu séptima casa trae beneficios financieros inesperados y prosperidad general para el cónyuge, pareja o ser amado actual; esta prosperidad será aún más fuerte el año que viene.

Hay más novedades positivas en la faceta amor. Tu planeta del amor, Plutón, retomó el movimiento directo el 28 del mes pasado. Por lo tanto, tratándose del amor, funcionan todos los sistemas. Hay oportunidades, hay claridad mental y hay buen juicio social. Que lo disfrutes.

El Sol tendrá su solsticio el 21 de diciembre. Pero este mes tienen su solsticio Venus y Marte; hacen una pausa en el firmamento y luego cambian de dirección. En el caso de Venus, que es el planeta más importante para ti, esto ocurre del 16 al 19. Esto exige hacer una pausa en tus asuntos y luego cambiar de dirección; es una pausa que renueva; podría sentirse como un «paro o suspensión», pero no lo es.

Marte, tu planeta de la espiritualidad, tiene su solsticio del 23 al 30, lo que sugiere un cambio de dirección en lo espiritual; tal vez un cambio en las obras benéficas o las causas con las que colaboras.

Noviembre

Mejores días en general: 3, 4, 12, 13, 21, 22
Días menos favorables en general: 9, 10, 16, 17, 24, 25
Mejores días para el amor: 3, 4, 6, 7, 12, 13, 16, 17, 21, 22, 26, 27
Mejores días para el dinero: 5, 6, 7, 8, 9, 16, 17, 19, 20, 26, 27, 29, 30
Mejores días para la profesión: 2, 10, 20, 24, 25, 30

Desde el 23 del mes pasado está más delicada la salud, y continúa así hasta el 22 de este mes. No pasa nada grave, simplemente hay menos energía de la habitual. Procura descansar y dormir lo suficiente. Este es un problema de corta duración; el 22 ya se habrán normalizado la salud y la energía. Hasta el 7 fortalece la salud de las maneras indicadas en las previsiones para el año. Después del 7 presta más atención al colon, la vejiga y los órganos sexuales. El amor es activo y feliz, pero no hay ninguna necesidad de excederse en el asunto sexual; tu cuerpo te dirá cuándo ya tienes bastante. Si te sientes indispuesto podría convenirte un enema con infusión de hierbas.

La vida amorosa continúa siendo el principal titular. Tu séptima casa sigue muy poderosa; el 7 entra Venus en ella y la hace más poderosa aún. Eres muy popular y muy activo en tu vida social; los días 12 y 13 se ven especialmente buenos en el frente romántico (y traen un bonito día de paga también). Los días 16, 17, 29 y 30 entran nuevas amistades en el cuadro (esto puede ocurrir de la manera normal o por contactos en internet). También te llegarán nuevos artilugios de alta tecnología en esos días. Es posible que te intereses más por la astrología o te hagas hacer tu horóscopo personal.

Las finanzas (siempre importantes para Tauro) van bien este mes. Hasta el 6 son importantes tus conexiones sociales; es importante tu simpatía, tu capacidad para caer bien. Después del 6, cuando Mercurio entra en tu octava casa, prosperas «recortando», podando, eliminando el derroche y las cuentas bancarias o de inversiones dobles, eliminando los gastos inútiles, pagando o refinanciando las deudas. En este periodo te irá muy bien librarte de viejas posesiones que no necesitas o no usas; la utilidad será tu guía; las cosas que usas, consérvalas; las cosas que ya no usas las vendes, las das a una asociación benéfica o te deshaces de ellas de alguna otra manera.

El planeta del dinero en la octava casa sugiere la necesidad de hacer ricos a otros; debes anteponer a los tuyos los intereses de los demás, en especial los de los socios o la pareja. Cuando haces esto la prosperidad te llega de modo natural. En las decisiones financieras debes tener en cuenta los asuntos de impuestos. Si estás en edad te convendría hacer planes testamentarios; este es un buen periodo para esto. En el caso de que lo necesites, es buen mes para contratar un seguro de vida.

Diciembre

Mejores días en general: 1, 2, 9, 10, 18, 19, 20
Días menos favorables en general: 7, 8, 14, 15, 21, 22
Mejores días para el amor: 1, 2, 7, 8, 9, 10, 14, 15, 16, 17, 19, 20, 28, 29
Mejores días para el dinero: 3, 4, 5, 6, 7, 8, 14, 15, 16, 17, 24, 25, 26, 27, 30, 31
Mejores días para la profesión: 8, 17, 18, 21, 22, 27

En octubre el poder planetario empezó a trasladarse a la mitad superior de tu carta; este mes es más intenso el traslado. El 9 Marte pasa a la mitad superior; entonces, con la excepción de la Luna, todos los planetas estarán en la mitad superior; y del 14 al 27 la Luna también estará en la mitad superior de tu carta. Ahora son más prominentes la profesión y los objetivos externos; el bienestar emocional llegará como efecto secundario del éxito externo. Centra la atención en la profesión en este periodo; haces mucho progreso este mes, y todavía no estás en tu cima profesional, que alcanzarás en enero y febrero del próximo año.

La entrada de Marte en tu séptima casa indica amistades de tipo espiritual en este periodo. El amor es más espiritual, Si estás soltero o soltera y sin compromiso encuentras oportunidades románticas en ambientes espirituales: funciones benéficas, seminarios o charlas espirituales, etcétera. El amor tendría que ser feliz si consigues evitar las luchas por el poder en la relación, que es uno de los problemas cuando Marte está en la séptima casa. Los dos señores de la libido, Marte, uno de los regentes genéricos, y Júpiter, el señor de tu octava casa, están en tu séptima casa, la del amor.* La atracción y

---

* Además, Plutón, señor genérico de la libido junto con Marte, es tu planeta del amor.

el magnetismo sexuales son lo más importante. Esto no lo es todo, sin duda, pero cubre muchos problemas en una relación. No se puede forjar una relación duradera sólo con esto, pero de todos modos es la principal atracción.

Mercurio pasa la mayor parte del mes (del 3 al 23), en movimiento retrógrado. Esto complica las compras navideñas; si es posible hazlas antes del 3; si no es posible, simplemente reflexiona e infórmate más, y no olvides comprobar que la tienda acepta devoluciones. Teniendo a tu planeta del dinero en Sagitario todo el mes, la tendencia será gastar en exceso.

La salud es buena este mes. Hay dos planetas en alineación desfavorable, Marte y Júpiter, pero eso es todo; los demás planetas te favorecen o te dejan en paz. Si te sientes indispuesto, hasta el 25 puedes fortalecer más la salud con un régimen de desintoxicación; también podría irte bien una limpieza del hígado con infusiones de hierbas. Después del 25, fortalece la salud con masajes en la espalda y las rodillas.

Géminis

Los gemelos
Nacidos entre el 21 de mayo y el 20 de junio

Rasgos generales

GÉMINIS DE UN VISTAZO

Elemento: Aire

Planeta regente: Mercurio
   Planeta de la profesión: Neptuno
   Planeta de la salud: Plutón
   Planeta del amor: Júpiter
   Planeta del dinero: la Luna

Colores: Azul, amarillo, amarillo anaranjado
   Colores que favorecen el amor, el romance y la armonía social:
   Azul celeste
   Colores que favorecen la capacidad de ganar dinero: Gris, plateado

Piedras: Ágata, aguamarina

Metal: Mercurio

Aromas: Lavanda, lila, lirio de los valles, benjuí

Modo: Mutable (= flexibilidad)

Cualidad más necesaria para el equilibrio: Pensamiento profundo
en lugar de superficial

Virtudes más fuertes: Gran capacidad de comunicación, rapidez y agilidad de pensamiento, capacidad de aprender rápidamente

Necesidad más profunda: Comunicación

Lo que hay que evitar: Murmuración, herir con palabras mordaces, superficialidad, usar las palabras para confundir o malinformar

Signos globalmente más compatibles: Libra, Acuario

Signos globalmente más incompatibles: Virgo, Sagitario, Piscis ·

Signo que ofrece más apoyo laboral: Piscis

Signo que ofrece más apoyo emocional: Virgo

Signo que ofrece más apoyo económico: Cáncer

Mejor signo para el matrimonio y/o las asociaciones: Sagitario

Signo que más apoya en proyectos creativos: Libra

Mejor signo para pasárselo bien: Libra

Signos que más apoyan espiritualmente: Tauro, Acuario

Mejor día de la semana: Miércoles

La personalidad Géminis

Géminis es para la sociedad lo que el sistema nervioso es para el cuerpo. El sistema nervioso no introduce ninguna información nueva, pero es un transmisor vital de impulsos desde los sentidos al cerebro y viceversa. No juzga ni pesa esos impulsos; esta función se la deja al cerebro o a los instintos. El sistema nervioso sólo lleva información, y lo hace a la perfección.

Esta analogía nos proporciona una indicación del papel de los Géminis en la sociedad. Son los comunicadores y transmisores de información. Que la información sea verdadera o falsa les tiene sin cuidado; se limitan a transmitir lo que ven, oyen o leen. Enseñan lo que dice el libro de texto o lo que los directores les dicen que digan. Así pues, son tan capaces de propagar los rumores más infames como de transmitir verdad y luz. A veces no tienen muchos escrúpulos a la hora de comunicar algo, y pueden hacer un gran bien o muchísimo daño con su poder. Por eso este signo es el de los Gemelos. Tiene una naturaleza doble.

Su don para transmitir un mensaje, para comunicarse con tanta facilidad, hace que los Géminis sean ideales para la enseñanza, la literatura, los medios de comunicación y el comercio. A esto contribuye el hecho de que Mercurio, su planeta regente, también rige estas actividades.

Los Géminis tienen el don de la palabra, y ¡menudo don es ése! Pueden hablar de cualquier cosa, en cualquier parte y en cualquier momento. No hay nada que les resulte más agradable que una buena conversación, sobre todo si además pueden aprender algo nuevo. Les encanta aprender y enseñar. Privar a un Géminis de conversación, o de libros y revistas, es un castigo cruel e insólito para él.

Los nativos de Géminis son casi siempre excelentes alumnos y se les da bien la erudición. Generalmente tienen la mente llena de todo tipo de información: trivialidades, anécdotas, historias, noticias, rarezas, hechos y estadísticas. Así pues, pueden conseguir cualquier puesto intelectual que les interese tener. Son asombrosos para el debate y, si se meten en política, son buenos oradores.

Los Géminis tienen tal facilidad de palabra y de convicción que aunque no sepan de qué están hablando, pueden hacer creer a su interlocutor que sí lo saben. Siempre deslumbran con su brillantez.

Situación económica

A los Géminis suele interesarles más la riqueza del aprendizaje y de las ideas que la riqueza material. Como ya he dicho, destacan en profesiones como la literatura, la enseñanza, el comercio y el periodismo, y no todas esas profesiones están muy bien pagadas. Sacrificar las necesidades intelectuales por el dinero es algo impensable para los Géminis. Se esfuerzan por combinar las dos cosas.

En su segunda casa solar, la del dinero, tienen a Cáncer en la cúspide, lo cual indica que pueden obtener ingresos extras, de un modo armonioso y natural, invirtiendo en propiedades inmobiliarias, restaurantes y hoteles. Dadas sus aptitudes verbales, les encanta regatear y negociar en cualquier situación, pero especialmente cuando se trata de dinero.

La Luna rige la segunda casa solar de los Géminis. Es el astro que avanza más rápido en el zodiaco; pasa por todos los signos y casas cada 28 días. Ningún otro cuerpo celeste iguala la velocidad de la Luna ni su capacidad de cambiar rápidamente. Un análisis de la Luna, y de los fenómenos lunares en general, describe muy bien las actitudes geminianas respecto al dinero. Los Géminis son versátiles y flexibles en los asuntos económicos. Pueden ganar dinero de muchas maneras. Sus actitudes y necesidades en este sentido parecen variar diariamente. Sus estados de ánimo respecto al dinero son cambiantes. A veces les entusiasma muchísimo, otras apenas les importa.

Para los Géminis, los objetivos financieros y el dinero suelen ser solamente medios para mantener a su familia y tienen muy poco sentido en otros aspectos.

La Luna, que es el planeta del dinero en la carta solar de los Géminis, tiene otro mensaje económico para los nativos de este signo: para poder realizar plenamente sus capacidades en este ámbito, han de desarrollar más su comprensión del aspecto emocional de la vida. Es necesario que combinen su asombrosa capacidad lógica con una comprensión de la psicología humana. Los sentimientos tienen su propia lógica; los Géminis necesitan aprenderla y aplicarla a sus asuntos económicos.

Profesión e imagen pública

Los Géminis saben que se les ha concedido el don de la comunicación por un motivo, y que este es un poder que puede producir mucho bien o un daño increíble. Ansían poner este poder al servicio de las verdades más elevadas y trascendentales. Este es su primer objetivo: comunicar las verdades eternas y demostrarlas lógicamente. Admiran a las personas que son capaces de trascender el intelecto, a los poetas, pintores, artistas, músicos y místicos. Es posible que sientan una especie de reverencia sublime ante las historias de santos y mártires religiosos. Uno de los logros más elevados para los Géminis es enseñar la verdad, ya sea científica, histórica o espiritual. Aquellas personas que consiguen trascender el intelecto son los superiores naturales de los Géminis, y estos lo saben.

En su casa diez solar, la de la profesión, los Géminis tienen el signo de Piscis. Neptuno, el planeta de la espiritualidad y el altruismo, es su planeta de la profesión. Si desean hacer realidad su más elevado potencial profesional, los Géminis han de desarrollar su lado trascendental, espiritual y altruista. Es necesario que comprendan la perspectiva cósmica más amplia, el vasto fluir de la evolución humana, de dónde venimos y hacia dónde vamos.

Sólo entonces sus poderes intelectuales ocuparán su verdadera posición y Géminis podrá convertirse en el «mensajero de los dioses». Es necesario que cultive la facilidad para la «inspiración», que no se origina «en» el intelecto, sino que se manifiesta «a través» de él. Esto enriquecerá y dará más poder a su mente.

Amor y relaciones

Los Géminis también introducen su don de la palabra y su locuacidad en el amor y la vida social. Una buena conversación o una contienda verbal es un interesante preludio para el romance. Su único problema en el amor es que su intelecto es demasiado frío y desapasionado para inspirar pasión en otra persona. A veces las emociones los perturban, y su pareja suele quejarse de eso. Si estás enamorado o enamorada de una persona Géminis, debes comprender a qué se debe esto. Los nativos de este signo evitan las pasiones intensas porque estas obstaculizan su capacidad de pensar y comunicarse. Si adviertes frialdad en su actitud, comprende que esa es su naturaleza.

Sin embargo, los Géminis deben comprender también que una cosa es hablar del amor y otra amar realmente, sentir el amor e irradiarlo. Hablar elocuentemente del amor no conduce a ninguna parte. Es necesario que lo sientan y actúen en consecuencia. El amor no es algo del intelecto, sino del corazón. Si quieres saber qué siente sobre el amor una persona Géminis, en lugar de escuchar lo que dice, observa lo que hace. Los Géminis son muy generosos con aquellos a quienes aman.

A los Géminis les gusta que su pareja sea refinada y educada, y que haya visto mucho mundo. Si es más rica que ellos, tanto mejor. Si estás enamorado o enamorada de una persona Géminis, será mejor que además sepas escuchar.

La relación ideal para los Géminis es una relación mental. Evidentemente disfrutan de los aspectos físicos y emocionales, pero si no hay comunión intelectual, sufrirán.

Hogar y vida familiar

En su casa, los nativos de Géminis pueden ser excepcionalmente ordenados y meticulosos. Tienden a desear que sus hijos y su pareja vivan de acuerdo a sus normas y criterios idealistas, y si estos no se cumplen, se quejan y critican. No obstante, se convive bien con ellos y les gusta servir a su familia de maneras prácticas y útiles.

El hogar de los Géminis es acogedor y agradable. Les gusta invitar a él a la gente y son excelentes anfitriones. También son buenos haciendo reparaciones y mejoras en su casa, estimulados por su necesidad de mantenerse activos y ocupados en algo que les agrada hacer. Tienen muchas aficiones e intereses que los mantienen ocupados cuando están solos. La persona Géminis comprende a sus hijos y se lleva bien con ellos, sobre todo porque ella misma se mantiene joven. Dado que es una excelente comunicadora, sabe la manera de explicar las cosas a los niños y de ese modo se gana su amor y su respeto. Los Géminis también alientan a sus hijos a ser creativos y conversadores, tal como son ellos.

Horóscopo para el año 2017*

Principales tendencias

Si bien este año debes continuar atento a tu energía, ocurren muchas cosas buenas. Júpiter está instalado en tu quinta casa, la de los hijos, la diversión y la creatividad, y continuará en ella hasta el 10 de octubre. Este es un año placentero, creativo, un año para explorar las actividades de ocio y de diversión. Si estás en edad de concebir, serás más fértil de lo habitual.

El 11 de octubre Júpiter entra en tu sexta casa, la de la salud y el trabajo, y continúa en ella el resto del año. Esto traerá felices oportunidades de trabajo, de las buenas. También tendrá efecto en la vida romántica, ya que hace del lugar de trabajo un sitio para el romance. Volveremos sobre este tema.

Saturno lleva dos años en tu séptima casa y continuará en ella hasta el 21 de diciembre, casi todo este año. Su trabajo ha sido poner a prueba las relaciones, las de matrimonio y las de otro tipo de

---

* Las previsiones de este libro se basan en el Horóscopo Solar y todos los signos que derivan de él; tu Signo Solar se convierte en el Ascendente, y las casas se numeran a partir de él. Tu horóscopo personal, el trazado concretamente para ti (según la fecha, hora y lugar exactos de tu nacimiento) podrían modificar lo que decimos aquí. Joseph Polansky

relación comprometida. Las pruebas han sido fuertes; es posible que la tuya no haya sobrevivido. Si era buena la relación, sí. Estas pruebas continúan este año. A fin de año, cuando Saturno sale de tu séptima casa, acaban las pruebas; ya se ha aprendido la lección, y mejora la vida amorosa. Volveremos sobre esto más adelante.

Plutón lleva muchos años en tu octava casa y continuará en ella muchos años más. Hay, pues, más asuntos relacionados con la muerte. Profundizas en tu comprensión de la muerte.

Tu planeta de la profesión, Neptuno, el más espiritual de los planetas, continúa en la parte superior de tu carta, la más elevada, en el medio cielo. Por lo tanto, la espiritualidad es un interés importante. Te atraen las profesiones espirituales o idealistas.

El amor serio ha pasado por pruebas, pero las amistades van bien. La vida social en general es buena pero inestable.

Las finanzas no son una faceta importante este año.

Tus intereses más importantes este año son: los hijos, la diversión y la creatividad (hasta el 10 de octubre); la salud y el trabajo (a partir del 11 de octubre); el amor, el romance y las actividades sociales (hasta el 21 de diciembre); la transformación y la reinvención personales, la sexualidad, los estudios ocultos o herméticos; la profesión; las amistades, los grupos, las actividades de grupo y las actividades *online*.

Las facetas de mayor satisfacción para ti este año son: el hogar, la familia y el bienestar emocional (hasta el 29 de abril); la comunicación y los intereses intelectuales (a partir del 29 de abril); los hijos, la diversión y la creatividad (hasta el 10 de octubre); la salud y el trabajo (a partir del 11 de octubre).

Salud

(Ten en cuenta que esta es una perspectiva astrológica de la salud, no una médica. Antaño no había ninguna diferencia, ambas eran idénticas, pero en esta época podrían diferir muchísimo. Para una perspectiva médica, por favor, consulta a tu médico o a otro profesional de la salud.)

La salud y la energía mejoran respecto al año pasado, pero sigue siendo necesario que estés atento. Saturno pasará casi todo el año en alineación desfavorable para ti, y Neptuno está en alineación desfavorable desde 2012. Lo bueno es que la salud y la energía mejorarán a fin de año, pues Saturno saldrá de su aspecto desfavorable.

Tu sexta casa, la de la salud, será casa de poder a partir del 11 de octubre; esto es bueno, significa que estarás más atento. Tu cónyuge o pareja, tus socios y amistades también prestarán más atención.

Como saben nuestros lectores, es mucho lo que se puede hacer para mejorar o fortalecer la salud. Da más atención a las siguientes zonas, que son las vulnerables en tu carta:

Los pulmones, los brazos, los hombros y el sistema respiratorio. Estas zonas son siempre importantes para Géminis. Te irá bien trabajar sus puntos reflejos. Los masajes periódicos en los brazos y hombros deberán formar parte de tu programa de salud. También deberás dar masajes en las muñecas y las manos. La reflexología de las manos es especialmente beneficiosa para ti.*

El colon, la vejiga y los órganos sexuales. Estos órganos también son siempre importantes para ti. Irá bien trabajar los puntos reflejos. Si te sientes indispuesto serán buenas las limpiezas del colon con enemas de infusiones de hierbas. La moderación sexual y el sexo seguro son siempre importantes para ti.

La columna, las rodillas, la dentadura, los huesos, la piel y la alineación esquelética general. Estas zonas han sido importantes los últimos años, desde que tu planeta de la salud entró en Capricornio en 2008. Te irán bien masajes periódicos en la espalda y las rodillas; también te beneficiarán visitas periódicas a un quiropráctico u osteópata. Es necesario que las vértebras y el esqueleto estén bien alineados; son beneficiosas las terapias como el Rolfing, el Feldenkreis y la Técnica Alexander. Procura cuidar la postura cuando te sientas y cuando te levantas de un asiento; sin darte cuenta podrías desalinear la columna. Usa rodilleras cuando hagas ejercicio. Ponte un buen filtro solar cuando vayas a estar expuesto al sol. También te conviene hacerte revisiones dentales periódicas.

El hígado y los muslos. Estos serán importantes después del 11 de octubre, día en que Júpiter, el regente de estas zonas, entra en tu sexta casa, la de la salud. Los masajes periódicos en los muslos no sólo fortalecerán los muslos y el hígado, sino también la parte inferior de la espalda; también enviarán energía al colon. Si te sientes indispuesto podría irte bien una limpieza del hígado con infusiones de hierbas.

---

* Véase Mildred Carter, *Hand reflexology*. Hay traducción al castellano: *Reflexología de la mano*, Paidotribo, México, 2004. Esta editorial tiene una sucursal en Carrer Energía, 08915 Badalona, Barcelona; tel.: 93 323 33 11.

Dado que estas son las zonas más vulnerables este año, si surgieran problemas (no lo permita Dios) es muy probable que comiencen en alguna de ellas; mantenerlas sanas y en forma será la mejor prevención. La mayoría de las veces se pueden prevenir los problemas, y en el caso de que no se puedan prevenir del todo (debido a fuertes impulsos kármicos), sí se pueden suavizar mucho; no tienen por qué ser terribles.

Como hemos dicho, tienes tendencia a las intervenciones quirúrgicas. Pero te convendría explorar los métodos de desintoxicación. Con frecuencia tienen el mismo resultado, aunque llevan más tiempo.

Hogar y vida familiar

Técnicamente tu cuarta casa, la del hogar y la familia, no es casa de poder este año, pero hasta el 29 de abril estará en ella el nodo norte de la Luna (el que no es un planeta sino un punto abstracto). Esto indica más relación con los familiares, más participación en la vida familiar, y se ve satisfacción en esta faceta. Es un aspecto feliz.

El nodo norte de la Luna indica exceso, más de lo que es necesario. Su presencia en la cuarta casa significaría más relación o intervención en la familia de lo que es necesario; pero no importa, disfrútala. También indica un «exceso» de emoción, sea positiva o negativa; haz lo posible para que sea positiva. También indicaría éxito en una terapia, si haces una. Haces importante adelanto psíquico.

El apoyo familiar será «más de lo que necesitas», pero más es mejor que menos.

Si te mudaras en este periodo (hasta el 29 de abril), la nueva casa sería «más grande» de lo que necesitas.

Como hemos dicho, si estás en edad de concebir serás más fertil que de costumbre. Por lo tanto, entre los nativos de Géminis podría haber nacimientos múltiples (mellizos, trillizos o más).

Podría haber mudanza, no hay nada en contra, pero probablemente no te mudes. Te ves feliz con las cosas como están y no hay necesidad de mudanza. Los dos últimos años era probable una mudanza o renovación, y tal vez este es otro motivo para tu satisfacción con las cosas como están.

Los padres o figuras parentales de tu vida prosperan este año, pero no es aconsejable una mudanza para ellos; será mejor que hagan más agradable la casa en la que viven.

Para hermanos o figuras fraternas hay probabilidades de mudanza o renovación de la casa a partir del 11 de octubre. A veces la persona no se muda, simplemente compra otra casa o artículos caros para la casa; el efecto es «como si» estuviera en otra casa.

Para los hijos o figuras filiales hay más probabilidades de obras de renovación que de mudanza; me parece que hay obras importantes de reparación.

Los nietos, si los tienes, tienen un año sin novedades en la faceta hogar y familia.

Si tienes planes para redecorar o embellecer la casa con una nueva mano de pintura, cambio de mobiliario o compra de objetos de arte, del 22 de agosto al 14 de octubre es un buen periodo. Si tienes planes para hacer obras importantes de reparación o renovación, del 5 de septiembre al 27 de octubre es buen periodo.

La salud de los padres o figuras parentales se ve pasablemente bien este año. Sin duda habrá periodos en que habrá más problemas que de costumbre, pero estas son cosas de corta duración, no tendencias para el año. Un progenitor comenzará a sentirse mucho mejor después del 21 de diciembre; esta persona se ve muy afectada por el eclipse solar del 26 de febrero, el que le trae dramas de esos que cambian la vida. También hay una redefinición de la personalidad y la imagen.

Los hijos y figuras filiales también se sentirán mejor después del 21 de diciembre; responden bien a técnicas curativas espirituales.

Un hermano, hermana o figura fraterna podría pasar por una operación quirúrgica, aunque es posible que esto ya haya ocurrido.

Profesión y situación económica

Las finanzas, como hemos dicho, no son un asunto muy importante este año; tu casa del dinero está esencialemnte vacía, sólo transitan por ella los planetas rápidos, durante cortos periodos. Así pues, no prestas mucha atención al dinero. Esto lo considero positivo; indica satisfacción con las cosas como están, no tienes ninguna necesidad de enfocar la atención en tus finanzas, lo que tiende a dejar las cosas como están. Los ingresos serán más o menos iguales a los del año pasado.

Si surgiera un problema financiero, es probable que la causa sea la falta de atención; tendrás que obligarte a prestar más atención.

Aunque las finanzas no son un asunto importante, la profesión sí lo es; es un foco de atención importantísimo. El prestigio y la categoría son más importantes que el dinero. Aceptarías un puesto de elevado prestigio y categoría aun cuando el sueldo fuera mediocre; la posición supera en importancia a los ingresos. Muchas personas no piensan así, pero tú sí. Y podrías tener razón. A la larga, el adelanto profesional y la categoría profesional suelen llevar a más dinero.

La persona Géminis es flexible, y eso también ocurre en las finanzas. La Luna, tu planeta del dinero, es tal vez el planeta más flexible y cambiante. Cada mes transita por todos los sectores del horóscopo. Cada mes forma aspectos con todos los planetas. Así pues, cada mes el dinero y las oportunidades de ingresos te llegan de muchos lugares y personas. Normalmente para ti todo lo relativo a ingresos es de corta duración. Estas tendencias a corto plazo es mejor tratarlas en las previsiones mes a mes.

En general, los días de Luna nueva y Luna llena suelen ser fuertes en las finanzas. Además, tu poder adquisitivo es más fuerte cuando la Luna está en fase creciente que cuando está menguante. Cuando la Luna está en fase creciente te conviene hacer inversiones en lo que deseas que «aumente»; cuando la Luna está en fase menguante te conviene emplear el dinero de sobra para pagar deudas u otras obligaciones, que son cosas que te conviene reducir, y en esto tienes la ayuda cósmica.

Tu prosperidad debería ser más fuerte más avanzado el año que al comienzo; a partir del 11 de octubre. Entonces llegan oportunidades de trabajos lucrativos en los que es probable que paguen bien.

Este año dos eclipses lunares harán temblar la vida financiera, uno el 11 de febrero y el otro el 7 de agosto. Esto ocurre cada año, así que no hay que tenerles miedo; has pasado por ellos muchas veces. Los eclipses te obligarán a tomar medidas correctivas en tus finanzas. Cada año tienes dos oportunidades para hacer los cambios necesarios en tu vida financiera.

La profesión va bien este año, pero irá mucho mejor después del 11 de octubre. Este día Júpiter comenzará a formar aspectos hermosos a tu planeta de la profesión, Neptuno. El 21 de diciembre Saturno saldrá de su aspecto desfavorable a Neptuno y esto contribuirá a mejorar más las cosas. Mientras tanto simplemente tienes que trabajar algo más arduo.

El 26 de febrero un eclipse solar da de lleno en tu planeta de la profesión, ya que ocurre en tu décima casa, la de la profesión; esto producirá reorganización y cambios en la empresa o la industria en que trabajas. Será necesario tomar medidas correctivas en tu profesión, y lo harás.

Como hemos dicho, sientes la necesidad de tener una profesión idealista, con sentido. No te basta tener «éxito mundano». Es posible que te atraigan organizaciones no lucrativas, benéficas o espirituales. También podrían atraerte las bellas artes. No hace falta que seas pintor, actor u otro tipo artista, puedes trabajar en la parte administrativa de alguna de estas organizaciones o empresas.

Amor y vida social

Saturno, como hemos dicho, lleva dos años en tu séptima casa, la del amor, y continuará en ella casi todo este año. Las relaciones pasan por severas pruebas. Ha habido muchos divorcios o rupturas en estos dos últimos años, e incluso este año están en peligro las relaciones defectuosas. Nada de esto debe considerarse un castigo (aun cuando sea muy doloroso y lo parezca). El Cosmos desea lo mejor para ti y si la relación actual no satisface las metas, llega a su fin.

Si estás soltero o soltera, los dos últimos años han sido algo diferentes. Ha disminuido la actividad social, las citas, las fiestas; no has salido tanto como de costumbre. Esto tampoco es un castigo; el Cosmos desea que centres más la atención en la calidad, que no en la cantidad. Son preferibles citas de calidad, relaciones de calidad, reuniones de calidad, que un montón de cosas mediocres.

La vida amorosa comenzó a cambiar en septiembre del año pasado, cuando tu planeta del amor, Júpiter, entró en tu quinta casa. Entraste en una modalidad más romántica. Aumentaron tus salidas a fiestas, reuniones y citas, pero lo más probable es que no te casaras. Esto es lo que ocurre este año. Disfrutarás de relaciones placenteras, de tipo diversión, pero no hay probabilidades de boda. Las perspectivas para el matrimonio mejorarán en 2018 y 2019. Ahora simplemente te estás preparando.

En el amor tu mente está dividida. Una parte es muy sobria, seria y tradicional; deseas estabilidad y seguridad. Te inclinarías por una persona mayor y más establecida; esto lo indica Saturno en tu séptima casa. La otra parte de ti sólo desea diversión, placer; a esta parte no le importa en absoluto la estabilidad ni la seguridad, sino sólo la diversión. El sentimiento de amor (aunque sea ilusorio) es preferible a la rutina aburrida; esta parte es espontánea y se enamora rápidamente; la otra parte, la conservadora, se toma su tiempo para ver si «no hay riesgos» en enamorarse. Es difícil satisfacer a las dos partes de la naturaleza; dialogan y se pelean con frecuencia. Una persona que satisface a una parte podría ser odiosa para la otra parte, y viceversa. La mejor relación será con una persona que satisfaga las dos partes de la naturaleza, pero es difícil encontrarla. Ten paciencia.

El 11 de octubre, cuando tu planeta del amor entra en tu sexta casa, también cambian tu actitud y tus necesidades en el amor. La diversión es menos importante; te atrae la persona que «hace» algo por ti, que sirve a tus intereses prácticos. Así es como te sientes amado y así es como demuestras el amor.

El lugar de trabajo se transforma en sitio para el romance. Llegan oportunidades de trabajo, como hemos dicho, pero es la atmósfera social y las oportunidades sociales las que determinan por cual trabajo optas. Podría haber romances de oficina, con compañeros de trabajo. También te atraen los profesionales de la salud o personas relacionadas con tu salud. Una visita de rutina al médico puede acabar siendo mucho más que eso.

Saturno en tu séptima casa indica a una persona mayor en tu vida, no una persona vieja sino mayor y más establecida que tú. Me parece que hay buen magnetismo sexual, pero esta persona se ve muy dominante y controladora.

Progreso personal

Tu casa doce, la de la espiritualidad, no ha estado fuerte desde hace muchos años, pero, dado que Neptuno es el planeta que está más elevado en tu carta (desde 2012) la espiritualidad es prominente. En general, te inclinas por el camino Bhakti, el del amor y la devoción. Amor, amor, amor, y todo funciona. Y Neptuno en el medio cielo refuerza esto. Eres una persona lógica y racional, tal vez en exceso; necesitas desarrollar el lado del amor y la devoción, el lado irracional o no racional. Las ceremonias de entonar mantras, y cánticos acompañándose con tambores son excelentes para ti. El exceso de racionalidad, en especial la de tipo empírico, podría producir tendencia a la depresión. Existen muchas cosas en la vida que no se pueden eliminar «razonando»; debemos elevarnos por encima del pensamiento, y este camino lo conseguirá. Si te sientes deprimido, una media hora de entonar mantras te lo remediará. En realidad, te hará sentir «colocado» sin haber bebido alcohol ni tomado una droga. Se siente euforia. Y en este estado pueden entrar las Energías Superiores.

Muy pronto, dentro de uno o dos años, Urano entrará en tu casa doce, en la que estará muchos años. Entonces la espiritualidad será más prominente que ahora. Este tránsito introducirá más ciencia y racionalidad en la vida espiritual. Comenzarás a comprender la ciencia que hay detrás de todo el aparente «ritual mágico». Por el momento esto no tiene mucha importancia, pero cuando comprendas la racionalidad que respalda las prácticas místicas podrás escribir y enseñar acerca de ello.

Dado que Urano es tu planeta de la religión y la filosofía, tendrás revelaciones acerca de las prácticas rutinarias y místicas de la religión con que naciste.

El medio cielo y la décima casa significan más que la profesión de la persona; eso es la interpretación mundana. En un plano más profundo indica la misión de la persona en la vida, la finalidad espiritual de su encarnación. Has sido enviado a la Tierra para hacer algo especial, algo que ninguna otra persona puede hacer. En los planos interiores hiciste el voto de realizar esto. Ahora (desde 2012) es el periodo para enterarte de qué es y comenzar a hacerlo. Mientras no lo hagas sentirás una sutil insatisfacción, por mucho éxito que tengas, y esta sólo desaparecerá cuando comiences a realizar tu verdadera misión. Esto no quiere decir que abandones tu profesión mundana, ciertamente no, no de inmediato. Pero poco a poco vas prestando más atención a tu misión y poniendo en la debida perspectiva la profesión mundana.

¿Cómo puedo descubrir lo que debo hacer? Esta es la pregunta que siempre escuchamos. Buena pregunta. La oración es un buen comienzo. Pídele a la Divinidad que te indique qué es. Gurús, pastores religiosos, canalizadores espirituales, videntes y astrólogos tienen información sobre este tema. Podría ser aconsejable consultar a uno. Además, observa tus sueños; son reveladores en este periodo. Habrá muchos sueños que te llevarán a tu misión, una vez que penetres el «lenguaje onírico». Anótalos.

Normalmente, la persona está llamada a hacer cosas grandes y potentes, mucho más de lo que cree posible; cosas que parecen estar fuera del alcance de sus capacidades. Generalmente, este es el principal motivo de que estas cosas pasen desapercibidas; la mente humana no es capaz de aceptar tanta grandeza. Pero cuando la persona comienza a hacerlas, de acuerdo a sus capacidades, descubre que lo «imposible» es muy posible. Poco a poco vamos adentrándonos en nuestra misión.

Previsiones mes a mes

Enero

Mejores días en general: 1, 9, 10, 17, 18, 19, 27, 28
Días menos favorables en general: 2, 3, 15, 16, 22, 23, 24, 30, 31
Mejores días para el amor: 1, 2, 10, 12, 18, 19, 20, 21, 22, 23, 24, 28, 29, 31
Mejores días para el dinero: 1, 7, 8, 10, 11, 12, 16, 18, 19, 27, 28, 29
Mejores días para la profesión: 1, 2, 11, 20, 27, 28, 30

Comienzas el año con la atención centrada en tu vida externa: tu profesión y tus objetivos externos. El 80 por ciento de los planetas, y a veces el 90 por ciento, están en la mitad superior de tu carta. Tu décima casa, la de la profesión, está muy poderosa, mientras que tu cuarta casa, la del hogar y la familia, está esencialmente vacía, sólo transita por ella la Luna, los días 15 y 16. Mercurio, tu planeta del hogar y la familia, está en movimiento retrógrado hasta el 8. La directiva cósmica es clarísima: centra la atención en tu profesión y deja estar por un tiempo los asuntos domésticos y familiares. El bienestar emocional siempre es importante, pero la carta indica que este te llegará como efecto secundario del éxito profesional.

El poder planetario está principalmente en el sector occidental de tu carta (esto cambiará en los próximos meses). Así pues, centra la atención en los demás, en tu vida social, y haz las cosas por consenso, no por acción directa. La independencia personal no es muy fuerte en este periodo, así que si hubiera condiciones que te fastidian, toma nota de ellas, pero no hagas nada todavía. Pronto llegará el periodo para hacer los cambios.

Las finanzas no son una faceta muy importante este mes; tus días más fuertes para el dinero los tienes en la lista del comienzo del mes. El poder adquisitivo será más fuerte del 1 al 12 y después del 28, cuando la Luna está en fase creciente. El 10 es un día excepcionalmente fuerte para las finanzas; no sólo son buenos los aspectos, sino que además la Luna estará en su perigeo (su posición más cercana a la Tierra).

Saturno en tu séptima casa continúa poniendo a prueba la vida amorosa. Lo bueno es que te esfuerzas mucho. Mercurio está en tu séptima casa del 5 al 13; estás más atento a estas cosas, y eso es lo que se necesita. La vida amorosa mejora después del 19, cuando el Sol comienza a formar aspectos hermosos a tu planeta del amor. Tu natural don de la palabra te es utilísimo; te comunicas bien con el ser amado; conectas bien con esta persona en el plano intelectual.

Tu octava casa está poderosa hasta el 19; así pues, es el periodo para hacer revisión de tus posesiones y librarte de las que ya no necesitas o no usas. El régimen de desintoxicación no sólo es bueno para la salud, sino también para otras facetas de la vida.

La salud es excelente este mes, y a partir del 19 es mejor aún.

Febrero

Mejores días en general: 5, 6, 14, 15, 24, 25
Días menos favorables en general: 12, 13, 19, 20, 26, 27
Mejores días para el amor: 5, 6, 9, 10, 14, 15, 19, 20, 24, 25, 28
Mejores días para el dinero: 5, 6, 7, 8, 14, 15, 24, 25, 26, 27
Mejores días para la profesión: 7, 8, 16, 17, 26, 27

Continúa con la atención enfocada en la profesión. La mitad superior de tu carta es con mucho la más dominante, y tu décima casa, la de la profesión, está aún más fuerte que el mes pasado. Hay muchísimo éxito. Además, junto con esto, hay cambios.

El 26 hay un eclipse solar, que ocurre en tu décima casa; y no sólo ocurre en esta casa, sino que también hace impacto en Neptuno, tu planeta de la profesión. Por lo tanto, hay éxito, pero con trastornos y contratiempos. Este eclipse es fuerte en ti, así que durante ese periodo tómate las cosas con calma y reduce tus actividades. Será mejor que programes para otro día las actividades difíciles o estresantes. Mi opinión sobre este eclipse es que los cambios y trastornos que producirá te abrirán puertas.

La salud es buena en general, pero a partir del 18 estará más delicada, aunque esto es temporal. La energía general no está a la altura habitual, así que procura dormir y descansar lo suficiente. Fortalece la salud de las maneras explicadas en las previsiones para el año.

Este mes la profesión es mucho más importante que las finanzas; prefieres el prestigio al dinero, y tienes tu punto de razón. Por lo general, el mayor prestigio, en la empresa en que trabajas o en tu profesión, lleva a más dinero. En lo financiero eres más fuerte los días indicados más arriba, y también del 1 al 11 y a partir del

26, es decir, los periodos en que la Luna está en fase creciente. Aun cuando los aspectos no son fabulosos, el 6 debería ser un buen día en las finanzas: la Luna está en su perigeo (su posición más cercana a la Tierra). Debería entrar dinero, pero con más trabajo por tu parte.

El 11 hay un eclipse lunar que ocurre en tu tercera casa. Este no es tan fuerte como el eclipse solar, pero no te hará ningún daño reducir tus actividades de todos modos; podría afectar a personas de tu círculo o ambiente. Este eclipse trae cambios en las finanzas; es un periodo para tomar medidas correctivas; es necesario mejorar tus estrategias y planteamientos; ocurrirán incidentes que te obligarán a ocuparte del asunto. Los coches y el equipo de comunicación podrían comportarse de modo irregular; con este aspecto a veces es necesario repararlos o reemplazarlos. Hay dramas en la vida de hermanos, figuras fraternas y vecinos. Si eres estudiante, aún no universitario, podrías cambiar de colegio o ver ciertos trastornos o cambios en él.

Marzo

Mejores días en general: 4, 5, 13, 14, 23, 24
Días menos favorables en general: 11, 12, 18, 19, 25, 26
Mejores días para el amor: 1, 5, 6, 9, 13, 14, 18, 19, 23, 24, 27
Mejores días para el dinero: 5, 6, 7, 13, 14, 16, 23, 24, 27, 28
Mejores días para la profesión: 6, 7, 15, 16, 25, 26

El 25 del mes pasado el poder planetario pasó del sector occidental de tu carta al oriental; durante los próximos cinco a seis meses estará dominante tu sector oriental, el del yo. Ahora el poder planetario avanza hacia ti, acercándose cada vez más. Por lo tanto, día a día irán aumentando tu independencia y poder personales. Mercurio está en movimiento directo, así que tienes confianza y claridad. Haz los cambios que sea necesario hacer; asume la responsabilidad de tu felicidad.

El 20 el Sol entra en Aries, y entonces tienes el beneficio añadido de una potente «energía de arranque». Este sería un buen periodo (en especial después del 28) para iniciar un nuevo proyecto o empresa o lanzar un nuevo producto al mercado. Además, el 80 por ciento de los planetas están en movimiento directo.

Hasta el 20 la profesión sigue siendo un importante centro de atención; estás en una cima profesional anual. Tu décima casa está fuerte, mientras que la cuarta está vacía; sólo la Luna transita por ella los días 11 y 12. Te veo con mucho éxito en este periodo (el mes pasado también fue exitoso). Del 1 al 5 es un periodo especialmente fuerte en la profesión, aún cuando los aspectos no son fabulosos; me parece que estás en lo alto de tu juego, muy cerca de personas poderosas.

Las finanzas continúan no siendo importantes. La profesión y las amistades lo son mucho más. Si hubiera algún problema financiero podría deberse a que no prestas la atención suficiente. Los ingresos deberían ser más fuertes los días señalados en la lista del comienzo del mes, pero también del 1 al 12, cuando la Luna está en fase creciente. Son fuertes los días 12 y 28 (Luna llena y Luna nueva); también son fuertes los días 3 y 30, cuando la Luna está en su perigeo (aunque es posible que tengas que trabajar más arduo).

Hasta el 20 sigue siendo necesario estar atento a la salud. Como siempre, descansa lo suficiente; este es el 90 por ciento de la batalla. Fortalece la salud de las maneras explicadas en las previsiones para el año. Después del 20 la salud mejora mucho.

El amor se ve más difícil a partir del 13. Hay distanciamiento entre tú y el ser amado; tendrás que esforzarte más en resolver las diferencias porque veis las cosas desde perspectivas opuestas. Parte del problema es que la persona amada está agobiada o estresada; es probable que el problema no sea por culpa tuya.

Abril

Mejores días en general: 1, 10, 11, 19, 20, 21, 28, 29
Días menos favorables en general: 7, 8, 14, 15, 16, 22, 23
Mejores días para el amor: 1, 4, 10, 11, 12, 13, 14, 15, 16, 19, 20, 21, 23, 28, 29
Mejores días para el dinero: 1, 3, 4, 5, 6, 10, 11, 15, 16, 19, 20, 21, 24, 25, 28, 29, 30
Mejores días para la profesión: 3, 4, 12, 13, 22, 23, 30

El amor sigue muy complicado; están en movimiento retrógrado tus dos planetas del amor, Venus (el planeta genérico) y Júpiter (el regente de tu séptima casa); Venus lo inició el 4 del mes pasado y Júpiter el 6 de febrero. Además, desde el 13 del mes pasado Júpiter está recibiendo aspectos desfavorables. Por lo tanto, si da la impresión de que el amor retrocede en lugar de avanzar, es muy comprensible. Simplemente procura no empeorar las cosas; ten más paciencia; no añadas más negatividad, no trates de forzar las cosas; centra la atención en lo posible, que no en lo imposible. El 15 Venus retoma el movimiento directo y eso tendría que mejorar las cosas. El 19 el Sol sale de su aspecto desfavorable a Júpiter, y eso debería mejorarlas más aún. De todos modos, el amor necesita tiempo y paciencia.

Tu casa once se hizo fuerte el 20 del mes pasado y continúa muy fuerte hasta el 19. Por lo tanto, este mes es más para amistades y actividades de grupo que para romance. Es un mes en que se hacen realidad los deseos y esperanzas más acariciados, un mes en que aumentan tu pericia tecnológica y conocimientos científicos y astrológicos (es un buen periodo para que te hagan un horóscopo personal completo).

Las finanzas siguen no siendo muy importantes. Por lo general esto es bueno, pues indica que das por descontados los ingresos, no te preocupa mucho el dinero. Indica satisfacción con las cosas como están. Pero si surgiera algún problema deberás prestar más atención, aun cuando no te apetezca. Los ingresos son más fuertes los días señalados en la lista del comienzo del mes, y el poder adquisitivo tiende a ser más fuerte del 1 al 11 y a partir del 26, cuando la Luna está en fase creciente. El 15 es un día excepcionalmente fuerte en las finanzas, los aspectos son buenos y la Luna está en su perigeo.

La salud es buena este mes. La energía está elevada, así que puedes realizar lo que sea que te propongas. Marte entra en tu signo el 21, elevando aún más la energía. A veces, el problema que causa Marte es un exceso de algo bueno: por un lado hay más energía y entusiasmo, haces las cosas rápido, destacas en los deportes y ejercicios, pero, por otro, podría hacerte impaciente y demasiado precipitado, lo que puede llevar a accidentes o lesiones. Bajo la influencia de Marte la persona, sin querer, podría ser demasiado brusca o mordaz al hablar. Ten cuidado con eso; suaviza el tono de la voz y evita los conflictos y las rabietas.

Mayo

Mejores días en general: 7, 8, 17, 18, 25, 26
Días menos favorables en general: 4, 5, 12, 13, 19, 20
Mejores días para el amor: 2, 3, 7, 8, 12, 13, 17, 18, 21, 22, 25, 26

Mejores días para el dinero: 1, 4, 5, 7, 8, 14, 15, 17, 18, 25, 26, 27, 28

Mejores días para la profesión: 1, 9, 10, 19, 20, 27, 28

Este es un mes muy feliz y productivo, Géminis, disfrútalo. El poder y la independencia personales están en su punto máximo del año. Marte pasa el mes en tu signo, y el 20 entra el Sol en él. Este es el periodo para hacer esos cambios que estabas deseando hacer (si aún no los has hecho). En este periodo el mundo se adapta a ti, que no a la inversa. Tu felicidad personal depende realmente de ti; necesitas menos a los demás y su aprobación.

Cuentas con el afecto y el apoyo de las personas amigas, Si perteneces a alguna organización comercial o profesional también en ella encuentras apoyo. Te llega equipo de alta tecnología.

La vida amorosa sigue pasando por pruebas, pero hay mucha mejoría, comparada con los meses pasados. Hay más mejoría después del 6, cuando Mercurio sale de su aspecto desfavorable a Júpiter, tu planeta del amor. Júpiter continúa en movimiento retrógrado, así que todavía no debes tomar decisiones importantes en el amor.

La salud es excelente este mes, y mejora aún más después del 20. Hay un problema, no de salud, sino de hiperactividad; pasas demasiado deprisa de una actividad a otra. Si sientes la necesidad, fortalece la salud de las maneras indicadas en las previsiones para el año. Plutón, tu planeta de la salud, está en movimiento retrógrado este mes, así que evita tomar decisiones importantes en tu programa de salud; analiza más las cosas.

Las dotes de comunicación de Géminis son legendarias. A partir del 20 son aún más fuertes. El problema podría venir de un exceso de algo bueno: hablas demasiado, piensas demasiado; es fácil que la mente se estimule en exceso. La persona Géminis es siempre buena alumna y este mes lo es más, en especial a partir del 20, así que si eres estudiante tienes éxito en los estudios y exámenes.

Como hemos visto en lo que va de año, las finanzas no han sido un centro importante de atención, aunque esto cambiará el mes que viene. En la lista de más arriba se señalan tus mejores días para el dinero o en las finanzas; en general tienes más poder adquisitivo del 1 al 10 y después del 25, cuando la Luna está en fase creciente. Esto te inyecta más entusiasmo para las actividades financieras. El 25 parece ser un día financiero excepcionalmente fuerte. Los aspectos son buenos en general y la Luna nueva es una súper Luna nueva, ocurre muy cerca de su perigeo; en esa posición es mucho más poderosa que de costumbre.

Junio

Mejores días en general: 3, 4, 13, 14, 22, 23, 30
Días menos favorables en general: 1, 2, 8, 9, 15, 16, 28, 29
Mejores días para el amor: 3, 4, 8, 9, 10, 11, 13, 14, 20, 21, 22, 23, 28, 29, 30
Mejores días para el dinero: 3, 4, 13, 14, 22, 23, 24, 25, 30
Mejores días para la profesión: 5, 6, 15, 16, 24, 25

El 20 del mes pasado entraste en una de tus cimas anuales de placer personal, que continúa hasta el 21 de este mes. Este es un periodo para complacerte, para atender a las necesidades de tu cuerpo, para darle placeres sensuales. También es bueno para poner en forma el cuerpo y la imagen. Continúan fuertes el poder y la independencia personales. Si diriges tu poder con prudencia podrás realizar muchísimo; tienes seguridad y confianza también y las personas lo captan.

El amor es feliz este mes. Si estás soltero o soltera y sin compromiso no te conviene casarte aún, pero sí disfrutar del romance por lo que es en este momento. Los días 13 y 14 se ven especialmente buenos para el amor; hay un feliz encuentro romántico, o se presenta la oportunidad. Si ya estás en una relación, hay más armonía con el ser amado. Hay también felices invitaciones y oportunidades sociales.

Las finanzas son el principal titular este mes. El 4 entra Marte en tu casa del dinero; el Sol y Mercurio entran el 21. Así pues, este es un mes fuerte en las finanzas; a partir del 21 estás en una cima financiera anual, un periodo para ingresos cumbre. Estás muy atento en esta faceta, y eso tiende al éxito. En la lista de más arriba se señalan los mejores días para el dinero. La Luna nueva del 24 hace de este un día financiero especialmente fuerte; ocurre en tu casa del dinero y a medida que avance el mes irá esclareciendo los asuntos financieros. Pero, como el mes pasado, esta Luna nueva es más fuerte que de costumbre; ocurre muy cerca de su perigeo (su posición de menor distancia a la Tierra); es una súper Luna nueva.

A partir del 21 gastas en ti y en tu apariencia. Si eres escritor, profesor o trabajas en mercadotecnia, tienes un fuerte mes financiero; están mucho más fuertes tu capacidad y habilidad. Es muy probable que gastes más en alta tecnología y esto se ve una buena inversión; quizás hasta ganes dinero con ello. Te creas una imagen de riqueza y se te considera «persona adinerada»; la imagen de riqueza te atraerá oportunidades financieras.

Mercurio, el señor de tu carta, pasa «fuera de límites» buena parte del mes, a partir del 18. Esto indica que actúas fuera de tu ambiente o esfera normal, en especial en tu vida financiera. Pruebas ideas nuevas y navegas por aguas no exploradas, pero parece que esto compensa, da resultados.

Julio

Mejores días en general: 1, 10, 11, 19, 20, 28, 29
Días menos favorables en general: 5, 6, 13, 14, 25, 26
Mejores días para el amor: 1, 5, 6, 10, 11, 19, 20, 28, 29
Mejores días para el dinero: 1, 3, 4, 10, 11, 13, 14, 19, 20, 21, 22, 23, 24, 28, 29
Mejores días para la profesión: 3, 4, 13, 14, 21, 22, 30, 31

Otro mes feliz y próspero, Géminis, disfrútalo.

Mercurio, el señor de tu horóscopo, avanza excepcionalmente veloz este mes, transita por tres signos y casas de tu carta. Esto indica seguridad y confianza en ti mismo, la capacidad de cubrir mucho terreno y hacer progreso rápido. La salud y la energía son buenas, sólo hay un planeta, Saturno, en aspecto desfavorable contigo, y lo ha estado en lo que va de año. «Dadme salud y un día, y haré parecer chabacanos los esplendores de Europa», dice Emerson. Quiere decir que con buena salud el esplendor nos rodea por todos lados, justo donde estamos. Y esto es lo que te ocurre a ti.

Las finanzas siguen siendo una importante prioridad este mes, hasta el 22. Continúas en tu cima financiera anual. Brillas en la faceta finanzas. Siguen en vigor muchas de las tendencias de que hablamos el mes pasado. Más arriba están señalados los mejores días para el dinero, pero ten presente que tienes más entusiasmo y poder financiero del 1 al 9 y después del 23. El 21 se ve un día particularmente fuerte, pues tu planeta del dinero, la Luna, está en su perigeo.

El 22 ya tendrás conseguidos muchos de los objetivos financieros a corto plazo y tu atención pasa al principal interés de tu vida: la comunicación y las actividades intelectuales. Muchas personas creen, erróneamente, que las finanzas son el todo y fin de la vida (o tal vez sólo lo dicen), pero tú sabes que no. El dinero es importante, un medio para un fin, pero no es el fin; nos compra la libertad para hacer lo que de verdad nos gusta y para crecer intelectual y espiritualmente.

A partir del 22 estás en el cielo de Géminis (y tal vez esto lo notes antes). El Cosmos te impulsa a hacer lo que más te gusta, a centrar la atención en tu faceta de mayor excelencia: la comunicación, la lectura, el estudio, la enseñanza, la escritura, el uso de tus dotes intelectuales. El único problema sería excederse en algo que es bueno. Podría ser que pensaras o hablaras demasiado, más de lo necesario. Esto podría afectar a tu salud (aunque no inmediatamente); podría provocarte insomnio y problemas nerviosos. Usa pues tus dones intelectuales, pero no abuses de ellos.

El amor se ve feliz este mes. No hay probabilidades de boda ni es aconsejable (mientras Saturno no salga de tu séptima casa), pero hay oportunidades. Venus en tu signo a partir del 5 da belleza y elegancia a la imagen y a la personalidad; también le forma buenos aspectos a Júpiter todo el mes, en especial los días 18 y 19. Atraes al sexo opuesto. Haz las cosas que te gustan, que te encanta hacer, y el amor te encontrará en esas actividades.

Agosto

Mejores días en general: 6, 7, 8, 16, 24, 25
Días menos favorables en general: 1, 2, 3, 9, 10, 22, 23, 29, 30
Mejores días para el amor: 1, 2, 3, 6, 7, 9, 10, 16, 18, 19, 24, 25, 28, 29, 30
Mejores días para el dinero: 1, 2, 3, 6, 7, 11, 12, 16, 18, 20, 21, 24, 25, 31
Mejores días para la profesión: 9, 10, 18, 26, 27

Este mes tenemos dos eclipses, y la actividad retrógrada estará en el punto máximo del año, pero tú resultas relativamente ileso. Inician movimiento retrógrado dos planetas que en tu carta tienen que ver con viajes, Mercurio y Urano (Mercurio rige los viajes domésticos cortos, Urano los viajes de larga distancia). Urano lo inicia el 3 y Mercurio el 11. Si tienes programado un viaje, cambia las fechas si es posible; si no es posible, si debes viajar como sea, programa más tiempo para llegar a tu destino y comprueba que los pasajes estén asegurados; protégete lo mejor que puedas. Afortunadamente, el señor genérico de los viajes largos, Júpiter, ya está en movimiento directo, aunque sus aspectos son algo desfavorables.

El eclipse lunar del 7 ocurre en tu novena casa, la de los viajes al extranjero (otra señal que aconseja evitar viajes largos en ese periodo). Si eres estudiante universitario haces cambios importantes en tus planes de estudios; tal vez cambias de facultad o de asignatura principal. Lo de los cambios vale también si vas a solicitar la admisión en una universidad; tal vez la universidad en que deseabas entrar no te acepta, pero sí te acepta una mejor. Pasa por pruebas la relación o matrimonio de hermanos. Hay dramas en tu lugar de culto. Tendrás que tomar más medidas correctivas en tus finanzas; generalmente esto ocurre debido a un gasto repentino, pero también puede haber otras causas.

El eclipse solar del 21 ocurre en tu tercera casa y es una repetición del eclipse solar del 11 de febrero; se ponen a prueba los coches y el equipo de comunicación, y podría ser necesario repararalos o reemplazarlos. Hay dramas en la vida de hermanos, figuras fraternas y vecinos. Con este aspecto suelen producirse trastornos en el barrio (a veces debidos a obras de construcción); podría complicarse el tráfico. La oficina de correos podría cambiar sus normas, y que estas te resultaran incómodas o inconvenientes. Si eres estudiante, aun no universitario, podrías cambiar de colegio o de plan de estudios. Este eclipse es esencialmente benigno contigo, pero si naciste los primeros días del signo (20 o 21 de mayo) lo sentirás fuerte. Este eclipse ocurre muy cerca de la cúspide de tu cuarta casa y por lo tanto también afecta al hogar y la familia. Ten más paciencia con los familiares durante el periodo del eclipse.

Las finanzas son importantes este mes pues Venus estará en tu casa del dinero hasta el 26. Venus se considera un planeta benéfico, así que trae prosperidad y buena suerte; la intuición financiera es especialmente fuerte; hay suerte en las especulaciones. Los hijos y figuras filiales te apoyan y parece que son importantes en tu vida financiera. El día 18 trae buena suerte, pues la Luna está en su perigeo.

Septiembre

Mejores días en general: 3, 4, 12, 13, 20, 21, 30
Días menos favorables en general: 5, 6, 18, 19, 25, 26
Mejores días para el amor: 3, 4, 7, 8, 12, 13, 16, 17, 20, 21, 25, 26, 28, 30

Mejores días para el dinero: 1, 3, 4, 10, 12, 13, 14, 15, 19, 20, 21, 30
Mejores días para la profesión: 5, 6, 14, 15, 23, 24

El principal titular este mes es el traslado de los planetas desde el sector oriental de tu carta al occidental. A partir del 5 está dominante el sector occidental o social. El 20 ya estarán el 80 por ciento de los planetas en este sector (incluida la Luna). El poder planetario se aleja de ti, avanza hacia los demás; la independencia y el poder personales dejan de ser un factor del éxito; sí lo es tu buen talante social, tu capacidad para llevarte bien con los demás. Es el periodo para tomarte unas vacaciones de ti y tus intereses y centrar la atención en los intereses de los demás. Según la filosofía de la astrología no es malo el interés propio; simplemente hay un periodo para esto, que no es ahora.

Este mes está dominante tu cuarta casa, la del hogar y la familia; el 50 por ciento de los planetas o están en ella o transitan por ella. En general, la mitad inferior de tu carta está más fuerte que la superior. Tenemos, pues, un mensaje claro: se trata de un periodo para poner en orden la situación doméstica y familiar, para armonizar las relaciones familiares. La profesión y los objetivos externos son importantes, pero en este periodo lo son menos. Este es el periodo para poner los cimientos del futuro éxito profesional, que comenzará a ocurrir a fin de año. El 90 por ciento de la vida es preparación; los acontecimientos son tal vez el 10 por ciento. Es la preparación la que hace que el acontecimiento sea lo que es.

El 22 del mes pasado la salud se volvió más delicada, y este mes continúa así. Procura dormir lo suficiente; descansa cuando estés cansado; pon la atención en las cosas importantes de tu vida y deja estar las triviales. Fortalece la salud de las maneras explicadas en las previsiones para el año.

Las finanzas no son muy importantes este mes, y esto lo considero bueno; significa que estás esencialmente satisfecho con esta faceta y no necesitas dedicarle especial atención. En la lista de más arriba están señalados los mejores días para el dinero. En general tu poder adquisitivo es más fuerte del 1 al 6 y a partir del 20, que son los periodos en que la Luna está en fase creciente (los mejores días para el dinero que entran en estos periodos serán más fuertes que los que entran en la fase menguante). El día 13 tiene buenos aspectos financieros y la Luna está en su perigeo (su posición más cercana a la Tierra), pero ocurre cuando la Luna está en fase menguante, por lo que no es tan fuerte como podría ser. El apogeo de la Luna el 27 (su posición más distante de la Tierra) no será tan débil como suele ser, pues ocurre cuando la Luna está en fase creciente. Las finanzas siguen más o menos sin novedades ni cambios.

Octubre

Mejores días en general: 1, 9, 10, 18, 19, 27, 28, 29
Días menos favorables en general: 3, 4, 15, 16, 22, 23, 24, 30, 31
Mejores días para el amor: 1, 7, 8, 10, 11, 17, 18, 20, 22, 23, 24, 27, 28, 30
Mejores días para el dinero: 1, 9, 10, 11, 12, 19, 20, 30
Mejores días para la profesión: 3, 4, 11, 12, 20, 21, 30, 31

Este es un mes feliz, Géminis, que lo disfrutes.

El 22 del mes pasado el Sol entró en tu quinta casa, la de la diversión, la creatividad y los hijos, y continuará en ella hasta el 23. Entre medio hay otros planetas también en esta casa: Mercurio, hasta el 17, Venus, a partir del 14, y Marte a partir del 22. Tu quinta casa es con mucho la más fuerte de tu horóscopo este mes; el 60 por ciento de los planetas o están instalados en ella o transitan por ella. Cada uno deposita su don de dicha en tu vida.

Este es un mes para gozar de tu vida, para hacer las cosas que te hacen feliz; es un mes para explorar tu creatividad y dedicarte a pasatiempos creativos. Son importantes los hijos y figuras filiales y te llevas bien con ellos. Esta actitud de gusto por el placer favorece tu vida amorosa también. Si estás soltero o soltera y sin compromiso tienes importantes encuentros románticos; te llegan invitaciones y oportunidades sociales felices. La vida es buena.

La salud está mucho, mucho mejor que el mes pasado. Las dificultades y estreses del mes pasado te parecen un sueño; estás a rebosar de energía y vitalidad. Tu salud es buena incluso después del 23, cuando el Sol entra en tu sexta casa. Es probable que tu atención esté centrada en medidas de tipo preventivo; a veces, cuando la salud es buena, darle demasiada atención puede llevar a hipocondría.

Este mes tu planeta del amor hace un importante traslado; el 11 sale de Libra, tu quinta casa, y entra en Escorpio, tu sexta casa. Esto significa importantes cambios en tu actitud y en tus necesidades en el amor. Pierden importancia las sutilezas o los detallitos románticos, y lo más importante pasa a ser el magnetismo sexual y la relación sexual. También prefieres servicios prácticos a los detalles románticos: un paseo a la luz de la luna por la playa es simpático, pero es más simpática la persona que te cure el dolor de cabeza.

Mejoran también las relaciones sociales en el lugar de trabajo; este es a la vez lugar de trabajo y lugar para el romance.

Las finanzas continúan sin cambios ni novedades. El poder adquisitivo es más fuerte del 1 al 5 y a partir del 19. Los mejores días para el dinero serán más fuertes en estos periodos que en el otro; el día 9, en que la Luna está en su perigeo, es fuerte pero no tanto como podría ser, pues la Luna está en fase menguante. El apogeo de la Luna el 25 no es tan débil como sería normalmente pues está en fase creciente.

Noviembre

Mejores días en general: 5, 6, 14, 15, 24, 25
Días menos favorables en general: 12, 13, 19, 20, 26, 27
Mejores días para el amor: 6, 7, 8, 16, 17, 26, 27
Mejores días para el dinero: 7, 8, 16, 17, 18, 26, 27, 28, 29
Mejores días para la profesión: 7, 8, 16, 17, 26, 27

La entrada de Júpiter en tu sexta casa no sólo ha traído cambios en el amor, sino que también prepara cambios laborales, y son cambios felices. Se presentan oportunidades muy felices (que podrían haber ocurrido ya). El cambio podría ser de puesto en la misma empresa, o un cambio a otra. Tienes excelentes perspectivas laborales el resto del año y hasta bien avanzado el próximo.

La entrada de Júpiter en tu sexta casa trae prosperidad a los hijos o figuras filiales de tu vida; están en un año de ingresos cumbre. Si eres persona creativa (y lo más probable es que lo seas) descubres que tus creaciones son más comercializables en este periodo. Tus tíos y tías prosperan, o llevan el tipo de estilo de vida que da entender eso.

El lugar de trabajo se ha convertido en tu centro social, como hemos dicho, y lo es más aún después del 7, cuando entra Venus en tu sexta casa. También se ven felices las fiestas o reuniones en el gimnasio o la sala de yoga, y los eventos relacionados con la salud. Estos lugares o estas ocasiones son ideales para encontrar romance y amistad.

Hasta el 22 es buen periodo para hacer esas tareas aburridas que es necesario hacer: poner al día las cuentas, ordenar los archivos, etcétera. Tienes la energía para hacerlos y deberían resultarte menos pesados.

El 6 entra Mercurio en tu séptima casa, la del amor, lo que nos dice muchas cosas. Estás mucho por los demás; estás presente para tus amistades y para tu ser amado. Los demás están en primer lugar en tu vida, lo cual es como debe ser, teniendo tantos planetas en tu sector occidental. Gozas de mucha popularidad; eres osado en el amor, vas en pos de lo que deseas. Pero Saturno sigue en tu séptima casa y esto enlentece las cosas. En este periodo yo diría que Saturno es una influencia positiva, pues te impide precipitarte a entablar una relación amorosa; introduce una cierta cautela. El 22 entra el Sol en tu séptima casa y comienzas una cima amorosa y social anual. Los astros aún no favorecen una boda, pero hay más actividad social feliz.

Después del 22 será necesario que estés más atento a la salud; no amenaza nada grave, simplemente la energía está más baja de lo habitual, y esto podría hacerte vulnerable. Descansa más y centra la atención en las cosas verdaderamente importantes; fortalece la salud de las maneras indicadas en las previsiones para el año.

Diciembre

Mejores días en general: 3, 4, 11, 12, 21, 22, 30, 31
Días menos favorables en general: 9, 10, 16, 17, 24, 25
Mejores días para el amor: 5, 6, 7, 8, 14, 15, 16, 17, 24, 25, 28
Mejores días para el dinero: 5, 6, 7, 8, 14, 15, 16, 17, 24, 25
Mejores días para la profesión: 5, 6, 14, 15, 24, 25

La vida amorosa va mejorando día a día. Mercurio pasa todo el mes en tu séptima casa (repasa lo que dijimos el mes pasado); el Sol está en ella hasta el 21, y Venus hasta el 25. Lo mejor de todo es que el 21 Saturno sale por fin de tu casa del amor. Te aligeras de la pesada carga social y amorosa que llevabas sobre los hombros. Llega una nueva libertad social. Si estás soltero o soltera todavía no hay probabilidades de boda, pero sí es probable el próximo año.

Este mes te relacionas con todo tipo de personas: intelectuales, escritores, profesores, pintores, artistas, empresarios y personas espirituales.

El único problema para el amor es que Mercurio hace movimiento retrógrado en tu séptima casa. No sabes bien qué deseas; cambias de opinión o decisión con demasiada rapidez; la confianza o seguridad en lo social no es la que debiera. Esto mejorará a fin de mes.

El mes pasado el poder planetario se trasladó de la mitad inferior de tu carta a la superior; si cortaras la carta por la mitad, verías ocho planetas en la mitad superior y sólo dos en la inferior. Por lo tanto, este es el periodo para centrar la atención en tu profesión y objetivos externos y dejar de lado por un tiempo los asuntos domésticos y familiares. Es el periodo para triunfar en el mundo; inicias tu acometida profesional anual, que culminará en febrero y marzo del año que viene.

Las finanzas no son muy importantes en este periodo, mucho más importante es la vida amorosa. En la lista de más arriba están los mejores días para el dinero. Los ingresos tienden a ser más fuertes cuando la Luna está en fase creciente, del 1 al 4 y a partir del 18. El día 4, en que hay una súper Luna llena, será especialmente fuerte en las finanzas (la Luna llena está en su perigeo, su posición más cercana a la Tierra).

Hasta el 21 sigue siendo necesario estar atento a la salud; el péndulo de la salud va subiendo, la falta de energía es algo puramente temporal. Después del 21 verás una mejoría muy espectacular.

Después del 21 se hace ultra poderosa tu octava casa. El interés del cónyuge, pareja o ser amado actual está centrado en las finanzas, y tal vez se siente en dificultades. Este es un periodo fabuloso para quitarte de encima unos cuantos kilos (si lo necesitas) y para desintoxicar el cuerpo; también es bueno para hacer limpieza y deshacerte de posesiones que ya no necesitas o no usas.

Deberás moderar la actividad sexual; la tendencia será a excederte.

Cáncer

El Cangrejo
Nacidos entre el 21 de junio y el 20 de julio

Rasgos generales

CÁNCER DE UN VISTAZO

Elemento: Agua

Planeta regente: Luna
  Planeta de la profesión: Marte
  Planeta de la salud: Júpiter
  Planeta del amor: Saturno
  Planeta del dinero: el Sol
  Planeta de la diversión y los juegos: Plutón
  Planeta del hogar y la vida familiar: Venus

Colores: Azul, castaño rojizo, plateado
  Colores que favorecen el amor, el romance y la armonía social:
    Negro, azul índigo
  Colores que favorecen la capacidad de ganar dinero: Dorado,
    naranja

Piedras: Feldespato, perla

Metal: Plata

Aromas: Jazmín, sándalo

Modo: Cardinal (= actividad)

Cualidad más necesaria para el equilibrio: Control del estado de ánimo

Virtudes más fuertes: Sensibilidad emocional, tenacidad, deseo de dar cariño

Necesidad más profunda: Hogar y vida familiar armoniosos

Lo que hay que evitar: Sensibilidad exagerada, estados de humor negativos

Signos globalmente más compatibles: Escorpio, Piscis

Signos globalmente más incompatibles: Aries, Libra, Capricornio

Signo que ofrece más apoyo laboral: Aries

Signo que ofrece más apoyo emocional: Libra

Signo que ofrece más apoyo económico: Leo

Mejor signo para el matrimonio y/o las asociaciones: Capricornio

Signo que más apoya en proyectos creativos: Escorpio

Mejor signo para pasárselo bien: Escorpio

Signos que más apoyan espiritualmente: Géminis, Piscis

Mejor día de la semana: Lunes

La personalidad Cáncer

En el signo de Cáncer los cielos han desarrollado el lado sentimental de las cosas. Esto es lo que es un verdadero Cáncer: sentimientos. Así como Aries tiende a pecar por exceso de acción, Tauro por exceso de inacción y Géminis por exceso de pensamiento, Cáncer tiende a pecar por exceso de sentimiento.

Los Cáncer suelen desconfiar de la lógica, y tal vez con razón. Para ellos no es suficiente que un argumento o proyecto sea lógico, han de «sentirlo» correcto también. Si no lo sienten correcto lo rechazarán o les causará irritación. La frase «sigue los dictados de tu corazón» podría haber sido acuñada por un Cáncer, porque describe con exactitud la actitud canceriana ante la vida.

Sentir es un método más directo e inmediato que pensar. Pensar es un método indirecto. Pensar en algo jamás toca esa cosa.

Sentir es una facultad que conecta directamente con la cosa o tema en cuestión. Realmente la tocamos y experimentamos. El sentimiento es casi otro sentido que poseemos los seres humanos, un sentido psíquico. Dado que las realidades con que nos topamos durante la vida a menudo son dolorosas e incluso destructivas, no es de extrañar que Cáncer elija erigirse barreras de defensa, meterse dentro de su caparazón, para proteger su naturaleza vulnerable y sensible. Para los Cáncer se trata sólo de sentido común.

Si se encuentran en presencia de personas desconocidas o en un ambiente desfavorable, se encierran en su caparazón y se sienten protegidos. Los demás suelen quejarse de ello, pero debemos poner en tela de juicio sus motivos. ¿Por qué les molesta ese caparazón? ¿Se debe tal vez a que desearían pinchar y se sienten frustrados al no poder hacerlo? Si sus intenciones son honestas y tienen paciencia, no han de temer nada. La persona Cáncer saldrá de su caparazón y los aceptará como parte de su círculo de familiares y amigos.

Los procesos del pensamiento generalmente son analíticos y separadores. Para pensar con claridad hemos de hacer distinciones, separaciones, comparaciones y cosas por el estilo. Pero el sentimiento es unificador e integrador. Para pensar con claridad acerca de algo hay que distanciarse de aquello en que se piensa. Pero para sentir algo hay que acercarse. Una vez que un Cáncer ha aceptado a alguien como amigo, va a perseverar. Tendrías que ser muy mala persona para perder su amistad. Un amigo Cáncer jamás te abandonará, hagas lo que hagas. Siempre intentará mantener cierto tipo de conexión, incluso en las circunstancias más extremas.

Situación económica

Los nativos de Cáncer tienen una profunda percepción de lo que sienten los demás acerca de las cosas, y del porqué de esos sentimientos. Esta facultad es una enorme ventaja en el trabajo y en el mundo de los negocios. Evidentemente, es indispensable para formar un hogar y establecer una familia, pero también tiene su utilidad en los negocios. Los cancerianos suelen conseguir grandes beneficios en negocios de tipo familiar. Incluso en el caso de que no trabajen en una empresa familiar, la van a tratar como si lo fuera. Si un Cáncer trabaja para otra persona, entonces su jefe o jefa se convertirá en la figura parental y sus compañeros de trabajo en sus hermanas y hermanos. Si la persona Cáncer es el jefe o la jefa, entonces considerará a todos los empleados sus hijos. A los cancerianos les gusta la sensación de ser los proveedores de los demás. Disfrutan sabiendo que otras personas reciben su sustento gracias a lo que ellos hacen. Esta es otra forma de proporcionar cariño y cuidados.

Leo está en la cúspide de la segunda casa solar, la del dinero, de Cáncer, de modo que estas personas suelen tener suerte en la especulación, sobre todo en viviendas, hoteles y restaurantes. Los balnearios y las salas de fiesta son también negocios lucrativos para los nativos de Cáncer. Las propiedades junto al mar los atraen. Si bien básicamente son personas convencionales, a veces les gusta ganarse la vida de una forma que tenga un encanto especial.

El Sol, que es el planeta del dinero en la carta solar de los Cáncer, les trae un importante mensaje en materia económica: necesitan tener menos cambios de humor; no pueden permitir que su estado de ánimo, que un día es bueno y al siguiente malo, interfiera en su vida laboral o en sus negocios. Necesitan desarrollar su autoestima y un sentimiento de valía personal si quieren hacer realidad su enorme potencial financiero.

Profesión e imagen pública

Aries rige la cúspide de la casa diez, la de la profesión, en la carta solar de los Cáncer, lo cual indica que estos nativos anhelan poner en marcha su propia empresa, ser más activos en la vida pública y política y más independientes. Las responsabilidades familiares y el temor a herir los sentimientos de otras personas, o de hacerse daño a sí mismos, los inhibe en la consecución de estos objetivos. Sin embargo, eso es lo que desean y ansían hacer.

A los Cáncer les gusta que sus jefes y dirigentes actúen con libertad y sean voluntariosos. Pueden trabajar bajo las órdenes de un superior que actúe así. Sus líderes han de ser guerreros que los defiendan.

Cuando el nativo de Cáncer está en un puesto de jefe o superior se comporta en gran medida como un «señor de la guerra». Evidentemente sus guerras no son egocéntricas, sino en defensa de aquellos que están a su cargo. Si carece de ese instinto luchador, de esa independencia y ese espíritu pionero, tendrá muchísimas dificultades para conseguir sus más elevados objetivos profesionales. Encontrará impedimentos en sus intentos de dirigir a otras personas.

Debido a su instinto maternal, a los Cáncer les gusta trabajar con niños y son excelentes educadores y maestros.

Amor y relaciones

Igual que a los Tauro, a los Cáncer les gustan las relaciones serias y comprometidas, y funcionan mejor cuando la relación está claramente definida y cada uno conoce su papel en ella. Cuando se casan, normalmente lo hacen para toda la vida. Son muy leales a su ser amado. Pero hay un profundo secretillo que a la mayoría de nativos de Cáncer les cuesta reconocer: para ellos casarse o vivir en pareja es en realidad un deber. Lo hacen porque no conocen otra manera de crear la familia que desean. La unión es simplemente un camino, un medio para un fin, en lugar de ser un fin en sí mismo. Para ellos el fin último es la familia.

Si estás enamorado o enamorada de una persona Cáncer debes andar con pies de plomo para no herir sus sentimientos. Te va a llevar un buen tiempo comprender su profunda sensibilidad. La más pequeña negatividad le duele. Un tono de voz, un gesto de irritación, una mirada o una expresión puede causarle mucho sufrimiento. Advierte el más ligero gesto y responde a él. Puede ser muy difícil acostumbrarse a esto, pero persevera junto a tu amor. Una persona Cáncer puede ser una excelente pareja una vez que se aprende a tratarla. No reaccionará tanto a lo que digas como a lo que sientas.

Hogar y vida familiar

Aquí es donde realmente destacan los Cáncer. El ambiente hogareño y la familia que crean son sus obras de arte personales. Se esfuerzan por hacer cosas bellas que los sobrevivan. Con mucha frecuencia lo consiguen.

Los Cáncer se sienten muy unidos a su familia, sus parientes y, sobre todo, a su madre. Estos lazos duran a lo largo de toda su vida y maduran a medida que envejecen. Son muy indulgentes con aquellos familiares que triunfan, y están apegados a las reliquias de familia y los recuerdos familiares. También aman a sus hijos y les dan todo lo que necesitan y desean. Debido a su naturaleza cariñosa, son muy buenos padres, sobre todo la mujer Cáncer, que es la madre por excelencia del zodiaco.

Como progenitor, la actitud de Cáncer se refleja en esta frase: «Es mi hijo, haya hecho bien o mal». Su amor es incondicional. Haga lo que haga un miembro de su familia, finalmente Cáncer lo perdonará, porque «después de todo eres de la familia». La preservación de la institución familiar, de la tradición de la familia, es uno de los principales motivos para vivir de los Cáncer. Sobre esto tienen mucho que enseñarnos a los demás.

Con esta fuerte inclinación a la vida de familia, la casa de los Cáncer está siempre limpia y ordenada, y es cómoda. Les gustan los muebles de estilo antiguo, pero también les gusta disponer de todas las comodidades modernas. Les encanta invitar a familiares y amigos a su casa y organizar fiestas; son unos fabulosos anfitriones.

Horóscopo para el año 2017*

Principales tendencias

Este año es necesario estar atento a la salud, y a pesar de que la energía general podría estar mucho mejor, ocurren muchas cosas maravillosas.

Júpiter en tu cuarta casa, la del hogar y la familia, indica que tu atención está ahí, más de lo que suele estar. Indica inmenso éxito en los asuntos familiares y muchísimo placer con los familiares. Un paraíso para Cáncer. Volveremos sobre este tema.

Se ve más placer aún cuando Júpiter entre en tu quinta casa el 11 de octubre. Entras entonces en una de las cimas de placer personal de tu vida; la creatividad personal se eleva a las nubes; hay suerte en las especulaciones; tienes el deseo y los medios para hacer las cosas que te gusta hacer.

La situación laboral es difícil, tal vez limitadora. Trabajas ar-

---

* Las previsiones de este libro se basan en el Horóscopo Solar y todos los signos que derivan de él; tu Signo Solar se convierte en el Ascendente, y las casas se numeran a partir de él. Tu horóscopo personal, el trazado concretamente para ti (según la fecha, hora y lugar exactos de tu nacimiento) podrían modificar lo que decimos aquí. Joseph Polansky

duo, pero el bien oculto de esto es la vida social que te aporta. Puede que el trabajo sea oneroso, pero tiene buenos beneficios secundarios.

Plutón lleva muchos años en tu séptima casa, la del amor; está en ella desde 2008, y continuará ahí muchos años más. Así pues, tu vida amorosa y social ha estado pasando por una desintoxicación cósmica; matrimonios y relaciones o bien han muerto o tenido experiencias de casi muerte. Toda la esfera social se está transformando y reformando para adquirir una forma nueva y mejor. El proceso puede ser traumático mientras ocurre.

Saturno lleva dos años formando aspectos desfavorables a Neptuno, tu planeta de la religión y la formación superior. También tus creencias religiosas han pasado por pruebas estos años. Si eres estudiante universitario has tenido que aplicarte más en tus estudios; el éxito no llegaba con facilidad, debías ganarlo de la manera dura, anticuada, por puro mérito. Estas tendencias continúan este año. Llegados a fin de año, estos asuntos serán mucho más fáciles.

Urano está en tu décima casa, la de la profesión, desde marzo de 2011, y continuará en ella este año. Esto te ha significado cambios en la profesión, muchos y repentinos. Por lo que a la profesión se refiere, puede ocurrir cualquier cosa en cualquier momento. La paz y el avance tranquilo no son permanentes. Aprender a arreglártelas con las incertidumbres en la profesión ha sido una de las principales lecciones de estos últimos años. Por el momento has aprendido la lección y manejas estas cosas con mayor facilidad. Muy pronto, el año que viene, Urano entrará en tu casa once; entonces la profesión comenzará a estabilizarse. Hablaremos más de esto.

Las facetas de mayor interés para ti este año son: el hogar y la familia (en especial hasta el 10 de octubre); los hijos, la diversión y la creatividad (a partir del 11 de octubre); la salud y el trabajo (hasta el 21 de diciembre); el amor, el romance y las actividades sociales; la religión, la metafísica, la formación superior y viajes al extranjero; la profesión.

Los caminos para tu mayor satisfacción este año son: la comunicación y los intereses intelectuales (hasta el 29 de abril); las finanzas (a partir del 29 de abril); el hogar y la familia (hasta el 10 de octubre); los hijos, la diversión y la creatividad (a partir del 11 de octubre).

Salud

(Ten en cuenta que esta es una perspectiva astrológica de la salud, no una médica. Antaño no había ninguna diferencia, ambas eran idénticas, pero en esta época podrían diferir muchísimo. Para una perspectiva médica, por favor, consulta a tu médico o a otro profesional de la salud.)

Como hemos dicho, este año deberás estar atento a tu salud. Tres planetas lentos están en aspecto desfavorable contigo; esto en sí ya es un problema, pero cuando los planetas rápidos entran también en alineación desfavorable, las cosas se vuelven más serias. Esto ocurre del 1 al 19 de enero; del 21 de marzo al 19 de abril; del 23 de septiembre al 23 de octubre y del 22 al 31 de diciembre. En estos periodos la salud estará especialmente delicada; procura descansar y relajarte más para mantener elevada la energía; pasa más tiempo en un balneario de salud o programa más sesiones de masaje.

Dado que la energía general no está a su altura habitual, es posible que se activen o agraven trastornos ya existentes.

Hay novedades buenas también. Este año está prominente tu sexta casa, la de la salud; esto indica que estás al tanto, que prestas atención a tu salud. El verdadero peligro sería que no hicieras caso, que te desentendieras. Otra cosa positiva: es mucho lo que se puede hacer para fortalecer la salud y prevenir problemas, y si no se pueden prevenir del todo, se suavizan en gran medida; no tienen por qué ser terribles. Da más atención a las siguientes zonas:

El corazón. Normalmente el corazón no es un problema para ti, pero estos últimos años lo ha sido. Irá bien trabajar los puntos reflejos. Te conviene reafirmar la fe, una fe que expulse la preocupación y la ansiedad, las dos emociones que sobrecargan de trabajo al corazón.

El estómago (si eres mujer, los pechos también). Estos órganos son siempre importantes para Cáncer. Te irá bien trabajar los puntos reflejos. La dieta siempre es importante para ti y debes cuidarla; como hemos escrito a lo largo de muchos años, la manera de comer es tal vez tan importante como lo que se come. Las normas dietéticas son una maraña, las autoridades no se ponen de acuerdo en lo que es sano y lo que es insano, así que la persona debe descubrir qué es bueno para ella. Pero la forma de comer siempre es beneficiosa; el acto de comer debe elevarse a algo sagrado. Las comidas deben tomarse en actitud relajada y tranquila; si es posible, con una música de fondo agradable y tranquilizadora. Antes y después de comer da las gracias por los alimentos y bendícelos (todo esto con tus propias palabras). Esto eleva las vibraciones de los alimentos y del sistema digestivo. Así sólo tienes los efectos positivos de los alimentos.

El hígado y los muslos. Estos también son siempre importantes para ti. El planeta que rige estas zonas, Júpiter, es tu planeta de la salud. Te irá bien trabajar los puntos reflejos. Programa masajes periódicos en los muslos; este masaje fortalece no sólo los muslos y el hígado, sino también la parte inferior de la espalda. Te convendría una limpieza periódica del hígado con infusiones de hierbas; la actividad del hígado se ve algo perezosa este año.

Los riñones y las caderas. Como siempre, conviene trabajar los puntos reflejos. Estas zonas están vulnerables sólo desde el 10 de septiembre del año pasado. El masaje periódico en las caderas deberá formar parte de tu programa de salud. Si te sientes indispuesto, te será útil una limpieza de los riñones con infusiones de hierbas.

La columna, las rodillas, la dentadura, los huesos, la piel y la alineación esquelética general. Estas zonas han sido importantes los dos últimos años. Te irán bien masajes periódicos en la espalda y las rodillas. A lo largo de la columna hay todo tipo de puntos reflejos que al presionarlos fortalecen todo el cuerpo, entre otras cosas el estómago, el hígado y los riñones. Te convendrían visitas periódicas a un quiropráctico u osteópata. Es necesario mantener la alineación de las vértebras y el esqueleto; protege las rodillas con rodilleras cuando hagas ejercicio. También te conviene hacerte revisiones periódicas de la dentadura; el agua con sal es excelente para los lavados bucales, y nada cara.

La vesícula biliar. Esta ha sido importante sólo los dos últimos años. Te irá bien trabajar los puntos reflejos.

El colon, la vejiga y los órganos sexuales. Estos órganos adquieren importancia después del 11 de octubre, cuando tu planeta de la salud entra en Escorpio. Te conviene trabajar los puntos reflejos. Se hacen importantes la moderación sexual y el sexo seguro.

Tu planeta de la salud pasa gran parte del año en Libra, tu cuarta casa. Esto nos da muchos mensajes. Libra va del amor y las relaciones, por lo tanto si hay problemas en el matrimonio, en la relación amorosa o en las amistades, podrían afectar a tu salud física; si surgieran problemas es necesario restablecer la armonía lo más pronto posible. Tu cuarta casa indica la necesidad de armonía en el hogar y de estados anímicos positivos y constructivos; si hay problemas con la familia esto podría causarte importantes problemas físicos; restablece la armonía cuanto antes. Mantén la paz, y el estado de ánimo positivo y constructivo.

Con estas prácticas pasarás el año con el mínimo de problemas de salud.

Hogar y vida familiar

Esta faceta es siempre importante para Cáncer, y este año lo es aún más. Júpiter está instalado en tu cuarta casa, la del hogar y la familia, desde septiembre del año pasado. Este es un aspecto esencialmente feliz. Si surgiera algún problea familiar (como suele ocurrir), cuentas con las mejores posibilidades para solucionarlo.

Júpiter en la cuarta casa, como saben nuestros lectores, indica mudanza o la compra de otra casa; indica ampliación del espacio en la casa; muchas veces indica la mudanza a una casa más grande y espaciosa, aunque no siempre. A veces se hacen obras de remodelación o de renovación, o se compran artículos caros para la casa, que le otorgan un ambiente más feliz. El efecto total es «como si» la persona se hubiera mudado. Además, hay buena suerte en la compra o venta de una casa.

Pero lo más importante es que este año se expande el círculo familiar. Normalmente esto ocurre por nacimientos o bodas (si estás en edad de concebir, este año serás más fértil; un embarazo no sería una sorpresa), pero a veces se ensancha el círculo familiar porque entran en él personas que son como familiares para ti, personas que tienen ese papel en tu vida.

Júpiter es tu planeta de la salud, como hemos dicho. Su presencia en tu cuarta casa indica que tu salud está muy ligada a la salud de la familia en general. Sin duda estás muy interesado en la salud de los familiares, tal vez más que en la tuya.

Este aspecto también indica que trabajas en hacer de la casa un lugar más sano. Si hay plomo en la pintura, si hay asbesto, moho u otro componente tóxico, vas a gastar para eliminarlo. Te vemos comprando todo tipo de artilugios de salud para la casa y tal vez instalando un equipo de salud. La casa será tanto un balneario de salud como un hogar.

El 11 de octubre Júpiter entra en tu quinta casa. Por lo tanto tendrás centrada la atención en la salud de los hijos o figuras filiales de tu vida. La relación con los hijos tendrá efecto en tu salud personal. Así pues, si (no lo permita Dios) surgiera un problema entre tú y tus hijos, restablece enseguida la armonía con ellos.

Los hijos se ven más prósperos este año, en especial a partir del 11 de octubre. Les llegan oportunidades financieras muy felices, y me parece que se dan la «gran vida». Su vida doméstica ha sido inestable estos últimos años y es posible que se hayan mudado o hecho renovaciones muchas veces; esto podría ocurrir este año también.

Los padres y figuras parentales también prosperan este año; en realidad toda la familia en su conjunto se ve más próspera. No se ve mudanza para los padres, pero es probable que hagan obras importantes de renovación y reparación.

Los hermanos y figuras fraternas tienen un año sin novedades en la situación familiar; no es aconsejable una mudanza para ellos. Los nietos, si los tienes, también tienen un año sin novedades.

Tienes buen apoyo familiar este año. Esto es recíproco.

Profesión y situación económica

Tu casa del dinero no está poderosa este año; está esencialmente vacía; sólo transitan por ella los planetas rápidos, dan breves impulsos a los ingresos y se marchan. El dinero no es un interés importante comparado con otras cosas; algunos años son así. Por lo general esto indica un año sin novedades ni cambios en las finanzas, será más o menos similar al año pasado. Entiendes, lógicamente, que la casa del dinero vacía no significa desastre financiero, sino simplemente falta de interés y atención. Más o menos das por descontados los ingresos.

De todos modos, habrá ciertos baches en el camino y será necesario tomar medidas correctivas. Tu planeta del dinero, el Sol, es eclipsado dos veces. Esto lo vives todos los años; dos veces al año las fuerzas cósmicas te obligan a hacer los cambios necesarios en tus planteamientos y estrategias. Pero este año esto se ve más fuerte de lo habitual. Tenemos los dos eclipses solares normales, pero además uno de ellos, el del 21 de agosto, ocurre en tu casa del dinero, y esto refuerza en gran medida el drama financiero. Y el 11 de febrero tenemos un eclipse lunar también en tu casa del dinero, que produce drama y cambios en las finanzas. Es decir, este año tus finanzas se ven afectadas por tres eclipses en lugar de los dos normales. Los eclipses solares de este año son el 26 de febrero y el 21 de agosto.

Una casa del dinero vacía indica satisfacción y contento, lo que es bueno, pero también muestra la causa de los problemas financieros cuando surgen. Es la falta de atención. Así pues, si surgiera algún problema (no lo permita Dios), comienza a prestar más atención a tus finanzas.

Tu planeta del dinero, el Sol, es de movimiento rápido. A lo largo del año transita por todos los signos y casas del horóscopo. Así pues, el dinero y las oportunidades de ingresos te llegan de diversas maneras y a través de diversas personas, según dónde está el Sol en un determinado momento y los tipos de aspectos que recibe. Estas tendencias a corto plazo es mejor tratarlas en las previsiones mes a mes.

Júpiter en tu cuarta casa es buena señal financiera para ti, de modo que creo que este año tendrás prosperidad. Júpiter en tu cuarta casa funciona a favor de tus fuerzas naturales: bienes inmobiliarios, empresas de alimentación, restaurantes, construcción e industrias que proveen el hogar. Indica, como hemos dicho, la prosperidad de la familia en su conjunto y buen apoyo familiar.

La entrada de Júpiter en tu quinta casa el 11 de octubre indica suerte en las especulaciones y dinero ganado de maneras felices. Indica a una persona que disfruta de su riqueza, gastando en actividades placenteras.

La profesión ha sido inestable desde hace muchos años; inestable pero interesante. Ha habido muchos cambios en la profesión los últimos años y es posible que este año también los haya. Es como si anduvieras buscando la profesión perfecta y cada vez que piensas que la has encontrado se te ocurre una nueva idea y vuelves a cambiar. Urano en tu décima casa favorece profesiones en los medios de comunicación, en alta tecnología, ciencia, astrología y el mundo *online*. Sea cual sea tu profesión, estas actividades tienen un papel importante.

Como hemos dicho, la principal lección para ti estos últimos años ha sido aprender a arreglártelas con la incertidumbre y la inseguridad en la profesión. El cambio puede ocurrir en cualquier momento, para bien o para mal; nada está esculpido en piedra. Los altibajos en la profesión pueden ser muy acentuados, las alturas muy altas, las bajuras ultra bajas. Es como cabalgar un caballo desbocado.

Amor y vida social

Plutón, como hemos dicho, lleva muchos años en tu séptima casa, la del amor, y continuará en ella muchos años más. Se está produciendo, pues, una desintoxicación cósmica en la vida amorosa y en la vida social en general. La desintoxicación no suele ser una experiencia agradable. Cualquiera que haya experimentado una purga física te dirá lo impresionante que es toda la porquería que ocultaba su cuerpo; sencillamente increíble. Lo mismo vale para lo social. Para tener la vida amorosa o el matrimonio ideal es necesaria una purga de esos hábitos o tendencias negativos, impurezas, ideas o conceptos erróneos. Así pues, es mejor cooperar con el proceso. Todas las experiencias amorosas que has tenido son de naturaleza «purgativa»; hacen aflorar todo lo que no es pertinente para poder eliminarlo del «cuerpo social». Hay personas en tu círculo social a las que no les corresponde estar en él. Estas también se eliminan.

Muchas amistades y matrimonios se han ido al garete estos últimos años, y aquellos que han sobrevivido han pasado por mucho drama, intervenciones quirúrgicas o experiencias de casi muerte, y en algunos casos no ha sido experiencia de «casi muerte», sino muerte real, o del cónyuge o de la persona amiga o de ambos.

Muchas veces las pruebas por las que pasan la amistad o el matrimonio no se deben a la relación en sí, sino a los problemas y tribulaciones por las que pasan las personas.

Plutón es el señor de tu quinta casa, la de la diversión y la creatividad. Entonces, tal vez, sobre todo si eres soltero o soltera, no has deseado ninguna relación que sea seria; sólo deseabas tener aventuras amorosas, relaciones del tipo diversión. En el caso de que hayas estado casado o casada, el problema podría haber sido la infidelidad.

Tu planeta del amor, Saturno, ha estado en tu sexta casa los dos años anteriores, y continuará en ella casi todo el año. Tal vez tu trabajo no ha sido muy agradable, pero ha habido beneficios que lo compensan. Te ha sido útil tu vida social; es posible que haya habido un romance de oficina, con un compañero o compañera de trabajo. Y es posible que hayas hecho nuevas amistades en el lugar de trabajo. Gran parte de tu vida social ha sido en el lugar de trabajo.

Este aspecto también indica atracción hacia médicos y profesionales de la salud, o hacia personas relacionadas con tu salud. Si estás soltero o soltera una visita al terapeuta podría acabar en romance.

Pero el planeta del amor en la sexta casa no es el mejor aspecto para el romance porque puede llevarte a una actitud demasiado crítica, al deseo de perfección. No hay nada malo en esto, pero tienes que manejarlo de la manera correcta. No seas como el médico que busca una enfermedad y analiza todos los matices e imperfecciones. Fíjate en las cosas buenas; si hay imperfecciones ya aparecerán a su debido tiempo, con mucha naturalidad, y entonces será el momento de pensar en ellas. No intentes ser demasiado activo en esto; tu actitud analítica es en sí el obstáculo para el romance; evita la crítica destructiva como la peste. Nada destruye con más rapidez una relación que esto. Procura que la crítica sea constructiva, y cuida de que cuando la hagas sea el momento oportuno.

A fin de año Saturno cambia de signo, sale de Sagitario, donde no se siente muy a gusto, y entra en Capricornio, su signo. Esto va a mejorar la vida amorosa. Saturno es fuerte en su signo. Será fuerte tu magnetismo social y sentirás el deseo de una relación seria, comprometida, duradera. Este efecto lo sentirás más el próximo año.

Progreso personal

Urano, como hemos dicho, lleva muchos años en tu décima casa, desde 2008. Esto ha generado mucha inestabilidad en la profesión, como también hemos dicho. Pero, a su vez, ha producido otras cosas. Dado que es el señor de tu octava casa, funciona de modo muy similar al de Plutón, con muchas de las características de este planeta. En un plano mundano indica que te has enfrentado a problemas de muerte y a experiencias de tipo casi muerte; a problemas de deudas e impuestos; a asuntos de herencias e intervenciones quirúrgicas. Estos asuntos han sido prominentes desde hace unos años y este año también lo serán. Desde el punto de vista espiritual, el programa es ayudarte a entender mejor la muerte; es como si las circunstancias y acontecimientos te obligaran a entenderla y a perderle el miedo. Bien entendido, lo que llamamos «miedo a la muerte» sólo es el «amor a la vida» del cuerpo, que desea vivir y evita todo lo que obstaculizaría la vida. La muerte sólo es un problema para el cuerpo físico; no afecta al alma ni al espíritu, que son inmortales. Una encarnación es sólo otro «incidente» en una larguísima historia. Y habrá muchos más de estos incidentes. El miedo a la muerte es tal vez el principal motivo de que las personas no hagan realidad sus sueños. Cuando este desaparece la vida es más feliz y más plena. Así pues, este programa, aunque aparentemente duro, tiene su buena finalidad.

La décima casa implica mucho más que la profesión mundana de la persona; indica su misión espiritual en la vida; la finalidad de su encarnación. Tu parte espiritual, tu verdadero yo, deseaba realizar algo muy concreto en esta encarnación; de ti depende averiguar qué es ese algo y hacerlo. Urano en tu décima casa indica que lo estás intentando; experimentas con este y aquel camino. También indica que la inestabilidad en tu profesión mundana te lleva poco a poco hacia la verdadera finalidad de tu alma. Te está liberando, por así decirlo, para que atiendas la llamada de lo Divino.

Saturno ha formado aspectos desfavorables a Neptuno durante estos dos últimos años y esto continúa más o menos este año (más bien menos). Pasan por pruebas tus creencias religiosas, tu visión del mundo, tu filosofía de la vida; me parece que esto ocurre por intereses de amistades o del cónyuge, pareja o ser amado actual. Estas pruebas son desagradables, sin duda, pero saludables. Algunas de tus creencias se mantendrán, otras se modificarán y otras las reemplazarás por algo más verdadero. La religión y la filosofía son mucho más importantes que la psicología (para la cual eres muy bueno). Aquellas dan forma a la psicología; cambia las creencias religiosas de una persona y cambiarán al instante sus reacciones a los acontecimientos. Por este motivo, entre los antiguos se consideraba a Júpiter, el señor natural de la novena casa, el dios jefe. Era la causa de todos los demás dioses, era el primero y principal.

Previsiones mes a mes

Enero

Mejores días en general: 2, 3, 11, 12, 20, 21, 30, 31
Días menos favorables en general: 5, 6, 17, 18, 19, 25, 26
Mejores días para el amor: 2, 5, 6, 12, 13, 14, 20, 21, 23, 24, 25, 26, 31
Mejores días para el dinero: 1, 7, 8, 10, 13, 14, 16, 18, 19, 27, 28, 29
Mejores días para la profesión: 3, 4, 5, 6, 11, 12, 20, 21

Comienzas el año con la mitad superior de tu carta en posición dominante. El hogar, la familia y tu bienestar emocional son siempre importantes para ti, pero en este periodo te conviene centrar la atención en tu profesión y ambiciones externas. El horóscopo no dice que desatiendas a tu familia (lo que no harías en todo caso), sino que la sirvas triunfando en el mundo. Conseguir ese nuevo contrato o esa promoción será útil a la familia de diversas maneras; te esfuerzas en tener éxito no por ambición personal, sino por el bien de la familia. Tu planeta de la profesión, Marte, tiene su solsticio a fin de mes (del 27 al 31); entonces hay una corta pausa y luego un cambio de dirección.

Este mes es necesario que estés más atento a tu salud, en especial hasta el 19. Lo más importante, como saben nuestros lectores, es descansar lo suficiente; la energía baja es como tener encendida una luz verde invitando a invasores oportunistas. Mantén fuerte y dinámica el aura; deja estar las cosas no esenciales; centra la atención en lo que es verdaderamente importante en tu vida. Fortalece la salud de las maneras explicadas en las previsiones para el año.

Después del 19 la salud mejora, pero sigue siendo necesario estar atento.

La finanzas no son un centro importante de atención este mes. Por lo general esto es bueno, indica satisfacción con las cosas como están, pero a veces indica falta de atención, la tendencia a no hacer caso de la vida financiera, lo que puede llevar a problemas. Tu planeta del dinero, el Sol, está en tu séptima casa hasta el 19; esto indica ingresos provenientes de una sociedad de negocios o empresa conjunta. Son importantes tus contactos sociales y tu «simpatía», tu capacidad para caer bien. Las personas que conoces son más importantes que lo que posees. Es probable que gastes más en vida social, pero parece que esto es una buena inversión. El Sol en Capricornio indica buen juicio financiero; obtienes valor por tu dinero; es excelente para hacer planes financieros a largo plazo, planes de ahorro, de inversión o de jubilación. El 19 el Sol entra en Acuario, tu octava casa; este periodo es excelente para pagar o contraer deudas, o para refinanciar deudas existentes, según cual sea tu necesidad. Si estás en edad, sentirás el impulso de hacer planes testamentarios; también es bueno para hacer planes para pagos de impuestos.

El planeta del dinero en Acuario es excelente para comprar equipo y artilugios de alta tecnología. Gastas en esto, pero también puede que ganes dinero con ello.

El amor se ve feliz este mes; hasta el 19 estás en una cima amorosa y social anual.

Febrero

Mejores días en general: 7, 8, 16, 17, 18, 26, 27
Días menos favorables en general: 1, 2, 14, 15, 21, 22, 28
Mejores días para el amor: 1, 2, 9, 10, 19, 20, 21, 22, 28
Mejores días para el dinero: 5, 6, 9, 10, 14, 15, 24, 25, 26, 27
Mejores días para la profesión: 1, 2, 9, 10, 19, 20, 28

A partir del 6 mejora mucho la salud; ese día la Luna, el planeta señor de tu carta, está en su perigeo (su posición más cercana a la Tierra). Esto produce confianza en ti mismo, autoestima y energía; también resplandece tu apariencia personal. El 7 Mercurio sale de su aspecto desfavorable para ti; el 18 el Sol comienza a formarte aspectos armoniosos, y el 25 se le une Mercurio en esto. Así pues, la salud y la energía general continúan mejorando más y más.

La profesión se hace más importante que nunca Urano lleva muchos años en tu décima casa; Marte entró en esta casa el 28 del mes pasado y Venus entra el 3. La profesión está, pues, muy activa, ajetreada y exitosa. Tienes que ser osado en tus gestiones profesionales.

Este mes tenemos dos eclipses y los dos afectan a las finanzas; es necesario hacer cambios importantes y los eclipses te obligarán a hacerlos. Por lo demás, fuera de las finanzas, te afectan poco.

El eclipse lunar del 11 (el 10 en América) ocurre en tu segunda casa, la del dinero, por lo tanto indica la necesidad de tomar medidas correctivas en tu vida financiera; acontecimientos en otros países afectan a tus finanzas. Es acosejable que reduzcas tus actividades durante el periodo de este eclipse. Todos los eclipses lunares producen cambios en tu concepto de ti mismo, en tu forma de definirte. Es saludable redefinirse periódicamente. Somos seres que crecemos, hoy no somos igual a como lo éramos hace seis meses. Así pues, esta redefinición, a lo largo de los próximos seis meses, producirá un cambio de imagen, en tu apariencia, en tu forma de presentarte al mundo. El cónyuge, pareja o ser amado actual podría tener dramas sociales con personas amigas. Los padres o figuras parentales podrían tener dramas en casa y con familiares. Los familiares podrían pasar por cambios en la profesión.

El eclipse solar del 26 ocurre en tu novena casa y por lo tanto afecta a los viajes y a los planes de estudios. Dado que el Sol es tu planeta del dinero, este eclipse también afecta a tus finanzas; los cambios que no se hicieron con el eclipse anterior se hacen ahora. Este eclipse hace impacto en Neptuno, tu planeta de los viajes; evita viajar al extranjero durante el periodo del eclipse. Si eres estudiante universitario, o de posgrado, haces cambios importantes en tus planes de estudios. Hay trastornos o reorganización en tu lugar de culto.

La situación laboral se ve muy ajetreada; procura evitar el mal genio y las rabietas.

Marzo

Mejores días en general: 6, 7, 16, 17, 25, 26
Días menos favorables en general: 1, 13, 14, 21, 22, 28
Mejores días para el amor: 1, 9, 10, 18, 19, 20, 21, 22, 27, 28
Mejores días para el dinero: 5, 6, 7, 9, 10, 13, 14, 16, 23, 24, 27, 28
Mejores días para la profesión: 1, 10, 20, 21, 28, 30

El día 1 Marte forma aspectos dinámicos con Urano, así que conduce con más prudencia y estate atento a tus reacciones si algo te irrita. Los padres y figuras parentales deberían reducir sus actividades este día.

La profesión es el principal titular este mes; el 60 por ciento de los planetas o están en tu décima casa o transitan por ella. Esto es mucho poder; denota atención, y la atención lleva al éxito. No es mucho lo que puedes hacer en el frente familiar y doméstico; tu planeta del hogar y la familia, Venus, inicia movimiento retrógrado el 4, y Júpiter, que está en tu cuarta casa, está en movimiento retrógrado desde el 6 del mes pasado. Sólo el tiempo resolverá los problemas familiares, no hace falta actuar. Centra la atención en la profesión: tendrás éxito en este periodo.

La salud es pasable hasta el 20; después necesita más atención. Ten presente lo que dijimos sobre esto en las previsiones para el año. Dado que la profesión es tan ajetreada, tan exigente, y te ocupa tanto tiempo, te será difícil mantener elevada la energía. Pero puedes hacerlo, puedes dejar estar las cosas triviales y atender a las esenciales, puedes trabajar con más ritmo y tomarte cortos ratos de descanso. Programa más masajes; evita todo lo posible la depresión o los sentimientos negativos; los ejercicios de respiración te serán muy útiles para esto.

Las finanzas se ven buenas este mes. Los cambios que tuviste que hacer el mes pasado dan resultado. Hasta el 20 tienes excelente intuición financiera, en especial los días 1 y 2. Fíate de ella, es el atajo a la riqueza y siempre, mirada en retrospectiva, es eminentemente lógica y racional. La presencia del planeta del dinero en la novena casa es siempre positiva para los ingresos; la novena casa se considera afortunada, de suerte. El 20 tu planeta del dinero, el Sol, entra en tu décima casa, la de la profesión; esto también es bueno. Los ingresos ocupan los primeros lugares de tu programa; aspiras a la riqueza. Podría estar preparándose un aumento de sueldo, ya sea oficial o no oficial. Cuentas con el favor financiero de los superiores de tu vida. Tu buena fama profesional lleva a más ingresos y oportunidades. Conviene invertir en cosas que favorecen la profesión.

La vida amorosa se ve difícil hasta el 20, pero después verás una mejoría espectacular. Venus está en movimiento retrógrado desde el 4, así que, si estás soltero o soltera, ve con lentitud y cautela en el amor; la tendencia es a precipitarse a la hora de entablar una relación.

Abril

Mejores días en general: 3, 4, 12, 13, 22, 23, 30
Días menos favorables en general: 10, 11, 17, 18, 24, 25
Mejores días para el amor: 4, 5, 6, 12, 13, 15, 16, 17, 18, 23, 24, 25
Mejores días para el dinero: 1, 5, 6, 10, 11, 15, 16, 19, 20, 21, 26, 27, 28, 29
Mejores días para la profesión: 7, 8, 18, 24, 25, 28

Continúa muy atento a la salud. El 20 del mes pasado entraste en uno de los periodos más vulnerables del año y es probable que sientas achaques y dolores anormales debido a que la energía está más baja que de costumbre. Si ya sufrías de algún trastorno en la salud, es posible que se active. La solución es descansar lo suficiente y fortalecer la salud de las maneras indicadas en las previsiones para el año. Repasa lo que hablamos sobre la salud el mes pasado.

La profesión continúa fuerte. Hay mucho éxito, pero también más exigencias de tiempo y energía; esto también complica la salud.

El sector occidental o social de tu carta ha estado dominante desde comienzos del año; esto cambia este mes, a partir del 28. Entonces comienza a dominar el sector oriental o personal; no dominará del todo, eso sí, pues hay cuatro planetas lentos en el sector occidental que llevan ahí muchos años, pero el sector oriental estará más fuerte de lo que lo ha estado en lo que va de año. El poder planetario (los planetas rápidos) no se alejan, sino que avanzan hacia ti; te apoyan, te respaldan. El Cosmos se preocupa por el todo, pero también por tu interés personal. Tu interés no es menos importante que el de otra persona. El interés propio no es algo malo, siempre que no trates con desconsideración a los demás (lo que no creo que vayas a hacer). En este periodo te conviene evaluar tus circunstancias personales para ver qué te fastidia y qué se puede mejorar. Después, comienza a hacer los cambios; tienes el poder para hacerlos. La independencia y el poder personales serán más fuertes cada día.

Tu planeta del dinero está en Aries hasta el 19. Por un lado, esto indica progreso financiero rápido; indica más independencia en las finanzas; hay valentía o intrepidez financiera, hay buena disposición a correr riesgos. El problema es que podrías ser temerario en tus gastos o inversiones; en este periodo te veo más impulsivo para gastar e invertir. Tómate más tiempo para evaluar las cosas; es necesaria la paciencia. El atractivo del dinero rápido puede hacerte vulnerable a estafadores.

Lo bueno es que todavía puede haber aumento de sueldo. Sigues contando con el favor de las figuras de autoridad de tu vida. El 19 el Sol entra en el estable y conservador Tauro; buena señal para las finanzas. Son buenos tu juicio y tus instintos financieros. Tauro va todo de dinero.

Mayo

Mejores días en general: 1, 9, 10, 19, 20, 27, 28
Días menos favorables en general: 7, 8, 14, 15, 21, 22
Mejores días para el amor: 2, 3, 12, 13, 14, 15, 21, 22, 30
Mejores días para el dinero: 2, 3, 4, 5, 7, 8, 14, 15, 17, 18, 25, 26, 29, 30
Mejores días para la profesión: 7, 8, 17, 18, 21, 22, 25, 26

El 19 del mes pasado, cuando el Sol entró en Tauro, tus amistades comenzaron a darte más apoyo financiero; los contactos sociales han sido una vía hacia beneficios; has gastado más en alta tecnología y ganado con ella también; esta situación continúa hasta el 20 de este mes.

La salud ha mejorado después del 19 del mes pasado, y después del 6 de este mes mejora más aún. Como por arte de magia desaparecen muchos achaques, dolores y molestias misteriosos (los causaban los tránsitos desfavorables, y al acabarse estos, también se acaban los achaques). Si te sientes indispuesto, fortalece la salud de las maneras explicadas en las previsiones para el año.

En general, la salud y la energía están más fuertes (y también la apariencia personal) cuando la Luna está en fase creciente, del 1 al 10 y a partir del 25. El día 26, cuando la Luna está en su perigeo (su posición más cercana a la Tierra) eres particularmente magnético; el día 12, cuando la Luna está en su apogeo (su posición más distante de la Tierra), descansas más.

La profesión continúa exitosa, aunque ya no es tan activa o exigente como en los meses pasados. Venus, planeta benéfico, pasa el mes en tu décima casa; esto indica el apoyo de la familia y las amistades en la profesión. Se eleva la posición de la familia en su conjunto; las amistades prosperan y ofrecen oportunidades, te abren puertas. Te conviene favorecer la profesión por medios sociales; asiste a, y tal vez ofrece, las fiestas o reuniones apropiadas. Estando tu planeta de la profesión en tu espiritual casa doce todo el mes, harás bien en asistir a, u ofrecer, funciones benéficas. Participar en obras benéficas en general es útil para la profesión.

La participación en obras benéficas favorece la economía también, a partir del 20. Este es un periodo para fiarte de tu intuición financiera y para profundizar tu comprensión y conocimientos en la «economía espiritual»; es un periodo para el «dinero milagroso». Llega el dinero natural, pero el milagroso es más interesante. Tu planeta del dinero en Géminis a partir del 20 indica que los ingresos provienen de buenas dotes de comunicación; es un periodo para mercadotecnia, ventas, relaciones públicas y publicidad creativas. Es importante que hagas buen uso de los medios que estén disponibles.

El amor no es un interés importante este mes, pero de todos modos se ve feliz. Tu planeta del amor está en movimiento retrógrado, así que no es un periodo para tomar decisiones importantes en el amor.

Junio

Mejores días en general: 5, 6, 7, 15, 16, 24, 25
Días menos favorables en general: 3, 4, 10, 11, 12, 18, 19, 30

Mejores días para el amor: 9, 10, 11, 12, 19, 20, 21, 27, 28, 29
Mejores días para el dinero: 3, 4, 13, 14, 22, 23, 24, 26, 27, 30
Mejores días para la profesión: 4, 5, 15, 16, 18, 19, 24, 25

Este mes entras en tu periodo de independencia y poder personales máximos; esto continúa hasta bien entrado el mes que viene. Así pues, asume la responsabilidad de tu felicidad; esta depende de ti, no de los demás. Haz los cambios que te harán feliz; será mucho más fácil hacerlos ahora (también el próximo mes). Si lo vas dejando para después, de todos modos podrás hacer los cambios, pero con más dificultad.

El mes pasado fue espiritual y también lo es este, en especial hasta el 21. Mercurio, tu planeta de la espiritualidad, pasa gran parte del mes «fuera de límites» y, al parecer, esta es tu situación en tu vida espiritual. Sales de tu esfera o ambiente normal, tal vez piensas que las respuestas que deseas están fuera de ese ambiente. Muchas veces este aspecto indica que la persona explora maestros o enseñanzas extraños o de otros países.

Hasta el 21 sigue siendo muy importante la intuición financiera; continúa explorando las dimensiones espirituales de la riqueza, la «economía espiritual»; te llegan muchas revelaciones al respecto.

El 21 el Sol cruza tu ascendente y entra en tu primera casa. Este es un tránsito maravilloso para las finanzas; trae dinero y oportunidades. Te ves próspero y te sientes próspero; los demás te ven así; para las personas de tu entorno eres una «persona adinerada». Te vistes con ropa y accesorios más caros y tiendes a hacer ostentación de tu riqueza (esto es algo temporal). El tono plateado siempre es un buen color para ti, pero después del 21 tal vez desees añadir un poco de oro. Usa también joyas de oro, esto favorecerá tu poder financiero. Después del 21 gastas e inviertes en ti; tu apariencia es importante en las finanzas.

Marte, tu planeta de la profesión, entra en tu primera casa el 4. Esto te trae felices oportunidades profesionales; te ves próspero, la gente te ve próspero. Marte pasa «fuera de límites» la mayor parte del mes; esto sugiere que en tus gestiones profesionales sales de tu esfera o ambiente normal. Tal vez necesitas viajar a lugares exóticos, distintos, alejados; tal vez personas que no pertenecen a tu ambiente se vuelven importantes para tu profesión; son muchas las posibilidades.

La salud es buena todo el mes. En general, es mejor cuando la Luna está en fase creciente, del 1 al 9 y a partir del 24. El día 8 son especialmente buenas tu salud y tu apariencia, pues la Luna está en su perigeo; a partir del 21 será potente la apariencia personal.

Julio

Mejores días en general: 3, 4, 13, 14, 21, 22, 30, 31
Días menos favorables en general: 1, 8, 9, 15, 16, 28, 29
Mejores días para el amor: 5, 6, 8, 9, 10, 15, 16, 19, 20, 23, 24, 28, 29
Mejores días para el dinero: 1, 3, 4, 10, 11, 13, 14, 19, 20, 23, 24, 28, 29
Mejores días para la profesión: 3, 4, 13, 14, 15, 16, 23, 30, 31

El 21 del mes pasado entraste en un ciclo de prosperidad, que continúa este mes. Tu planeta del dinero, el Sol, continúa en tu primera casa hasta el 22. Esto te trae beneficios financieros inesperados y oportunidades. El dinero y las oportunidades te buscan, no a la inversa. Dedícate simplemente a tus asuntos diarios y la prosperidad te encontrará. El 22 el Sol entra en tu casa del dinero y tú entras en una cima financiera anual, en un periodo de ingresos cumbre. El Sol en Leo indica dinero feliz; lo ganas de modos placenteros. La confianza financiera es fabulosa en este periodo; es posible que te vuelvas demasiado especulador, pero parece que tienes suerte. En la especulación guíate por tu intuición, no lo hagas de modo automático. Del 9 al 11 evita la especulación.

El 20 Marte entra en tu casa del dinero y pasa el resto del mes en ella; esto aumenta tu fervor especulador. También indica el favor de jefes, padres, figuras parentales y figuras de autoridad de tu vida. Quieres que se hagan las cosas a toda prisa y podrías mostrarte impaciente; la precipitación es el principal peligro con este aspecto, pues puede llevar a conflictos, rabietas, accidentes o lesiones. Evita la impaciencia.

La salud es buenísima en este periodo, te ves fabuloso, estás activo y enérgico. Los músculos y la psique están en buen tono. En general, la salud y la energía están más fuertes cuando la Luna está en fase creciente, del 1 al 9 y a partir del 23. El día 21 la salud y la energía son buenas también pues la Luna está en su perigeo.

Tu planeta del amor continúa en movimiento retrógrado todo el mes (lo inició el 6 de abril). Así pues, la vida amorosa está en revisión; a partir del 20 tendrías que ver muchísima mejoría en esta faceta. El amor se presenta cuando estás dedicado a tus objetivos laborales y financieros, o con personas relacionadas con tu trabajo o tus finanzas.

Agosto

Mejores días en general: 9, 10, 18, 26, 27
Días menos favorables en general: 4, 5, 11, 12, 24, 25, 31
Mejores días para el amor: 2, 3, 4, 5, 9, 10, 11, 12, 18, 19, 20, 21, 28, 29, 30, 31
Mejores días para el dinero: 1, 2, 3, 6, 7, 11, 12, 16, 20, 21, 24, 25, 31
Mejores días para la profesión: 1, 2, 11, 12, 20, 21, 29, 30

Este mes aumenta la actividad retrógrada, que llega a su punto máximo del año. Del 13 al 25 están retrógrados el 50 por ciento de los planetas, y antes y después de este periodo lo están el 40 por ciento. Esto afecta al mundo y a los acontecimientos mundiales, pero no a tu profesión ni a tus finanzas. Sigue habiendo prosperidad, y hasta el 22 sigues en una cima financiera anual.

El mes pasado el poder planetario se trasladó de la mitad superior de tu carta a la inferior; este mes, cuando Venus pase de la mitad superior a la inferior, el cambio será más fuerte. Ha llegado el periodo de pasar a un segundo plano la profesión y centrar la atención en el hogar, la familia y el bienestar emocional. Este cambio planetario simboliza un cambio psíquico en ti. Siguen presentándose oportunidades profesionales (tu planeta de la profesión forma parte de un gran trígono en elemento fuego), pero puedes ser más selectivo; puedes optar por la que sea más cómoda emocionalmente.

Este mes tenemos dos eclipses. El primero, el eclipse lunar del 7, es el más fuerte, pero estos últimos años has pasado por eclipses mucho más fuertes; este lo pasarás sin problema. Este eclipse ocurre en tu octava casa y afecta a las finanzas del cónyuge, pareja o ser amado actual, que se ve obligado a hacer importantes cambios financieros; tendrá que cambiar toda su estrategia. Todos los eclipses lunares afectan a tu imagen y tu personalidad, y este no es diferente. El Cosmos te da de nuevo la oportunidad de redefinirte; tu opinión de ti no ha sido realista y es necesario mejorarla; siempre es mejor que uno mismo haga su redefinición; si no, lo harán otras personas y no será muy agradable. Por lo general esto significa cambio en la manera de vestir y cambios en la imagen, a lo largo de los seis próximos meses. A veces se cambia el corte de pelo y la presentación general. Este eclipse podría traer encuentros con la muerte; tal vez sueñas con ella o piensas en ella; tal vez has leído acerca de una muerte horripilante y esto desencadena los sueños o pensamientos. A veces la persona experimenta roces con el ángel negro, se salva por un pelo. La finalidad de esto es que te tomes más en serio la vida.

El eclipse solar del 21 te trae cambios en las finanzas, pues ocurre en tu segunda casa. El anterior afectaba a tu pareja, y este te afecta a ti; tendrás que cambiar tus planteamientos y estrategias. Dado que este eclipse ocurre muy cerca de la cúspide de tu tercera casa, pasarán por pruebas los coches y el equipo de comunicación. Podría haber dramas en la vida de hermanos y figuras fraternas. Si eres estudiante aún no universitario te ves obligado a hacer importantes cambios en los planes de estudio.

Septiembre

Mejores días en general: 5, 6, 14, 15, 23, 24
Días menos favorables en general: 1, 7, 8, 20, 21, 28, 29
Mejores días para el amor: 1, 7, 8, 16, 17, 26, 27, 28, 29
Mejores días para el dinero: 1, 3, 4, 10, 12, 13, 16, 17, 19, 20, 21, 30
Mejores días para la profesión: 7, 8, 9, 10, 18, 19, 28, 29

La profesión está más o menos en un segundo plano, pues está muy dominante la mitad inferior de tu carta. El poder planetario se aleja de tu décima casa (profesión) y avanza hacia la cuarta (hogar y familia), y esto es lo que haces tú. El 22 el Sol entra en tu cuarta casa y el mes que viene entran otros planetas rápidos.

Este es el periodo para reunir las fuerzas para el próximo empuje o impulso profesional, que será hacia fin de año; es el periodo ideal para preparar el terreno. Ahora sirves mejor a tu familia estando presente, disponible, en lo emocional y de otras maneras. Tu bienestar emocional, sentirte bien, es más importante que el éxito externo. La persona Cáncer tiene una memoria prodigiosa; es capaz de decir qué llevaba puesto para su primera cita y con todos los detalles. Pues ahora, sobre todo después del 22, la memoria está mejor aún. Lo que a la mente humana le parece nostalgia es en realidad un sistema terapéutico de la naturaleza; nos trae viejos recuerdos para que los digiramos. Generalmente los viejos traumas, e incluso las experiencias felices, se reinterpretan a la luz de la conciencia actual; algo que parecía trágico cuando ocurrió sólo nos hace sonreír. Hay curación.

Las finanzas siguen siendo importantes este mes, pero la importancia va disminuyendo. El mes comienza con tres planetas en tu casa del dinero, lo que indica muchísima atención, pero el 20 la casa del dinero ya estará vacía: ya se han conseguido más o menos los objetivos a corto plazo y no necesitas darle mucha atención. Tu planeta del dinero está en tu tercera casa hasta el 22, por lo tanto, sea cual sea tu trabajo o negocio, son importantes las buenas ventas, la mercadotecnia, las relaciones públicas y la publicidad. Este periodo también es bueno para la compra-venta; si eres inversor, se ven interesantes los campos de telecomunicaciones, transportes y salud. El 22 tu planeta del dinero entra en tu cuarta casa, lo que indica que gastas en la casa y la familia y ganas dinero desde la casa. Favorece la inversión en inmobiliaria residencial, restaurantes, hoteles, empresas de alimentación e industrias que proveen al hogar. También indica buen apoyo familiar. En las finanzas son ultra importantes la familia y en especial las conexiones familiares (más que de costumbre).

La salud es buena este mes hasta el 22; después procura descansar lo suficiente. En general te sientes y te ves mejor cuando la Luna está en fase creciente, del 1 al 6 y a partir del 20. El día 13 te ves especialmente bien, y tienes mucha seguridad en ti mismo, pues la Luna está en su perigeo. El 27 descansa y relájate más, pues la Luna está en su apogeo (su posición más alejada de la Tierra).

Octubre

Mejores días en general: 3, 4, 11, 12, 20, 21, 30, 31
Días menos favorables en general: 5, 6, 18, 19, 25, 26
Mejores días para el amor: 5, 6, 7, 8, 13, 14, 17, 18, 23, 24, 25, 26, 27, 28
Mejores días para el dinero: 1, 9, 10, 11, 13, 14, 19, 20, 30
Mejores días para la profesión: 5, 6, 7, 8, 15, 16, 27

Si bien la salud y la energía podrían estar más difíciles, ocurren muchas cosas buenas. Tu cuarta casa, la del hogar y la familia, está aún más fuerte que el mes pasado; el 60 por ciento de los planetas están en ella o transitan por ella este mes. Tu familia es tu misión y profesión en este periodo, y sin duda es el principal centro de atención. El 22 entra tu planeta de la profesión, Marte, en tu cuarta casa, lo que también indica que trabajas en tu profesión desde casa. Da a entender que trabajas en la profesión con los métodos de la noche: soñando, visualizando lo que deseas, haciendo afirmaciones, etcétera, asentando así la infraestructura para el avance profesional más adelante.

Todo se centra en torno al hogar y la familia este mes. Si la vida doméstica y emocional va bien, todo lo demás irá bien: la salud, las finanzas y la profesión.

La salud mejora un poco más avanzado el mes, después del 23, pero de todos modos es necesario que continúes atento. Repasa lo que explicamos sobre la salud en las previsiones para el año. Lo importante, como siempre, es que no te permitas cansarte en exceso. Escucha a tu cuerpo; si está cansado, tómate un descanso o echa una cabezada.

Tu planeta de la salud cambia de signo el 11; sale de Libra y entra en Escorpio, lo que produce diferentes necesidades en la salud y diferentes métodos. Se hacen más importantes los regímenes de desintoxicación. Podrías tener una tendencia a intervenciones quirúrgicas, o podrían recomendarte una. Se hacen importantes para la salud el colon, la vejiga y los órganos sexuales. Es importante la moderación sexual.

Marte, tu planeta de la profesión, tiene su solsticio del 23 al 30; esto refuerza lo que hemos dicho. Hay una pausa en la profesión y luego un cambio de dirección; no te alarmes, es una pausa que renueva.

El 26 o el 27 tienes un muy bonito día de paga; tu planeta del dinero viaja con Júpiter; también puede presentarse una feliz oportunidad de trabajo. Cuando el Sol entre en Escorpio el 23 te conviene usar el dinero de sobra para pagar deudas; también será más fácil conseguir un préstamo, si lo necesitas. Después del 23 hay suerte en las especulaciones, pero esto sólo lo debes hacer guiándote por la intuición, no a ciegas. Los hijos y figuras filiales te apoyan en las finanzas; es probable que gastes más en ellos también.

Si trabajas en ventas o mercadotecnia tienes buena suerte los días 18 y 19. Además, la vida onírica es más activa estos días, y reveladora.

Noviembre

Mejores días en general: 7, 8, 16, 17, 26, 27
Días menos favorables en general: 1, 2, 14, 15, 21, 22, 29, 30

Mejores días para el amor: 2, 6, 7, 10, 16, 17, 20, 21, 22, 26, 27, 30

Mejores días para el dinero: 7, 8, 9, 10, 16, 17, 18, 26, 27, 28, 29

Mejores días para la profesión: 1, 2, 5, 6, 14, 15, 24, 25, 29 30

La salud y la energía están mucho mejor este mes. Todavía hay planetas en alineación desfavorable, pero menos que el mes pasado. Este es un mes placentero; con un poco de creatividad puedes hacer placenteras las actividades o tareas vulgares. La atención sigue en la familia (actividad placentera para Cáncer), pero más en los hijos. Tu planeta de la profesión continúa en tu cuarta casa todo el mes; el mensaje es claro: tu familia y tu bienestar emocional y doméstico son tu verdadera profesión. Como dijimos el mes pasado, si eso va bien, la profesión también irá bien.

Tiendes a verte y sentirte mejor cuando la Luna, el planeta señor de tu horóscopo, está en fase creciente, del 1 al 4 y a partir del 18. Son especialmente buenos los días de Luna llena y Luna nueva (4 y 18 respectivamente). Los días 5 y 6 son buenos, pues la Luna está en su perigeo.

Hacia fin de mes Júpiter forma aspectos hermosos a Neptuno; esto indicaría un viaje relacionado con el trabajo. Del 2 al 4 el Sol forma trígono con Neptuno, lo que indicaría un viaje relacionado con negocios (y en esto hay dinero). Estos días son también un buen periodo para las finanzas; la intuición es aguda.

Estos aspectos también son buenos si eres estudiante universitario; indica éxito en los estudios o en gestiones con administradores. Si tienes pendiente algún asunto legal o judicial este también irá bien este mes.

El Sol, tu planeta del dinero, está en Escorpio, tu quinta casa, hasta el 22. Así pues, continúan en vigor muchas de las tendencias de que hablamos el mes pasado. El dinero se gana de modos felices; disfrutas haciendo dinero; estás más especulador y la dama suerte está contigo. Gastas más en actividades de ocio y diversión. Gastas en los hijos (o figuras filiales), pero también puedes ganar gracias a ellos. Si eres inversor, son interesantes los bonos y el mercado de bonos, y también las industrias de artículos para niños y jóvenes.

El 22 el Sol entra en el expansivo Sagitario. Esta es otra buena señal financiera. Vuelves a ser más especulador. Podrías gastar o invertir por impulso, tal vez demasiado rápido para tomar buenas decisiones. Si eres inversor, este aspecto favorece la industria editorial, las agencias de viaje y las universidades de pago; también es interesante la industria de la salud. Tienes suerte, pero esencialmente ganas el dinero con tu trabajo; tu trabajo arduo genera la buena suerte.

Este mes hay cambios importantes en la profesión, pero tal vez ocurren entre bastidores. Los padres y figuras parentales deberían reducir sus actividades del 16 al 20 y el 30.

Diciembre

Mejores días en general: 5, 6, 14, 15, 24, 25
Días menos favorables en general: 11, 12, 18, 19, 20, 26, 27
Mejores días para el amor: 7, 8, 16, 17, 18, 19, 20, 28
Mejores días para el dinero: 5, 6, 7, 8, 14, 15, 16, 17, 24, 25
Mejores días para la profesión: 3, 14, 24, 26, 27

La entrada de Saturno en Capricornio el 21 va a hacer de la salud una prioridad importante los dos próximos años. Hasta el 21 la salud es pasablemente buena; el 9 Marte sale de su aspecto desfavorable contigo, y comienza a formarte aspectos armoniosos; los planetas rápidos te dejan en paz hasta el 21. Pero esto sólo es un respiro, así que a partir del 21 administra mejor tu energía; programa más masajes; si es posible pasa más tiempo en un balneario de salud. Fortalece la salud de las maneras indicadas en las previsiones para el año.

El 19 se ve un día de salud delicada, así que procura descansar más si es posible.

Ahora el poder planetario está en el sector occidental o social de tu carta. El 21 los planetas ya estarán en su posición occidental máxima. Del 12 al 25 el 90 por ciento de los planetas están en el sector occidental o social; es un porcentaje muy elevado. Antes del 12 y después del 25, sigue elevado el porcentaje, el 80 por ciento. Por lo tanto, tal vez sea bueno que tu energía no esté a la altura acostumbrada; significa que te ves obligado a depender más de los demás y de su buena voluntad; te obliga a cultivar tus dotes sociales. No puedes actuar solo, necesitas a los demás. Olvida el esfuerzo personal y la voluntariedad; antepón a los demás; permite que lo bueno te ocurra sin intentar hacerlo ocurrir.

Si hay condiciones que te fastidian, toma nota de ellas; este no es el periodo para hacer los cambios. Ese periodo llegará en marzo y abril del año que viene, pero al menos ya sabrás qué es necesario cambiar.

El amor es el principal titular este mes. Tu séptima casa se hace poderosa a partir del 21; entonces entras en una cima amorosa y social anual. Gastas más en la vida social, pero también ganas mas; se presentan oportunidades para formar una sociedad de negocios o una empresa conjunta. Las finanzas son más fáciles compartidas que solo.

La entrada de Saturno en tu séptima casa (en la que estará los dos próximos años) indica atracción por personas mayores, más establecidas, más serias. Indicaría que en tu vida amorosa entra una persona mayor. Indicaría la necesidad de ir lento en el amor y no precipitarse a nada. Comenzarás a ser más selectivo en cuanto a las personas con quienes sales y a las fiestas que asistes. Adoptas una perspectiva a largo plazo en el amor; las relaciones de corta duración son menos interesantes.

Tu planeta de la profesión entra en tu quinta casa el 9. Esto indica que los hijos y figuras filiales son la profesión, pero también indica la necesidad de disfrutar de tu camino profesional, de pasarlo bien en él. Se presentan estas oportunidades.

Leo

El León
Nacidos entre el 21 de julio y el 21 de agosto

Rasgos generales

LEO DE UN VISTAZO

Elemento: Fuego

Planeta regente: Sol
    Planeta de la profesión: Venus
    Planeta de la salud: Saturno
    Planeta del amor: Urano
    Planeta del dinero: Mercurio

Colores: Dorado, naranja, rojo
    Colores que favorecen el amor, el romance y la armonía social:
    Negro, azul índigo, azul marino
    Colores que favorecen la capacidad de ganar dinero: Amarillo,
    amarillo anaranjado

Piedras: Ámbar, crisolita, diamante amarillo

Metal: Oro

Aroma: Bergamota, incienso, almizcle

Modo: Fijo (= estabilidad)

Cualidad más necesaria para el equilibrio: Humildad

Virtudes más fuertes: Capacidad de liderazgo, autoestima y confianza en sí mismo, generosidad, creatividad, alegría

Necesidad más profunda: Diversión, alegría, necesidad de brillar

Lo que hay que evitar: Arrogancia, vanidad, autoritarismo

Signos globalmente más compatibles: Aries, Sagitario

Signos globalmente más incompatibles: Tauro, Escorpio, Acuario

Signo que ofrece más apoyo laboral: Tauro

Signo que ofrece más apoyo emocional: Escorpio

Signo que ofrece más apoyo económico: Virgo

Mejor signo para el matrimonio y/o las asociaciones: Acuario

Signo que más apoya en proyectos creativos: Sagitario

Mejor signo para pasárselo bien: Sagitario

Signos que más apoyan espiritualmente: Aries, Cáncer

Mejor día de la semana: Domingo

La personalidad Leo

Cuando pienses en Leo, piensa en la realeza; de esa manera te harás una idea de cómo es Leo y por qué los nativos de este signo son como son. Es verdad que debido a diversas razones algunos Leo no siempre expresan este rasgo, pero aun en el caso de que no lo expresen, les gustaría hacerlo.

Un monarca no gobierna con el ejemplo (como en el caso de Aries) ni por consenso (como hacen Capricornio y Acuario), sino por su voluntad personal. Su voluntad es ley. Sus gustos personales se convierten en el estilo que han de imitar todos sus súbditos. Un rey tiene en cierto modo un tamaño más grande de lo normal. Así es como desea ser Leo.

Discutir la voluntad de un Leo es algo serio. Lo considerará una ofensa personal, un insulto. Los Leo nos harán saber que su voluntad implica autoridad, y que desobedecerla es un desacato y una falta de respeto.

Una persona Leo es el rey, o la reina, en sus dominios. Sus subordinados, familiares y amigos son sus leales súbditos. Los Leo reinan con benevolente amabilidad y con miras al mayor bien para los demás. Su presencia es imponente, y de hecho son personas poderosas. Atraen la atención en cualquier reunión social. Destacan porque son los astros en sus dominios. Piensan que, igual que el Sol, están hechos para brillar y reinar. Creen que nacieron para disfrutar de privilegios y prerrogativas reales, y la mayoría de ellos lo consiguen, al menos hasta cierto punto.

El Sol es el regente de este signo, y si uno piensa en la luz del Sol, es muy difícil sentirse deprimido o enfermo. En cierto modo la luz del Sol es la antítesis misma de la enfermedad y la apatía. Los Leo aman la vida. También les gusta divertirse, la música, el teatro y todo tipo de espectáculos. Estas son las cosas que dan alegría a la vida. Si, incluso en su propio beneficio, se los priva de sus placeres, de la buena comida, la bebida y los pasatiempos, se corre el riesgo de quitarles su voluntad de vivir. Para ellos, la vida sin alegría no es vida.

Para Leo la voluntad humana se resume en el poder. Pero el poder, de por sí, y al margen de lo que digan algunas personas, no es ni bueno ni malo. Únicamente cuando se abusa de él se convierte en algo malo. Sin poder no pueden ocurrir ni siquiera cosas buenas. Los Leo lo saben y están especialmente cualificados para ejercer el poder. De todos los signos, son los que lo hacen con más naturalidad. Capricornio, el otro signo de poder del zodiaco, es mejor gerente y administrador que Leo, muchísimo mejor. Pero Leo eclipsa a Capricornio con su brillo personal y su presencia. A Leo le gusta el poder, mientras que Capricornio lo asume por sentido del deber.

Situación económica

Los nativos de Leo son excelentes líderes, pero no necesariamente buenos jefes. Son mejores para llevar los asuntos generales que los detalles de la realidad básica de los negocios. Si tienen buenos jefes, pueden ser unos ejecutivos excepcionales trabajando para ellos. Tienen una visión clara y mucha creatividad.

Los Leo aman la riqueza por los placeres que puede procurar. Les gusta llevar un estilo de vida opulento, la pompa y la elegancia. Incluso aunque no sean ricos, viven como si lo fueran. Por este motivo muchos se endeudan, y a veces les cuesta muchísimo salir de esa situación.

Los Leo, como los Piscis, son generosos en extremo. Muchas veces desean ser ricos sólo para poder ayudar económicamente a otras personas. Para ellos el dinero sirve para comprar servicios y capacidad empresarial, para crear trabajo y mejorar el bienestar general de los que los rodean. Por lo tanto, para los Leo, la riqueza es buena, y ha de disfrutarse plenamente. El dinero no es para dejarlo en una mohosa caja de un banco llenándose de polvo, sino para disfrutarlo, distribuirlo, gastarlo. Por eso los nativos de Leo suelen ser muy descuidados con sus gastos.

Teniendo el signo de Virgo en la cúspide de su segunda casa solar, la del dinero, es necesario que los Leo desarrollen algunas de las características de análisis, discernimiento y pureza de Virgo en los asuntos monetarios. Deben aprender a cuidar más los detalles financieros, o contratar a personas que lo hagan por ellos. Tienen que tomar más conciencia de los precios. Básicamente, necesitan administrar mejor su dinero. Los Leo tienden a irritarse cuando pasan por dificultades económicas, pero esta experiencia puede servirles para hacer realidad su máximo potencial financiero.

A los Leo les gusta que sus amigos y familiares sepan que pueden contar con ellos si necesitan dinero. No les molesta e incluso les gusta prestar dinero, pero tienen buen cuidado de no permitir que se aprovechen de ellos. Desde su «trono real», a los Leo les encanta hacer regalos a sus familiares y amigos, y después disfrutan de los buenos sentimientos que estos regalos inspiran en todos. Les gusta la especulación financiera y suelen tener suerte, cuando las influencias astrales son buenas.

Profesión e imagen pública

A los Leo les gusta que los consideren ricos, porque en el mundo actual la riqueza suele equivaler a poder. Cuando consiguen ser ricos, les gusta tener una casa grande, con mucho terreno y animales.

En el trabajo, destacan en puestos de autoridad y poder. Son buenos para tomar decisiones a gran escala, pero prefieren dejar los pequeños detalles a cargo de otras personas. Son muy respetados por sus colegas y subordinados, principalmente porque tienen el don de comprender a los que los rodean y relacionarse bien con ellos. Generalmente luchan por conquistar los puestos más elevados, aunque hayan comenzado de muy abajo, y trabajan muchísimo por llegar a la cima. Como puede esperarse de un signo tan carismático, los Leo siempre van a tratar de mejorar su situación laboral, para tener mejores oportunidades de llegar a lo más alto.

Por otro lado, no les gusta que les den órdenes ni que les digan lo que han de hacer. Tal vez por eso aspiran a llegar a la cima, ya que allí podrán ser ellos quienes tomen las decisiones y no tendrán que acatar órdenes de nadie.

Los Leo jamás dudan de su éxito y concentran toda su atención y sus esfuerzos en conseguirlo. Otra excelente característica suya es que, como los buenos monarcas, no intentan abusar del poder o el éxito que consiguen. Si lo llegan a hacer, no será voluntaria ni intencionadamente. En general a los Leo les gusta compartir su riqueza e intentan que todos los que los rodean participen de su éxito.

Son personas muy trabajadoras y tienen buena reputación, y así les gusta que se les considere. Es categóricamente cierto que son capaces de trabajar muy duro, y con frecuencia realizan grandes cosas. Pero no olvidemos que, en el fondo, los Leo son en realidad amantes de la diversión.

Amor y relaciones

En general, los Leo no son del tipo de personas que se casan. Para ellos, una relación es buena mientras sea agradable. Cuando deje de serlo, van a querer ponerle fin. Siempre desean tener la libertad de dejarla. Por eso destacan por sus aventuras amorosas y no por su capacidad para el compromiso. Una vez casados, sin embargo, son fieles, si bien algunos tienen tendencia a casarse más de una vez en su vida. Si estás enamorado o enamorada de un Leo, limítate a procurar que se lo pase bien, viajando, yendo a casinos y salas de fiestas, al teatro y a discotecas. Ofrécele un buen vino y una deliciosa cena; te saldrá caro, pero valdrá la pena y os lo pasaréis muy bien.

Generalmente los Leo tienen una activa vida amorosa y son expresivos en la manifestación de su afecto. Les gusta estar con personas optimistas y amantes de la diversión como ellos, pero acaban asentándose con personas más serias, intelectuales y no convencionales. Su pareja suele ser una persona con más conciencia política y social y más partidaria de la libertad que ellos mismos. Si te casas con una persona Leo, dominar su tendencia a la libertad se convertirá ciertamente en un reto para toda la vida, pero ten cuidado de no dejarte dominar por tu pareja.

Acuario está en la cúspide de la casa siete, la del amor, de Leo. De manera, pues, que si los nativos de este signo desean realizar al máximo su potencial social y para el amor, habrán de desarrollar perspectivas más igualitarias, más acuarianas, con respecto a los demás. Esto no es fácil para Leo, porque «el rey» sólo encuentra a sus iguales entre otros «reyes». Pero tal vez sea esta la solución para su desafío social: ser «un rey entre reyes». Está muy bien ser un personaje real, pero hay que reconocer la nobleza en los demás.

Hogar y vida familiar

Si bien los nativos de Leo son excelentes anfitriones y les gusta invitar a gente a su casa, a veces esto es puro espectáculo. Sólo unos pocos amigos íntimos verán el verdadero lado cotidiano de un Leo. Para este, la casa es un lugar de comodidad, recreo y transformación; un retiro secreto e íntimo, un castillo. A los Leo les gusta gastar dinero, alardear un poco, recibir a invitados y pasárselo bien. Disfrutan con muebles, ropa y aparatos de última moda, con todas las cosas dignas de reyes.

Son apasionadamente leales a su familia y, desde luego, esperan ser correspondidos. Quieren a sus hijos casi hasta la exageración; han de procurar no mimarlos ni consentirlos demasiado. También han de evitar dejarse llevar por el deseo de modelar a los miembros de su familia a su imagen y semejanza. Han de tener presente que los demás también tienen necesidad de ser ellos mismos. Por este motivo, los Leo han de hacer un esfuerzo extra para no ser demasiado mandones o excesivamente dominantes en su casa.

Horóscopo para el año 2017*

Principales tendencias

Sales de unos años de ingresos extraordinarios. Hasta el 10 de octubre Júpiter está en tu tercera casa, y es el periodo para disfrutar de los frutos de la prosperidad, de la libertad para estudiar, aprender y dedicarte a tus intereses intelectuales; de la libertad para el desarrollo mental. Esto es difícil cuando estamos atados en el juego del dinero; generalmente no tenemos el tiempo para disfrutar de estas cosas. Pues bien, ahora lo tienes.

Este es un aspecto maravilloso si eres estudiante aun no universitario; con la mente despejada y aguda tienes éxito en tus estudios. Aprender es algo placentero en este periodo. Si eres profesor, periodista, publicista o trabajas en mercadotecnia, también tienes un buen año.

El 11 de octubre Júpiter entra en tu cuarta casa, la del hogar y la familia; un tránsito esencialmente feliz. Podría producir mudanza, obras de renovación o compras de artículos caros para la casa. Si estás en edad de concebir eres más fértil, y un embarazo no sería una sorpresa. Volveremos sobre este tema.

Saturno ha estado instalado en tu quinta casa estos dos años anteriores y continuará en ella casi todo este año. Eres uno de los grandes amantes de la diversión del zodiaco, pero en los últimos años te has moderado un poco. Te has vuelto más selectivo en las actividades de ocio a que te dedicas. Esto es esencialmente bueno. Pero no temas, no has perdido tu alegría de vivir. Saturno saldrá de tu quinta casa a fin de año, y el año que viene se reanudan las festividades.

Plutón lleva muchos años en tu sexta casa, y continuará en ella muchos años más. Esto produce la tendencia a intervenciones quirúrgicas, pero también indica que los regímenes de desintoxicación son beneficiosos; deberías explorar más estos regímenes. Hablaremos más de esto.

---

* Las previsiones de este libro se basan en el Horóscopo Solar y todos los signos que derivan de él; tu Signo Solar se convierte en el Ascendente, y las casas se numeran a partir de él. Tu horóscopo personal, el trazado concretamente para ti (según la fecha, hora y lugar exactos de tu nacimiento) podrían modificar lo que decimos aquí. Joseph Polansky

Neptuno está en tu octava casa desde 2012; esto indica la necesidad de elevar, espiritualizar, los impulsos sexuales; tiene que elevarse del instinto animal a un acto de culto.

Urano, tu planeta del amor, está en tu novena casa desde 2011; así pues, siguen vigentes muchas de las tendencias en el amor de que hemos hablado en años anteriores. El amor se encuentra en otros países y tal vez con personas extranjeras. Volveremos sobre este tema.

Las facetas de mayor interés y atención para ti este año son: la comunicación y las actividades intelectuales (hasta el 10 de octubre); el hogar y la familia (a partir del 11 de octubre); los hijos, la diversión y la creatividad (hasta el 21 de diciembre); la salud y el trabajo; la sexualidad, la transformación y la reinvención personales, los estudios ocultos o herméticos; la religión, la filosofía, la formación superior y los viajes al extranjero.

Los caminos para tu mayor satisfacción este año son: las finanzas (hasta el 29 de abril); el cuerpo y la imagen (a partir del 29 de abril); la comunicación y los intereses intelectuales (hasta el 10 de octubre); el hogar y la familia (a partir del 11 de octubre).

Salud

(Ten en cuenta que esta es una perspectiva astrológica de la salud, no una médica. Antaño no había ninguna diferencia, ambas eran idénticas, pero en esta época podrían diferir muchísimo. Para una perspectiva médica, por favor, consulta a tu médico o a otro profesional de la salud.)

La salud se ve buena este año. Todos los planetas lentos o bien te forman aspectos armoniosos o te dejan en paz. El 11 de octubre Júpiter comienza a formar un aspecto desfavorable, pero es mínimo, no basta para causar problemas. Con este buen apoyo planetario, si ya hubiera algún trastorno debería mejorar mucho.

Este año está muy fuerte tu sexta casa, la de la salud (y a fin de año estará más fuerte aún). Esto significa que la salud es importante para ti y le prestas atención; tal vez demasiada, más de lo que es necesario. No hay ninguna necesidad de aterrarse ante cada pequeña molestia, y esta es la tendencia cuando la sexta casa está fuerte. Muchas de estas molestias las causan diaria y mensualmente los planetas rápidos; cuando acaba el tránsito desfavorable se acaba la molestia.

Por buena que sea tu salud, siempre la puedes mejorar. Da más atención a las siguientes zonas, que son las vulnerables en tu carta:

El corazón. Este órgano es siempre importante para Leo. Te irá bien trabajar los puntos reflejos. Los sanadores más espirituales afirman que la preocupación y la ansiedad (debidas a falta de fe) son las causas principales de los problemas cardiacos. Evítalas. Vive tu vida relajado y desarrolla más fe. Los ejercicios de relajación son muy útiles también.

La columna, las rodillas, la dentadura, los huesos, la piel y la alineación esquelética general. Estas zonas también son siempre importantes para ti. El regente de estas zonas, Saturno, es tu planeta de la salud. Por lo tanto, los masajes periódicos en la espalda y las rodillas deberían formar parte de tu programa de salud. Te conviene hacer visitas periódicas a un quiropráctico u osteópata, y es necesario mantener bien alineados los huesos del esqueleto y las vértebras. En este sentido son buenas las terapias como el Rolfing, el Feldenkreis y la Técnica Alexander; esta última técnica es especialmente buena como método preventivo. Debido a malos hábitos en la postura corporal, muchas veces la persona, sin darse cuenta, desalinea la columna o los huesos del esqueleto; es necesario volver a entrenar el cuerpo para que corrija las posturas. También es importante hacerse revisiones periódicas de la dentadura. Para hacer ejercicio protege bien las rodillas.

El hígado y los muslos. Estas zonas sólo han sido importantes los dos últimos años. Te irá bien trabajar los puntos reflejos. La función del hígado ha estado perezosa últimamente, y si te sientes indispuesto te convendría una limpieza del hígado con infusiones de hierbas. El masaje periódico en los muslos no sólo fortalece el hígado y los muslos, sino también la parte inferior de la espalda. Estas zonas serán menos vulnerables cuando Saturno entre en Capricornio a fin de año.

El colon, la vejiga y los órganos sexuales. Estos órganos se volvieron vulnerables en 2008, cuando Plutón entró en tu sexta casa, la de la salud; y continuarán siendo importantes muchos años por venir. Hay que mantener limpio el colon; podría convenirte una limpieza con infusiones de hierbas, por vía oral o en forma de enemas. Muchos naturópatas afirman que todas las enfermedades comienzan en el colon; tenerlo limpio es importante. También son importantes la moderación sexual y el sexo seguro; escucha a tu cuerpo y hazle caso cuando te diga «basta».

Plutón en tu casa de la salud también da otros mensajes. Este planeta tiende a la intervención quirúrgica, como hemos dicho, pero también indica que respondes bien a los regímenes de desintoxicación. La buena salud no va tanto de añadir cosas al cuerpo como de liberarlo de lo que no debe estar en él.

Dado que Plutón rige tu cuarta casa, el horóscopo dice que es muy importante la salud emocional; es necesaria la armonía familiar. Si hay una discordia (y las ha habido en cantidad estos últimos años), esta podría ser la causa principal de tus problemas de salud. Procura mantener positivos y constructivos los estados anímicos y los sentimientos.

Hogar y vida familiar

La situación familiar y doméstica ha sido inestable desde hace unos años. Tal vez ha sido necesario hacer reparaciones importantes en la casa, o ha habido gastos repentinos o conmoción familiar; es posible que se haya producido una ruptura en la familia, o podría haber muerto un familiar. Otra posibilidad es que algún familiar haya pasado por una experiencia de casi muerte. Ya ha pasado lo peor de la inestabiliad. De 2010 a 2014 fueron los años más difíciles. Si pasaste bien por ese periodo, pasarás bien este.

Las cosas comienzan a mejorar después del 11 de octubre, cuando Júpiter entra en tu cuarta casa. Comenzará a prosperar un progenitor o figura parental (que ha pasado por muchas dificultades en los últimos años); hay buen apoyo familiar; habrá muchas oportunidades para generar armonía y reconciliación en la familia. Este es un periodo de «buenos sentimientos».

Normalmente no tiendes a la depresión, eres de naturaleza optimista, y aunque estos últimos años te ha resultado más difícil serlo, ahora se te hace más fácil. Esto tendrá un efecto positivo en tu salud, como hemos dicho.

La entrada de Júpiter en tu cuarta casa indica expansión del círculo familiar; esto suele ocurrir por nacimientos y bodas (si estás en edad de concebir serás más fértil en este periodo, y más fértil aún después del 21 de diciembre). Tienes buen apoyo emocional por parte de los hijos y las figuras filiales de tu vida. Además, conocerás a personas que serán como familiares para ti, que te darán el apoyo emocional que se debiera recibir de la familia.

Júpiter es el señor de tu quinta casa, la de la diversión, la alegría y la creatividad; así pues, lo pasas muy bien en casa divirtiéndote con los familiares; la vida familiar se vuelve más alegre.

Es posible que tu casa ya sea un campo de juego, con muchos juegos y artilugios de entretenimiento; esto es cosa de Leo. Pero este año añades más a la mezcla. Tal vez modernizas tus equipos de música y cine, o el teatro casero, o compras nuevos juegos y juguetes (de niños y de adultos). Durante varios años (desde 2008) te has esforzado en hacer más sana la casa; tal vez has instalado aparatos de salud, equipo para ejercicio u otros artilugios médicos. A veces esto se debe a que en casa hay una persona enferma, otras simplemente por el deseo de estar más en forma. Esta tendencia continúa este año.

Júpiter en la cuarta casa indica mudanza, como hemos dicho; una mudanza feliz. A veces indica la compra de otra casa o la renovación de la actual, haciéndola más grande. En el caso de que te mudes o compres otra casa, la veo en una zona de tipo balneario o tal vez cerca de un lugar con mucha recreación.

También hay suerte en la compra o venta de una casa.

Si tienes planes para hacer obras importantes de construcción o renovación, a partir del 9 de diciembre es buen periodo. Si tienes planes para embellecer la casa, del 7 de noviembre al 1 de diciembre es buen periodo.

Profesión y situación económica

Como hemos dicho, sales de dos años de excelentes ingresos; has conseguido la mayoría de los objetivos económicos a corto plazo. Este año las finanzas no son muy importantes; tu casa del dinero está vacía, sólo transitan por ella los planetas rápidos. La casa del dinero vacía indica que estás más o menos satisfecho con las cosas como están; no necesitas ni deseas hacer cambios; más o menos das por descontada la prosperidad; buena señal.

El nodo norte de la Luna (que no es un planeta, sino un punto abstracto) está en tu casa del dinero hasta el 29 de abril. Esto indica satisfacción respecto a las finanzas; también indica «exceso». Tal vez tu problema es que tienes demasiado dinero; es agradable tener este problema. El cónyuge, pareja o ser amado actual podría tener el problema contrario; en su casa del dinero está el nodo sur de la Luna, y esto produce la sensación de «carencia», de insuficiencia; así pues, aún en el caso de que esta persona prospere, seguirá pensando que «no tiene suficiente».

Júpiter pasa la mayor parte del año en tu tercera casa, la de la comunicación y los intereses intelectuales. Esto va a expandir tu mente y tu base de conocimientos; desde el punto de vista financiero indica «ideas ricas», riqueza intelectual; aumenta de valor lo que posees de propiedad intelectual; indica ingresos provenientes de actividades comerciales, compra y venta. Es posible que te compres coche y equipo de comunicación nuevos, y de los buenos.

El 11 de octubre Júpiter entra en tu cuarta casa, lo que trae buen apoyo financiero de la familia; indica prosperidad y generosidad de un progenitor o figura parental. Suele indicar una casa nueva y más grande y la compra o venta afortunada de una casa. Favorece los ingresos provenientes de inmobiliaria residencial, restaurantes y empresas de alimentación. Si eres psicoterapeuta tendrás un buen año.

En las finanzas hay muchas tendencias que no se pueden tratar en esta sección; hablaremos de ellas en las previsiones mes a mes. Mercurio es un planeta muy rápido, sólo la Luna es más rápida que él, y a lo largo del año transita por todo el horóscopo. Por lo tanto, el dinero y las oportunidades de ingresos pueden llegarte de diversas maneras, de diversos lugares y a través de diversas personas; todo depende de dónde está Mercurio en un determinado momento y de los aspectos que recibe. Tratándose de finanzas, eres muy flexible y cambiante; te gusta tener muchos asuntos entre manos.

En general Mercurio favorece el comercio (lo que va bien este año) y el uso de la propiedad intelectual.

Este año Mercurio hace movimiento retrógrado cuatro veces; normalmente lo hace tres veces. Así pues, tendrás que hacer más reflexión y análisis que de costumbre para tus gestiones financieras (el año pasado también fue así).

Mercurio estará retrógrado en los siguientes periodos: del 1 al 8 de enero; del 9 de abril al 3 de mayo; del 11 de agosto al 5 de septiembre, y del 3 al 23 de diciembre. En estos periodos hay que evitar hacer compras o inversiones importantes (lógicamente compras los alimentos y las cosas necesarias, nos referimos a compra de artículos caros). Estos periodos son para hacer revisión de la vida financiera y ver qué mejoras se pueden hacer; son periodos para conseguir claridad respecto a las finanzas. Cuando llegue la claridad, las decisiones y planes serán buenos.

La profesión no es un asunto importante este año. Tu décima casa, la de la profesión, está esencialmente vacía; sólo transitan por ella los planetas rápidos. No es, pues, un año fuerte en la profesión; son más importantes el hogar y la familia, en especial después del 11 de octubre. Disfruta de este descanso. Dentro de uno o dos años Urano entrará en tu décima casa y se quedará en ella muchos años. Entonces la profesión será muy ajetreada, muy interesante y con mucho cambio.

Tu planeta de la profesión, Venus, también es de movimiento muy rápido; a lo largo del año transita por todo el horóscopo. Hay, por lo tanto, muchas tendencias a corto plazo en la profesión que es mejor tratar en las previsiones mes a mes.

Amor y vida social

Igual que en la faceta finanzas, sales de dos años fuertes en lo romántico y social. Es posible que te hayas casado o entablado una relación romántica, y al parecer estás satisfecho con las cosas como están. No tienes necesidad de prestarles mucha atención. Buena señal.

De todos modos, si surgiera algún problema, la causa principal sería la falta de atención; comienza a prestar más atención.

Así pues, en el amor no hay novedades ni cambios este año. Si estás soltero o soltera tenderás a continuar como estás, y si estás casado o casada, lo mismo.

El eclipse lunar del 7 de agosto ocurre en tu séptima casa, la del amor. Este eclipse pondrá a prueba las relaciones. Saldrán a la superficie los trapos sucios, los agravios reprimidos, para que se puedan resolver o corregir. Si hay defectos en la relación, será el momento de que te enteres. Si la relación es buena sobrevive al eclipse e incluso mejora, pero si es defectuosa es posible que se disuelva.

Un eclipse en la séptima casa no tiene por qué producir cosas «malas». Indica un cambio en el estado civil; con este tipo de eclipse, a veces una persona soltera decide casarse; la decisión se podría tomar este año y la boda celebrarse más adelante.

Tu planeta del amor, Urano, lleva años en tu novena casa (desde 2011). Siguen pues en vigor muchas de las tendencias que ya hemos explicado. Las oportunidades amorosas se presentan en otros países y tal vez con personas extranjeras; cuanto más exótica es la persona, más te gusta. También hay oportunidades amorosas en tu lugar de culto o en la universidad. Si estás soltero o soltera es aconsejable que asistas a funciones religiosas o educativas; otros asistentes podrían presentarte a una persona especial (tal vez también el pastor, sacerdote, rabino o imán).

Este es el tipo de tránsito en que la persona se enamora del pastor religioso, sacerdote, rabino o imán, o de un profesor universitario. Hay una atracción por personas de tipo mentor; aprender forma parte del atractivo romántico en este periodo; el amor no sólo va de amor sino también de formación.

El planeta del amor en la novena casa también nos indica la manera de remediar los problemas en una relación: irá bien hacer un viaje juntos al extranjero, o asistir juntos a ceremonias de culto, o tomar un curso como pareja y asistir juntos a las clases.

El planeta del amor en el acalorado Aries exacerba una tendencia de nacimiento; por naturaleza eres persona de amor a primera vista, y en este periodo lo eres más aún. La tendencia es formalizar una relación seria con demasiada rapidez. El problema de tener al planeta del amor en Aries es que si bien la pasión inicial es arrolladora, es difícil mantenerla mucho tiempo; tiende a apagarse.

Urano se está preparando para salir de Aries el año que viene; va a coquetear con Tauro, entrando y saliendo, y en 2019 entrará en Tauro para quedarse muchos años. Esto producirá muchos cambios en la actitud y necesidades en el amor. Lo bueno es que el amor será más estable y duradero, al menos buscarás eso; no te precipitarás a nada con tanta rapidez. Si estás soltero o soltera y sin compromiso, conocerás a personas muy poderosas y de elevada posición.

Progreso personal

Neptuno, tu planeta de la sexualidad y la transformación personal, está en tu octava casa desde 2012, y continuará en ella muchos años más. El tránsito de un planeta lento no debe considerarse un «acontecimiento», sino más bien un «proceso», un proceso de larga duración. Por lo tanto, como hemos dicho, la vida sexual, el deseo y la expresión sexuales se refinan, se espiritualizan y se elevan; este es el programa cósmico. El proceso ha comenzado, pero dista mucho de haber terminado; el deseo sexual se va a elevar de deseo carnal a un acto de culto; se eleva en vibraciones (lo que en realidad es la única relación sexual segura que existe). Es posible que te interese saber cómo se hace esto. Si estudias el yoga kundalini, el yoga tantra, la ciencia hermética o la cábala, lo sabrás. En esto hay un proceso científico.

Si te sientes hastiado de «lo mismo, lo mismo», procura espiritualizar el acto sexual; te sorprenderás. El placer no sólo se siente en zonas físicas, sino también en diferentes chakras y diferentes partes del cuerpo. Este tipo de relación sexual no agota sino que te deja con más energía que antes.

Elevar el acto sexual es bueno no sólo para tu vida espiritual, sino que también mejora tu salud general. Los órganos sexuales han estado más vulnerables desde hace unos años.

Júpiter, como hemos dicho, está en tu tercera casa hasta el 11 de octubre. La mente está aguda y despejada; el aprendizaje va más rápido. Es fabuloso leer esos libros que siempre has deseado leer, hacer esos cursos que siempre has deseado hacer, asistir a esos seminarios y talleres que te interesan. Este es el periodo para hacerlo. Aprender es agradable y, según Aristóteles, uno de los mayores placeres de la vida. Este es un año en que te enteras de esto. Dentro de un año más o menos la profesión va a ser hiperactiva y es posible que no tengas tiempo para hacer estas cosas, así que, aprovecha el regalo cósmico.

Previsiones mes a mes

Enero

Mejores días en general: 5, 6, 13, 14, 22, 23, 24
Días menos favorables en general: 1, 7, 8, 20, 21, 27, 28
Mejores días para el amor: 1, 2, 5, 6, 12, 13, 14, 20, 21, 23, 24, 27, 28, 31
Mejores días para el dinero: 1, 6, 10, 15, 16, 18, 19, 25, 26, 28, 29
Mejores días para la profesión: 2, 7, 8, 12, 20, 21, 31

Comienzas el año con la mayoría de los planetas en el sector occidental o social de tu carta; decir que es el sector dominante es quedarse corto. A partir del 20 el 90 por ciento de los planetas están en este sector; el 19 se hace poderosa tu séptima casa, la del amor y las relaciones sociales, mientras que tu primera casa, la del yo, está vacía, sólo transita por ella la Luna, los días 13 y 14. El mensaje es clarísimo: la energía cósmica apoya a los demás, y eso es lo que debes hacer tú. En este periodo se te pide ser generoso. Entendámonos bien, el legítimo interés propio, ocuparse de uno mismo, no es malo, no es un vicio. Lo que ocurre simplemente es que ahora no estás en ese ciclo. Dentro de unos meses aumentarán tu poder y tu independencia personales, aun cuando este año tu sector oriental, el del yo, nunca llegará a estar tan dominante como el occidental. Esto quiere decir que estás en unas vacaciones de ti mismo; cultivas y perfeccionas tus dotes sociales; en este periodo no cuentan mucho tu capacidad ni tu iniciativa, lo que cuenta es tu capacidad para llevarte bien con los demás, tu simpatía; eso te atraerá tu bien. Lo bueno es que en este periodo te inclinas naturalmente a esto; no tienes que hacer un esfuerzo muy grande. El 19 el Sol, señor de tu horóscopo, entra en tu séptima casa, la del amor y las actividades sociales, lo que contribuye a que aumente tu popularidad; se te da naturalmente estar por los demás, en especial por tu cónyuge, pareja o ser amado actual; antepones sus intereses a los tuyos. Esto podría parecer un sacrificio, pero en realidad te trae mucho bien.

El amor es algo complicado hasta el 19, pero después es feliz. Se resuelven los conflictos o desacuerdos con el ser amado y quedáis en armonía. Si estás soltero o soltera y sin compromiso, a partir del 19 el mundo de internet parece ser un sitio para encuentros románticos.

Las finanzas se ven complicadas al comienzo del año. Mercurio, tu planeta del dinero, está en movimiento retrógrado hasta el 8. Evita, pues, hacer compras o inversiones importantes antes del 8, cuando Mercurio retoma el movimiento directo. Siempre eres especulador, pero refrénate del 5 al 8. El 13 Mercurio entra en Capricornio y entonces el juicio financiero es mejor y más estable; tendrían que ser buenas las decisiones financieras. El dinero llega de la manera anticuada, por el trabajo y el servicio productivo. A partir del 13 Mercurio está en Capricornio; este es buen periodo para hacer planes de ahorro e inversión a largo plazo. Considera la riqueza un proceso de larga duración, no un acontecimiento que ocurre una vez, o de «hacer el agosto», como reza el dicho.

Tu casa del dinero está vacía este mes, sólo transita por ella la Luna, los días 15 y 16. Es posible que no prestes mucha atención a las finanzas; por otro lado, esto suele indicar satisfacción con las cosas como están.

La salud es excelente todo el mes. Después del 19 se debilitan un poco la salud y la energía (también tu seguridad en ti mismo) pero no es nada grave: sólo un planeta, el Sol, está en aspecto desfavorable contigo.

Febrero

Mejores días en general: 1, 2, 9, 10, 19, 20, 28
Días menos favorables en general: 3, 4, 16, 17, 18, 24, 25
Mejores días para el amor: 1, 2, 9, 10, 19, 20, 24, 25, 28
Mejores días para el dinero: 3, 4, 5, 6, 12, 13, 14, 15, 24, 25, 26
Mejores días para la profesión: 3, 4, 9, 10, 19, 20, 28

Este mes tenemos dos eclipses, y los dos son fuertes en ti. Tómate las cosas con calma y reduce tus actividades durante estos periodos, unos cuantos días antes y otros tantos después.

El eclipse lunar del 11 (el 10 en América) ocurre en tu signo; todos los nativos de Leo lo sentiréis, pero si naciste del 9 al 13 de agosto lo sentirás más fuerte. Este eclipse trae una redefinición de tu identidad, del concepto que tienes de ti (cómo te consideras), de tu imagen y de la apariencia que presentas al mundo (el próximo eclipse también hará aflorar estos asuntos). Así pues, es el periodo para que te definas tú; si no, lo harán otros y es posible que eso no sea muy agradable. Si no has tenido cuidado en los asuntos dietéticos podría producirse una desintoxicación física, que no es una enfermedad, aunque los síntomas suelen ser los mismos: el cuerpo elimina materia de desecho; es sencillamente una limpieza del cuerpo. Este eclipse produce trastornos en una organización benéfica o espiritual a la que perteneces o con la que te relacionas. Hay dramas en la vida de gurús o personas tipo gurú. Con este eclipse a veces la persona hace cambios drásticos en su enseñanza y práctica espirituales; por lo general es un periodo para tomar medidas correctivas en la vida espiritual, lo cual es saludable.

El eclipse solar del 26 es en cierto sentido una repetición del eclipse lunar; lo que no se completó con el eclipse lunar se vuelve a estimular. Ocurren incidentes que te obligan a cambiar tu imagen y el concepto de ti mismo. Dado que este eclipse hace impacto en Neptuno, también afecta a la vida espiritual. Pero trae algo más: ocurre en tu octava casa (por eso hace impacto en Neptuno, el señor de esta casa y su ocupante), así que podría haber encuentros con la muerte; esto no significa de ninguna manera que vayas a morir, sino que tienes experiencias que te hacen pensar en la muerte. Tal vez muere una persona amiga; tal vez tienes una experiencia en que te salvas «por un pelo»; tal vez en el diario lees acerca de una muerte horripilante y esto te hace pensar, reflexionar. A veces la persona sueña con la muerte. Estas cosas son mensajes del Cosmos para que te tomes más en serio la vida y cumplas la finalidad para la cual naciste. Además, estas cosas sirven para entender mejor la muerte y perderle el miedo. Este eclipse obliga al cónyuge, pareja o ser amado actual a hacer cambios drásticos en sus finanzas, tal vez a hacer cambios en sus inversiones, estrategia y planes; el planteamiento financiero de esta persona no ha sido realista y el eclipse lo hace aflorar.

La salud continúa buena todo el mes, aunque durante los periodos de los eclipses debes tomarte las cosas con calma.

Marzo

Mejores días en general: 1, 9, 10, 18, 19, 28
Días menos favorables en general: 2, 3, 16, 17, 23, 24, 30
Mejores días para el amor: 1, 9, 10, 18, 19, 20, 23, 24, 27, 28
Mejores días para el dinero: 5, 6, 7, 8, 11, 12, 13, 14, 18, 19, 23, 24, 28, 29
Mejores días para la profesión: 1, 2, 3, 9, 18, 27, 30

El 7 del mes pasado el poder planetario se trasladó a la mitad superior de tu carta, la mitad que representa el mundo y los objetivos externos. Ahora son importantísimos tu vida, objetivos y ambiciones en el mundo externo. Puedes pasar tranquilamente a un segundo plano los asuntos domésticos y familiares y centrar la atención en tu profesión. Servimos a la familia de dos maneras; una manera es estar presente emocionalmente, asistir a las obras de teatro o partidos de fútbol del colegio, etcétera; la otra manera es triunfar en el mundo y ser el buen proveedor. Es difícil hacer ambas cosas al mismo tiempo. Ese nuevo contrato o ascenso podría servir para comprarle al niño ese ambicionado equipo o pagar el precio de un buen colegio. En esta fase de tu ciclo es mejor que triunfes en tu profesión y pases del partido de fútbol.

La profesión es importante pero delicada en este periodo; hay mucha incertidumbre, mucha falta de dirección. Tu planeta de la profesión, Venus, inicia movimiento retrógrado el 4 y continúa así hasta el 15 del próximo mes; la presencia de Marte en tu décima casa a partir del 10 sugiere la necesidad de actuar con más osadía (es posible que tengas que viajar este mes). Haz lo que sea necesario hacer, pero dedica más tiempo a reunir datos, a analizar y a reflexionar. La situación profesional no es la que crees; hay vueltas y giros.

Las finanzas no son muy importantes este mes; tu casa del dinero está vacía, sólo la Luna transita por ella los días 11 y 12. Como hemos dicho, esto suele indicar satisfacción con las cosas como están, pero también podría indicar que te has dormido en los laureles, así que si surgiera algún problema financiero se debería a que no has estado lo bastante atento.

Hasta el 13 tu planeta del dinero, Mercurio, está en Piscis, tu octava casa. Este es un buen periodo para pagar deudas; también es bueno para conseguir un préstamo o refinanciar uno ya existente; te veo muy involucrado en las finanzas del cónyuge, pareja o ser amado actual. Este es un buen periodo para eliminar el derroche y lo que está de más. Una buena desintoxicación de la vida financiera hace maravillas. Líbrate del exceso de posesiones, de las cosas que no necesitas ni usas; véndelas o regálalas a una asociación benéfica. El 13 Mercurio entra en Aries, tu novena casa; con esto aumentan tus ingresos y es muy probable que lleguen rápido; tus objetivos económicos son elevados y esto tiende al éxito. El planeta del dinero en Aries hace que la persona tienda al riesgo y a la especulación; tú ya tienes esa tendencia en todo caso, y ahora se acentúa más aún. Si te guías por la intuición, y no actúas por ciega ambición, estos riesgos te compensarán.

Después del 20 también es feliz la vida amorosa. Estás en la misma onda con el ser amado, en armonía. Hay sitios en el extranjero que son buenos para el romance si no estás en una relación, y esto puede ocurrir *online*, no necesariamente en otro país. El romance mejora más aún el próximo mes.

La salud es súper, en especial después del 20.

Abril

Mejores días en general: 5, 6, 14, 15, 16, 24, 25
Días menos favorables en general: 12, 13, 19, 20, 21, 26, 27
Mejores días para el amor: 4, 5, 6, 12, 13, 15, 16, 19, 20, 21, 23, 24, 25
Mejores días para el dinero: 1, 7, 8, 10, 11, 18, 19, 20, 21, 24, 25, 28, 29
Mejores días para la profesión: 4, 12, 13, 23, 26, 27

Continúa esforzándote por encontrar la claridad respecto a tu profesión; el 15 ya debería ocurrir esto; después, cuando el Sol cruce tu medio cielo el 19, estarás preparado para actuar de forma potente. Tienes mucho éxito este mes, en especial después del 19; estás en la cima de tu mundo, al mando, justo donde te corresponde estar.

Este mes se ve mucho viaje relacionado con trabajo o negocios; tu disposición a viajar es importante para tu éxito. También hay mucho trato o negocio con extranjeros o en otros países.

La entrada de Mercurio en tu décima casa el 1 indica aumento de sueldo (ya sea de forma oficial o no oficial); indica que en tus finanzas cuentan con el favor de jefes y las figuras de autoridad de tu vida; tu excelencia profesional te atrae muchas y felices oportunidades financieras. El único problema este mes es que Mercurio inicia movimiento retrógrado el 9; esto podría ser causa de retrasos y contratiempos; el juicio financiero podría no ser realista (tal vez demasiado pesimista). Como siempre, evita hacer compras o inversiones importantes después del 9. Teniendo retrógrado a tu planeta del dinero, no empeores las cosas por descuidos; guarda todos los recibos, comprueba que has puesto bien la fecha y el nombre en los talones o cheques; habrá retrasos, pero no hace ninguna falta contribuir a ellos. El 20 Mercurio vuelve a entrar en Aries, retrógrado; resiste la tentación de especular o correr en pos del dinero fácil. Si no puedes evitarlo, especula con la mitad de lo que apostarías normalmente.

Hasta el 19 tienes la energía de diez personas; es muy probable que estés hiperactivo, pasando de una actividad a otra sin ningún descanso; haces mucho. Pero después del 19 aminora un poco la marcha. La salud es buena, sólo hay dos planetas en alineación desfavorable, y los dos son rápidos. El 21 Marte entra en Géminis y en aspecto armonioso contigo. Pero de todos modos, no estás en tu mes más fuerte en la salud. Vas a continuar siendo activo, pero programa más ratos de descanso.

El amor va súper este mes. Los días 13 y 14 el Sol y Urano viajan juntos (esto podrías sentirlo antes); si estás soltero o soltera esto indica un importante encuentro romántico; esto puede presentarse en un sitio web, en tu lugar de culto o en el colegio. Si estás casado o casada o en una relación, indica felices invitaciones sociales y una nueva amistad. El amor es «eléctrico» este mes; atraes a personas con las que se produce «amor a primera vista»: el amor avanza más rápido; vas en pos de lo que deseas, no hay timidez ni juegos de simulación.

Mayo

Mejores días en general: 2, 3, 12, 13, 21, 22, 29, 30
Días menos favorables en general: 9, 10, 17, 18, 23, 24
Mejores días para el amor: 2, 3, 12, 13, 17, 18, 21, 22, 30
Mejores días para el dinero: 2, 3, 4, 5, 7, 8, 13, 16, 17, 18, 23, 24, 25, 26
Mejores días para la profesión: 2, 3, 12, 13, 21, 22, 23, 24

En marzo y abril el ritmo de la vida fue rápido, tal como a ti te gusta. Este mes las cosas van más lentas, pero lo principal es que el elemento fuego es menos intenso que en los dos últimos meses. Disfruta de este ritmo más calmado; es muy probable que hayas sido hiperactivo; es renovador tomarse un descanso.

La salud continúa buena, y será mejor aún después del 20. Si te sintieras indispuesto fortalece la salud de las manera explicadas en las previsiones para el año.

Las finanzas van bien este mes, en especial después del 3, cuando Mercurio retoma el movimiento directo. Las especulaciones deberían ser más favorables después de esta fecha; hasta el 16 tu toma de decisiones en las finanzas sigue siendo muy rápida, tal vez precipitada, pero esto debería mejorar estando Mercurio en movimiento directo.

La profesión va de mil maravillas; tu planeta de la profesión, Venus, está en movimiento directo y sigues en una cima profesional anual. Hay mucho éxito, y rápido además. La nueva entrada de Mercurio en tu décima casa el 16 trae aumento de sueldo (si aún no lo ha habido) y el favor de superiores y autoridades de tu vida. Si tienes algún asunto financiero pendiente con algún organismo gubernamental, este es un buen periodo para resolverlo; después del 16 tendrás las mejores posibilidades.

Del 1 al 11 Mercurio viaja con Urano, periodo bastante largo (Mercurio avanza lento este mes); esto indica cambios importantes en las finanzas; el dinero te llega de forma inesperada. Tus contactos sociales te apoyan económicamente, y en especial tu pareja actual; las actividades *online* producen beneficios, pero también podría haber gastos repentinos, inesperados, y esto podría inducir a hacer cambios necesarios. El 9 y el 10 el Sol forma trígono con Plutón, lo que indica armonía con la familia; el 31 Mercurio forma trígono con Plutón, señal de buen apoyo financiero por parte de la familia y viceversa.

Del 10 al 14 Marte forma aspectos hermosos con Júpiter; esto indica la oportunidad de viajar al extranjero; también indica buena suerte si eres estudiante universitario o solicitas la admisión en una universidad. Los hijos y figuras filiales prosperan y tienen suerte en las especulaciones.

El 25 la vida onírica podría ser hiperactiva y reveladora; préstale atención.

Junio

Mejores días en general: 8, 9, 18, 19, 26, 27
Días menos favorables en general: 5, 6, 7, 13, 14, 20, 21
Mejores días para el amor: 9, 10, 11, 13, 14, 19, 20, 21, 27, 28, 29
Mejores días para el dinero: 1, 2, 3, 4, 13, 14, 22, 23, 24, 28, 29, 30
Mejores días para la profesión: 10, 11, 20, 21, 28, 29

El 6 del mes pasado el poder planetario se trasladó al sector oriental de tu carta, y este traslado es aún más pronunciado el 6 de este mes pues Venus pasa de tu sector occidental al oriental. Entras en un periodo de independencia y poder personales (muy importantes para Leo). Sí, es agradable tener amistades y una feliz vida social, pero estas cosas conllevan ataduras y obligaciones: se limita el poder personal; te es más difícil hacer las cosas que verdaderamente deseas hacer. Esto cambia ahora. El poder planetario avanza hacia ti: no se aleja, te apoya. Es importante tu felicidad, son importantes tus intereses. Este es el periodo para ocuparte de estos, para asumir la responsabilidad de tu felicidad y hacer los cambios que es necesario hacer. Deja que el mundo se adapte a ti, que no a la inversa.

La profesión sigue siendo importante este mes, pero va disminuyendo. El 6 ya habrá un solo planeta, Venus, en tu décima casa; esto indica la importancia de las conexiones sociales en la profesión. Los hermanos y figuras fraternas prosperan este mes y te apoyan. También son importantes tus dotes de comunicación.

Las finanzas siguen no siendo muy importantes; tu casa del dinero continúa vacía, sólo la Luna transita por ella, los días 1, 2, 28 y 29. La Luna pasa más tiempo de lo habitual en tu casa del dinero, lo que indicaría buena intuición financiera (en especial esos días). Mercurio avanza raudo este mes; esto indica seguridad en ti mismo, indica a la persona que cubre rápidamente mucho terreno financiero. El único problema es tu falta de atención.

Del 6 al 21 Mercurio está fuerte en su signo, Géminis; tu labia es tu fortuna; este aspecto favorece el comercio, la compra y la venta. Si trabajas en ventas o mercadotecnia, deberías tener un buen mes. El 21 Mercurio entra en Cáncer, tu casa doce, lo que indica una intuición financiera muy sólida, como hemos visto de otras maneras. La orientación financiera te llegará en sueños o a través de videntes, astrólogos, canalizadores espirituales, pastores religiosos o gurús. En estos momentos adquiere relevancia el apoyo familiar y las conexiones familiares.

El ritmo de la vida es más tranquilo, y la salud es excelente.

Este mes el amor no destaca demasiado. Me parece que las amistades y las actividades de grupo son más importantes, y felices.

Julio

Mejores días en general: 5, 6, 15, 16, 23, 24
Días menos favorables en general: 3, 4, 10, 11, 17, 18, 30, 31
Mejores días para el amor: 6, 10, 11, 16, 19, 20, 24, 28, 29
Mejores días para el dinero: 1, 4, 10, 11, 16, 19, 20, 25, 26, 28, 29
Mejores días para la profesión: 10, 17, 18, 19, 20, 28, 29

Este mes es feliz y próspero, Leo, uno de los mejores de tu año. Que lo disfrutes.

Ocurren tantas cosas buenas que no sabemos por dónde empezar. En primer lugar, este mes y el próximo estás en el punto máximo de tu independencia y poder personales. Puedes dar forma a tu vida según tus especificaciones. Puedes, y debes, tener las cosas a tu manera; tu felicidad depende de ti. Si aún no has hecho los cambios que deseas hacer, este es el periodo para hacerlos.

La astrología confirma las enseñanzas espirituales; las cosas, buenas o malas, tienen que ocurrir primero en el interior para que puedan ocurrir en el exterior. Estas cosas interiores ocurren hasta el 22, con tu casa doce, la de la espiritualidad, muy poderosa. Después del 22 la expansión interior se manifestará en el exterior, y esto lo sentirás incluso antes. Dedica la primera parte del mes a tu práctica espiritual: los resultados los verás más adelante.

El 6 Mercurio cruza tu ascendente y entra en tu primera casa; esto indica que el dinero y las oportunidades te persiguen; no puedes evitarlas. Llegan beneficios inesperados; las amistades te ofrecen oportunidades; prosperan las actividades *online*. Gastas en ti, te vistes con elegancia y das la imagen de prosperidad; esto te atrae oportunidades financieras.

El amor está algo difícil la primera parte del mes, pero el 22, cuando entra el Sol en tu signo, hay una gran mejoría. En primer lugar, te ves bien, tu apariencia resplandece. Leo siempre tiene apariencia de estrella, pero en este periodo esta cualidad se acentúa.

Marte estará en tu signo a partir del 20 y con esto aumentará el carisma. Estás fuerte y enérgico, muy magnético, y el sexo opuesto lo nota. Con este aspecto, la forma de tu cuerpo no importa, es la energía que irradias la que crea el encanto. En último término las personas se sienten más atraídas por un campo energético sano que por cosas puramente físicas.

La entrada de Marte en tu signo indica viaje al extranjero y relaciones con personas extranjeras; tal vez una persona amiga extranjera viene a alojarse contigo.

Este es un aspecto fabuloso si eres estudiante universitario; las facultades te buscan, que no a la inversa.

La salud y la energía son súper; no hay nada que no puedas realizar o conseguir este mes.

Agosto

Mejores días en general: 1, 2, 3, 11, 12, 20, 21, 29, 30
Días menos favorables en general: 6, 7, 8, 13, 14, 26, 27
Mejores días para el amor: 2, 3, 6, 7, 8, 9, 10, 11, 12, 18, 19, 20, 28, 29, 30
Mejores días para el dinero: 4, 5, 6, 7, 13, 14, 16, 22, 23, 24, 25, 31
Mejores días para la profesión: 9, 10, 13, 14, 18, 19, 28, 29

Este mes te afectan dos eclipses, pero tienes toda la energía y la ayuda para arreglártelas con ellos. Aun cuando tu salud es excelente, no te hará ningún daño tomarte las cosas con calma y reducir tus actividades durante los periodos de los eclipses.

El eclipse lunar del 7 ocurre en tu séptima casa, la del amor, y pone a prueba la relación actual. Normalmente la dificultad surge porque salen a la luz viejos agravios (reales o imaginados) que han estado reprimidos mucho tiempo, para que se traten y resuelvan; a veces la dificultad en la relación se debe a un drama de la persona amada, de esos que cambian la vida. En todo caso, una buena relación supera las dificultades y mejora. Las relaciones defectuosas son las que están en peligro. A veces, con este tipo de eclipse, la persona soltera decide casarse, desea dar el siguiente paso en la relación. Todos los eclipses lunares activan la vida onírica y, por lo general, no de manera positiva; no hagas mucho caso a esto; el eclipse agita el mundo astral y esto se refleja en los sueños. Todos los eclipses lunares producen cambios espirituales, drásticos; se hace necesario tomar medidas correctivas en la vida espiritual, tal vez cambiar de enseñanza y de práctica. Hay trastornos o reestructuración en una organización benéfica a la que perteneces y en la vida de tu gurú o figura de gurú. Este eclipse hace impacto en Marte, con mucha exactitud; evita viajar al extranjero durante este periodo. Hay trastornos en tu lugar de culto. Si tienes pendiente algún asunto legal o judicial, este da un giro radical, en uno u otro sentido. Si eres estudiante universitario o de posgrado haces cambios importantes en tus planes de estudio.

El eclipse solar del 21 es más fuerte en ti: no sólo hace impacto en el señor de tu horóscopo, el Sol, sino que además ocurre en tu primera casa, muy cerca de la cúspide de tu segunda casa. Nuevamente, como en febrero, los acontecimientos te obligan a redefinirte; nuevamente cambias de imagen, de apariencia y en la forma de presentarte al mundo. Tendrás una opinión diferente de ti y por lo tanto desearás que los demás también te consideren diferente; este proceso durará unos seis meses, un proceso no un incidente. Como en febrero, podría producirse una desintoxicación del cuerpo, sobre todo si no has tenido cuidado en los asuntos dietéticos; el cuerpo elimina la materia de desecho. Dado que este eclipse ocurre tan cerca de la cúspide de tu casa del dinero, habrá cambios importantes en las finanzas, pero en este periodo tu planeta del dinero está en movimiento retrógrado, así que reflexiona más acerca de los cambios; te conviene más que los pienses ahora y los pongas por obra el próximo mes, después del 5, cuando Mercurio retoma el movimiento directo. El 22 de este mes entras en una cima financiera anual, así que es probable que los cambios sean buenos, útiles.

El amor es tempestuoso a comienzos del mes, debido al eclipse, pero más adelante mejora. Hay buena armonía con el ser amado, y el eclipse solar podría traer un feliz encuentro romántico. Pero tu planeta del amor, Urano, inicia movimiento retrógrado el 3, así que ve lento en el amor; no hace ninguna falta precipitarse a nada.

Septiembre

Mejores días en general: 7, 8, 16, 17, 25, 26
Días menos favorables en general: 3, 4, 10, 23, 24, 30
Mejores días para el amor: 3, 4, 7, 8, 16, 17, 27, 28, 30
Mejores días para el dinero: 3, 4, 8, 9, 12, 13, 18, 19, 20, 21, 28, 29, 30
Mejores días para la profesión: 7, 8, 10, 16, 17, 28

El 26 del mes pasado, cuando Venus cruzó tu ascendente, el poder planetario pasó de la mitad superior de tu carta a la inferior. Esto representa un cambio psíquico en ti; la profesión es menos importante; tal vez ya has conseguido tus objetivos a corto plazo, pues Venus en tu signo indica que te ves y te sientes exitoso, y los demás te consideran así. Ha llegado el periodo para reorganizarte, reunir las fuerzas y prepararte para el próximo impulso profesional, que será el año que viene. Este es el periodo para poner en orden la vida doméstica y familiar y trabajar en tu bienestar emocional; una vida doméstica y emocional armoniosa es el cimiento sobre el que se asienta la profesión, así que te conviene tenerla en orden.

Este mes tenemos mucha actividad retrógrada, no tanta como el mes pasado, pero mucha de todos modos; hasta el 5 el 40 por ciento de los planetas están en movimiento retrógrado, y después el 30 por ciento, por lo tanto no te hará ningún daño tomarte un descanso de la profesión.

Continúas en una cima financiera anual. El 50 por ciento de los planetas o están en tu casa del dinero o transitan por ella este mes; esto es mucho poder; la casa del dinero está fuerte no sólo en cantidad sino también en calidad: los planetas que están en ella son muy importantes. Tu planeta del dinero retoma el movimiento directo el 5 y entra en tu casa del dinero el 10. Así pues, los ingresos son fuertes; el juicio financiero es mucho mejor después del 10 que antes; hasta el 10 podrías ser demasiado impulsivo en los gastos y las inversiones; después del 10 se modera esta impulsividad. Desde el 26 del mes pasado los mayores y figuras de autoridad se han mostrado afectuosos, de tu parte, y esta situación continúa hasta el 20; después del 20 cuentas con su favor financiero. Marte (que en tu carta es muy benéfico) entra en tu casa del dinero el 5 y continúa en ella el resto del mes, lo que indica expansión financiera; también trae viajes relacionados con negocios o trabajo, y buena suerte con empresas extranjeras o inversiones en el extranjero.

La situación laboral se ve ajetreada. Trabajas más que de costumbre; ten paciencia, el próximo mes acabará este estrés.

La salud es excelente todo el mes. Si te sintieras indispuesto fortalece la salud de las maneras indicadas en las previsiones para el año.

Octubre

Mejores días en general: 5, 6, 13, 14, 22, 23, 24
Días menos favorables en general: 1, 7, 8, 20, 21, 27, 28, 29
Mejores días para el amor: 6, 7, 8, 14, 17, 18, 23, 24, 27, 28
Mejores días para el dinero: 1, 9, 10, 11, 15, 16, 20, 30, 31
Mejores días para la profesión: 7, 8, 17, 18, 27, 28

No te aterres por la pausa en tu profesión; tu planeta de la profesión, Venus, tiene su solsticio del 16 al 19 (es muy posible que esto lo notes antes). La mitad inferior de tu carta sigue ultra poderosa, y tu cuarta casa, la del hogar y la familia, estará poderosa a partir del 11. La pausa es buena; habrá un cambio de dirección. Continúa con la atención en el hogar y tu bienestar emocional. Este es un buen periodo, en especial después del 23, para trabajar en tu profesión en la modalidad «interior», no con actos externos. Visualiza la situación en que deseas estar y lo que deseas conseguir; entra en el estado anímico y la sensación del éxito y luego sal de él. Esta práctica te conducirá a actuar de modo potente más adelante.

Este mes Júpiter hace un importante traslado (que ocurre una vez al año); sale de Libra, tu tercera casa, y entra en Escorpio, tu cuarta casa. Esto es un importantísimo titular del mes. La vida doméstica normal se vuelve más placentera; hay felicidad con los familiares y buen apoyo familiar también; el círculo familiar se ensancha, aumenta; hay más niños o figuras filiales en tu vida. Un progenitor o figura parental comienza a prosperar; la familia en su conjunto se ve más próspera también. Habrá buena suerte en la venta o compra de una casa.

El amor es problemático este mes. Hay distanciamiento entre tú y el ser amado, un distanciamiento que podría ser físico (en espacio) o psíquico (lo más probable). Dos personas pueden estar en la misma habitación y sin embargo estar psíquica y emocionalmente separadas por mundos y mundos de distancia. Supondrá mucho más esfuerzo resolver las diferencias. Esta es una tendencia de corta duración; el amor debería mejorar después del 23; tu planeta del amor, Urano, está en movimiento retrógrado, y esto no contribuye a mejorar las cosas.

Las finanzas van disminuyendo en importancia. Al comenzar el mes hay dos planetas en tu casa del dinero, Marte y Venus; a fin de mes esta casa estará vacía; los ingresos continúan fuertes, pero disminuyen el interés y la atención, pues lo más probable es que ya hayas conseguido tus objetivos financieros a corto plazo y no te sientas obligado a prestar mucha atención a esta faceta. Marte en la casa del dinero (hasta el 22) aumenta los ingresos e indica ingresos provenientes de otros países o de empresas extranjeras; indica viajes relacionados con negocios o trabajo; gastas más en formación y viajes. Venus en la casa del dinero (hasta el 14) indica que cuentas con el favor financiero de mayores, jefes, padres o figuras parentales. Mercurio, tu planeta del dinero, viaja con Júpiter los días 18 y 19; esto indica un bonito día de paga; hay suerte en las especulaciones también. El Sol viaja con Júpiter los días 26 y 27: otro bonito día de paga, y también suerte en las especulaciones.

Noviembre

Mejores días en general: 1, 2, 9, 10, 19, 20, 29, 30
Días menos favorables en general: 3, 4, 16, 17, 24, 25
Mejores días para el amor: 2, 6, 7, 10, 16, 17, 20, 24, 25, 26, 27, 30
Mejores días para el dinero: 7, 8, 9, 12, 13, 16, 17, 19, 20, 26, 27, 29, 30
Mejores días para la profesión: 3, 4, 6, 7, 16, 17, 26, 27

Este mes la acción está en la cuarta casa; incluso tu planeta de la profesión, Venus, entra en ella el 7. Esta es la profesión, esta es tu misión, tu prioridad este mes; si tu base hogareña está en orden, si hay bienestar emocional, la profesión externa cuidará de sí misma.

Cuando la cuarta casa está fuerte la persona siente pasión por el pasado; hay una gran necesidad de hacer las paces con él. No comprendemos realmente el presente mientras no comprendamos los acontecimientos que nos han llevado a él. El pasado pone el contexto para el presente y el futuro. Por lo tanto, cuando están en vigor estos aspectos, hay un enorme interés por la historia, la psicología, la genealogía familiar. Lógicamente detrás de todo esto está la naturaleza: es un ejercicio terapéutico. A veces nos encontramos con amistades de la infancia, o nos visitan o nos llaman por teléfono; a veces conectamos a través de las secciones vida social de los medios de comunicación, y revivimos los viejos tiempos; soñamos con experiencias del pasado, que suelen ser las desagradables. Mirar estas cosas desde la perspectiva del estado actual de madurez y comprensión resuelve muchos problemas y traumas. Sí, es bueno vivir en el momento presente, en el «ahora» como dicen los gurús, pero en el «ahora» podemos explorar el pasado.

La quinta casa, la de la diversión y la creatividad, viene después de la cuarta casa. La filosofía de la astrología da a entender que primero tenemos que hacer las paces con el pasado, con nuestro origen, es decir, hacer bien el trabajo de la cuarta casa, y después podemos divertirnos y disfrutar de los placeres de la vida. Lo bien que hagas tu trabajo de la cuarta casa influirá en tu experiencia de la quinta casa, que comienza el 22.

La salud continúa buena en general, pero hasta el 22 descansa y relájate más; este no es tu mejor periodo para la salud (comparado con otros). Si te sientes indispuesto fortalece la salud de las maneras explicadas en las previsiones para el año.

Aunque este mes la profesión no es un foco importante de atención, se presentan buenas oportunidades los días 12 y 13. También se presentan oportunidades profesionales para los hijos o figuras filiales. Los padres o figuras parentales se ven muy unidos; en el caso de que estén solteros, hay fuertes oportunidades románticas para ellos estos días.

Tu planeta del dinero, Mercurio, pasa buena parte del mes «fuera de límites». Así pues, tu búsqueda de ingresos y beneficios te lleva fuera de tu ambiente o círculo normal; exploras terreno desconocido, y esto parece necesario. El 6 Mercurio entra en tu quinta casa y trae suerte en las especulaciones; el dinero se gana de modos felices; tienes una actitud «despreocupada» hacia el dinero; te llega con facilidad y lo gastas con igual facilidad.

Diciembre

Mejores días en general: 7, 8, 16, 17, 26, 27
Días menos favorables en general: 1, 2, 14, 15, 21, 22, 28, 29
Mejores días para el amor: 7, 8, 16, 17, 18, 21, 22, 27, 28
Mejores días para el dinero: 5, 6, 7, 8, 9, 10, 14, 15, 16, 17, 24, 25, 26, 27
Mejores días para la profesión: 1, 2, 7, 8, 16, 17, 28, 29

Leo es el gran amante de la diversión del zodiaco. Apostaría a que si una noche cualquiera se hiciera una encuesta en clubes nocturnos, teatros o casinos, se encontraría un porcentaje desproporcionado de nativos de Leo (o personas que tienen muy fuerte este signo); los dos o tres últimos años has estado moderado, pero después del 21, cuando Saturno sale de tu quinta casa y entra en la sexta (que es su casa), desaparecen las inhibiciones; puedes soltarte.

El 23 del mes pasado entraste en una cima anual de placer personal, que continúa hasta el 21 (el próximo año las cimas de placer personal serán más fuertes; de todos modos ahora estás en una fase anual). Este es el periodo para gozar de la vida y hacer cosas que te hagan feliz. Normalmente eres una persona creativa y ahora lo eres más aún. Da rienda suelta a tu creatividad.

Tu planeta del amor continúa en movimiento retrógrado todo el mes, así que no hace ninguna falta tomar decisiones, pero la vida amorosa va mucho mejor; hay más armonía con el ser amado. Además, tu actitud libre y relajada es atractiva.

Tu planeta del dinero pasa el mes en tu quinta casa, posición que es feliz y próspera, pero del 3 al 23 estará en movimiento retrógrado. Procura refrenarte en las especulaciones; si no puedes resistir la tentación, apuesta con la mitad de lo que apostarías normalmente. Sigue habiendo ingresos durante el movimiento retrógrado, pero con más retrasos y contratiempos. Este movimiento retrógrado ocurre en plena temporada de compras navideñas, lo que complica las cosas. Si es posible haz las compras más importantes antes del 3; si no es posible, reflexiona más para decidir qué comprar; hazte un presupuesto realista; comprueba que las tiendas aceptan devoluciones.

En general este es un mes orientado a las fiestas, pero para ti lo es más. El 21 más o menos ya has acabado con las fiestas y estás preparado para el trabajo.

La salud está mucho mejor que el mes pasado. La entrada de Saturno en su signo y casa el 21 indica una actitud más seria hacia la salud y el trabajo. Estás dispuesto a programar regímenes a largo plazo para la salud y la buena forma física.

Los hijos y figuras filiales tendrán ciertas dificultades financieras los dos próximos años, pero este mes es próspero para ellos, en especial después del 21.

Virgo

La Virgen

Nacidos entre el 22 de agosto y el 22 de septiembre

Rasgos generales

VIRGO DE UN VISTAZO

Elemento: Tierra

Planeta regente: Mercurio
  Planeta de la profesión: Mercurio
  Planeta de la salud: Urano
  Planeta del dinero: Venus
  Planeta del hogar y la vida familiar: Júpiter
  Planeta del amor: Neptuno
  Planeta de la sexualidad: Marte

Colores: Tonos ocres, naranja, amarillo
  Color que favorece el amor, el romance y la armonía social: Azul
  Colores que favorecen la capacidad de ganar dinero: Jade, verde

Piedras: Ágata, jacinto

Metal: Mercurio

Aromas: Lavanda, lila, lirio de los valles, benjuí

Modo: Mutable (= flexibilidad)

Cualidad más necesaria para el equilibrio: Ver el cuadro completo

Virtudes más fuertes: Agilidad mental, habilidad analítica, capacidad para prestar atención a los detalles, poderes curativos

Necesidad más profunda: Ser útil y productivo

Lo que hay que evitar: Crítica destructiva

Signos globalmente más compatibles: Tauro, Capricornio

Signos globalmente más incompatibles: Géminis, Sagitario, Piscis

Signo que ofrece más apoyo laboral: Géminis

Signo que ofrece más apoyo emocional: Sagitario

Signo que ofrece más apoyo económico: Libra

Mejor signo para el matrimonio y/o las asociaciones: Piscis

Signo que más apoya en proyectos creativos: Capricornio

Mejor signo para pasárselo bien: Capricornio

Signos que más apoyan espiritualmente: Tauro, Leo

Mejor día de la semana: Miércoles

La personalidad Virgo

La virgen es un símbolo particularmente adecuado para los nativos de este signo. Si meditamos en la imagen de la virgen podemos comprender bastante bien la esencia de la persona Virgo. La virgen, lógicamente, es un símbolo de la pureza y la inocencia, no ingenua sino pura. Un objeto virgen es fiel a sí mismo; es como siempre ha sido. Lo mismo vale para una selva virgen: es prístina, inalterada.

Aplica la idea de pureza a los procesos de pensamiento, la vida emocional, el cuerpo físico y las actividades y proyectos del mundo cotidiano, y verás cómo es la actitud de los Virgo ante la vida. Desean la expresión pura del ideal en su mente, su cuerpo y sus asuntos. Si encuentran impurezas tratarán de eliminarlas.

Las impurezas son el comienzo del desorden, la infelicidad y la inquietud. El trabajo de los Virgo es eliminar todas las impurezas y mantener solamente lo que el cuerpo y la mente pueden aprovechar y asimilar.

Aquí se revelan los secretos de la buena salud: un 90 por ciento del arte del bienestar es mantener puros la mente, el cuerpo y las emociones. Cuando introducimos más impurezas de las que el cuerpo y la mente pueden tratar, tenemos lo que se conoce por malestar o enfermedad. No es de extrañar que los Virgo sean excelentes médicos, enfermeros, sanadores y especialistas en nutrición. Tienen un entendimiento innato de la buena salud y saben que no sólo tiene aspectos físicos. En todos los ámbitos de la vida, si queremos que un proyecto tenga éxito, es necesario mantenerlo lo más puro posible. Hay que protegerlo de los elementos adversos que tratarán de socavarlo. Este es el secreto subyacente en la asombrosa pericia técnica de los Virgo.

Podríamos hablar de las capacidades analíticas de los nativos de Virgo, que son enormes. Podríamos hablar de su perfeccionismo y su atención casi sobrehumana a los detalles. Pero eso sería desviarnos de lo esencial. Todas esas virtudes son manifestaciones de su deseo de pureza y perfección; un mundo sin nativos de Virgo se habría echado a perder hace mucho tiempo.

Un vicio no es otra cosa que una virtud vuelta del revés, una virtud mal aplicada o usada en un contexto equivocado. Los aparentes vicios de Virgo proceden de sus virtudes innatas. Su capacidad analítica, que debería usarse para curar, ayudar o perfeccionar un proyecto, a veces se aplica mal y se vuelve contra la gente. Sus facultades críticas, que deberían utilizarse constructivamente para perfeccionar una estrategia o propuesta, pueden a veces usarse destructivamente para dañar o herir. Sus ansias de perfección pueden convertirse en preocupación y falta de confianza; su humildad natural puede convertirse en autonegación y rebajamiento de sí mismo. Cuando los Virgo se vuelven negativos tienden a dirigir en su contra sus devastadoras críticas, sembrando así las semillas de su propia destrucción.

Situación económica

Los nativos de Virgo tienen todas las actitudes que crean riqueza: son muy trabajadores, diligentes, eficientes, organizados, ahorradores, productivos y deseosos de servir. Un Virgo evolucionado es el sueño de todo empresario. Pero mientras no dominen algunos de los dones sociales de Libra no van ni a acercarse siquiera a hacer realidad su potencial en materia económica. El purismo y el perfeccionismo pueden ser muy molestos para los demás si no se los maneja con corrección y elegancia. Los roces en las relaciones humanas pueden ser devastadores, no sólo para nuestros más queridos proyectos, sino también, e indirectamente, para nuestro bolsillo.

A los Virgo les interesa bastante su seguridad económica. Dado que son tan trabajadores, conocen el verdadero valor del dinero. No les gusta arriesgarse en este tema, prefieren ahorrar para su jubilación o para los tiempos de escasez. Generalmente hacen inversiones prudentes y calculadas que suponen un mínimo riesgo. Estas inversiones y sus ahorros normalmente producen buenos dividendos, lo cual los ayuda a conseguir la seguridad económica que desean. A los Virgo ricos, e incluso a los que no lo son tanto, también les gusta ayudar a sus amigos necesitados.

Profesión e imagen pública

Los nativos de Virgo realizan todo su potencial cuando pueden comunicar sus conocimientos de manera que los demás los entiendan. Para transmitir mejor sus ideas, necesitan desarrollar mejores habilidades verbales y maneras no críticas de expresarse. Admiran a los profesores y comunicadores; les gusta que sus jefes se expresen bien. Probablemente no respetarán a un superior que no sea su igual intelectualmente, por mucho dinero o poder que tenga. A los Virgo les gusta que los demás los consideren personas educadas e intelectuales.

La humildad natural de los Virgo suele inhibirlos de hacer realidad sus grandes ambiciones, de adquirir prestigio y fama. Deberán consentirse un poco más de autopromoción si quieren conseguir sus objetivos profesionales. Es necesario que se impulsen con el mismo fervor que emplearían para favorecer a otras personas.

En el trabajo les gusta mantenerse activos. Están dispuestos a aprender a realizar cualquier tipo de tarea si les sirve para lograr su objetivo último de seguridad económica. Es posible que tengan varias ocupaciones durante su vida, hasta encontrar la que realmente les gusta. Trabajan bien con otras personas, no les asusta el trabajo pesado y siempre cumplen con sus responsabilidades.

Amor y relaciones

Cuando uno es crítico o analítico, por necesidad tiene que reducir su campo de aplicación. Tiene que centrarse en una parte y no en el todo, y esto puede crear una estrechez de miras temporal. A los

Virgo no les gusta este tipo de persona. Desean que su pareja tenga un criterio amplio y una visión profunda de las cosas, y lo desean porque a veces a ellos les falta.

En el amor, los Virgo son perfeccionistas, al igual que en otros aspectos de la vida. Necesitan una pareja tolerante, de mentalidad abierta y de manga ancha. Si estás enamorado o enamorada de una persona Virgo, no pierdas el tiempo con actitudes románticas nada prácticas. Haz cosas prácticas y útiles por tu amor Virgo; eso será lo que va a apreciar y lo que hará por ti.

Los nativos de Virgo expresan su amor con gestos prácticos y útiles, de modo que no te desanimes si no te dice «Te amo» cada dos días. No son ese tipo de persona. Cuando aman lo demuestran de modos prácticos. Siempre estarán presentes; se interesarán por tu salud y tu economía; te arreglarán el fregadero o la radio. Ellos valoran más estas cosas que enviar flores, bombones o tarjetas de san Valentín.

En los asuntos amorosos, los Virgo no son especialmente apasionados ni espontáneos. Si estás enamorado o enamorada de una persona Virgo, no interpretes esto como una ofensa. No quiere decir que no te encuentre una persona atractiva, que no te ame o que no le gustes. Simplemente es su manera de ser. Lo que les falta de pasión lo compensan con dedicación y lealtad.

Hogar y vida familiar

No hace falta decir que la casa de un Virgo va a estar inmaculada, limpia y ordenada. Todo estará en su lugar correcto, ¡y que nadie se atreva a cambiar algo de sitio! Sin embargo, para que los Virgo encuentren la felicidad hogareña, es necesario que aflojen un poco en casa, que den más libertad a su pareja y a sus hijos y que sean más generosos y de mentalidad más abierta. Los miembros de la familia no están para ser analizados bajo un microscopio; son personas que tienen que expresar sus propias cualidades.

Una vez resueltas estas pequeñas dificultades, a los Virgo les gusta estar en casa y recibir a sus amigos. Son buenos anfitriones y les encanta hacer felices a amigos y familiares y atenderlos en reuniones de familia y sociales. Aman a sus hijos, pero a veces son muy estrictos con ellos, ya que quieren hacer lo posible para que adquieran un sentido de la familia y los valores correctos.

Horóscopo para el año 2017[*]

Principales tendencias

El año pasado fue de prosperidad, y este lo es más aún. Júpiter está en tu casa del dinero hasta el 10 de octubre. Hablaremos más de esto.

Saturno lleva dos años en tu cuarta casa y continuará en ella casi todo este año. La vida familiar ha sido difícil; la vida emocional se está reordenando. Procura no reprimir los sentimientos; contrólalos pero no los reprimas. Volveremos sobre este tema.

Plutón está en tu quinta casa desde 2008, muchos años, y continuará en ella muchos años más. Tu vida creativa está pasando por una buena desintoxicación y el resultado final, todavía en el futuro, será bueno. Tal vez en la vida de hijos o figuras filiales ha habido dramas o incluso experiencias de muerte. Posiblemente en un parto hubo que practicar una cesárea u otra intervención quirúrgica (a veces hay tendencia a abortar).

Desde 2012 Neptuno está en tu séptima casa, la del amor, y continuará en ella muchos años más. La vida amorosa y social (tal vez el matrimonio o relación actual) se está perfeccionando, espiritualizando; este es un proceso de larga duración. En la amistad, atraes a personas de tipo espiritual en este periodo. Hablaremos más de esto.

Urano está en tu octava casa desde 2011 y este año continuará en ella. Esto indica mucha experimentación sexual, que será buena mientras no sea destructiva. Así es como aprendemos lo que nos da resultado.

Las facetas de mayor interés para ti este año son: las finanzas (hasta el 10 de octubre); la comunicación y las actividades intelectuales (a partir del 11 de octubre); el hogar y la familia (hasta el 21 de diciembre); los hijos, la diversión y la creatividad; el amor y el romance; la sexualidad, la transformación y la reinvención personales, los estudios ocultos o herméticos.

---

[*] Las previsiones de este libro se basan en el Horóscopo Solar y todos los signos que derivan de él; tu Signo Solar se convierte en el Ascendente, y las casas se numeran a partir de él. Tu horóscopo personal, el trazado concretamente para ti (según la fecha, hora y lugar exactos de tu nacimiento) podrían modificar lo que decimos aquí. Joseph Polansky

Los caminos de mayor satisfacción para ti este año son: el cuerpo y la imagen (hasta el 29 de abril); las finanzas (hasta el 10 de octubre); la comunicación y los intereses intelectuales (a partir del 11 de octubre); la espiritualidad (a partir del 29 de abril).

Salud

(Ten en cuenta que esta es una perspectiva astrológica de la salud, no una médica. Antaño no había ninguna diferencia, ambas eran idénticas, pero en esta época podrían diferir muchísimo. Para una perspectiva médica, por favor, consulta a tu médico o a otro profesional de la salud.)

La salud mejorará muchísimo a fin de año, cuando Saturno sale de su aspecto desfavorable contigo. Mientras tanto es necesario que estés más atento. Dos planetas lentos, Saturno y Neptuno, están en alineación desfavorable contigo. Estos en sí no bastan para causar problemas graves, pero cuando se les unan los planetas rápidos en aspecto desfavorable tendrás que tomar precauciones. Estos periodos serán del 18 de febrero al 20 de marzo; del 21 de mayo al 20 de junio, y del 22 de noviembre al 21 de diciembre.

Lo bueno es que al ser Virgo siempre prestas atención a la salud, y lo harás aún cuando este año está vacía tu sexta casa.

Con dos planetas lentos en aspecto desfavorable tu energía general no está a la altura habitual. Por lo tanto, cosas que siempre sueles hacer sin ningún problema ahora podrían resultarte más difíciles o incluso ser causa de daño o lesión. Un amigo mío siempre subía en una escalera de tijera para podar sus frutales; un día lo hizo teniendo a Saturno en aspecto desfavorable y se cayó; su energía no estaba a la altura acostumbrada.

Lo más importante, entonces, es mantener elevada la energía. Un aura fuerte (tu sistema inmunitario espiritual) repele cualquier enfermedad, pero cuando se debilita, la persona es más vulnerable.

Hay muchas cosas que se pueden hacer para fortalecer la salud y prevenir o suavizar los problemas. Presta más atención a las siguientes zonas, que son las vulnerables en tu carta:

El corazón. Este se ha vuelto importante sólo en los dos últimos años. Te irá bien trabajar los puntos reflejos. Evita la preocupación y la ansiedad; aprende a vivir relajado. Te será útil hacer ejercicios de relajación.

El intestino delgado. Este órgano es siempre importante para ti. Te irá bien trabajar los puntos reflejos. Evita los alimentos que dan excesivo trabajo al intestino, por ejemplo el gluten.

Los tobillos y las pantorrillas. Estas zonas son siempre importantes para ti, dado que las rige Urano, tu planeta de la salud. Te convienen masajes periódicos en los tobillos y las pantorrillas; debería formar parte de tu programa de salud. Son buenos los ejercicios que fortalecen los músculos de las pantorrillas. Cuando hagas ejercicio ponte tobilleras, para tener protegidos los tobillos.

La cabeza, la cara y el cuero cabelludo. Estas zonas son importantes desde 2011. Los masajes periódicos en el cuero cabelludo y la cara no sólo fortalecen esas zonas sino todo el cuerpo también. Un masaje en esas zonas equivale a una sesión completa de ejercicios, pues en ellas hay puntos reflejos de todo el cuerpo.

Las suprarrenales. Estas glándulas también son importantes sólo desde 2011. Te irá bien trabajar los puntos reflejos. Lo importante es evitar la ira y el miedo, las dos emociones que las hacen trabajar en exceso.

La musculatura. Es importante sólo desde 2011. No hace falta intentar convertirse en otro Arnold Swartzenegger, pero es necesario tener tonificados los músculos. Un músculo débil puede desalinear la columna o el esqueleto y causar otros muchos problemas. Te conviene hacer ejercicio vigoroso, de acuerdo a tu edad y a la fase en que estás en tu vida.

El planeta de la salud en la octava casa indica que el sexo seguro es importante este año. Puesto que en esta faceta estás muy experimental, basta con decir esto una vez.

El planeta de la salud en la octava casa también indica tendencia a las intervenciones quirúrgicas. Pero ten presente que un régimen de desintoxicación (que es bueno para ti) suele tener el mismo efecto, aunque normalmente lleva más tiempo.

Si tomas estas precauciones tendrías que pasar el año sin ninguna enfermedad.

Hogar y vida familiar

Saturno lleva ya dos años en tu cuarta casa y continuará en ella casi todo este año. Este es un tránsito difícil, por lo que la faceta hogar y familia es un foco de atención importante.

Las cosas no son fáciles. Has asumido todo tipo de responsabilidades y cargas extras, y no ha sido posible evitarlas. Sientes estrecho el espacio en la casa, pero no se ve práctica una mudanza todavía. Deberás arreglártelas con lo que tienes; este año la solución es un poco de creatividad para reordenar las cosas y aprovechar mejor el espacio.

Me parece que un progenitor o figura parental está muy estresado o agobiado. Se le ve muy serio y severo, y es muy probable que esté muy exigente y dominante; le ha abandonado su acostumbrada cordialidad. Esto es difícil para la familia y no le facilita las cosas a esta persona en su vida amorosa y social.

El hogar, que es el lugar para reponerse y nutrirse, se lleva como una empresa, de manera fría y clínica. Cada persona hace las cosas necesarias, pero falta el calor de hogar.

Afortunadamente, ya vas aprendiendo a sobrellevar esto; has tenido dos años para hacerlo. El ser humano es capaz de adaptarse a cualquier cosa. Pero anímate, pues al acabar el año habrán llegado a su fin estas pruebas. El 21 de diciembre Saturno sale de tu cuarta casa y entra en la quinta.

También hay cosas buenas. Un progenitor o figura parental, si bien en actitud severa y empresarial, prospera y te apoya en las finanzas. Esta persona ha tenido beneficios extraordinarios y felices oportunidades financieras.

Saturno, que es el señor de tu quinta casa, la de la diversión, indica que intentas aliviar en parte esta triste situación instalando en casa equipos de deporte, juego y entretenimiento. Te esfuerzas por convertir el hogar en un lugar placentero. Esto es útil.

Este año gastas más que de costumbre en la casa y la familia, pero también puedes ganar con ello. Las conexiones familiares son importantes en las finanzas.

Este año no se ven probables obras de renovación en la casa, pero si quieres redecorarla o embellecerla de otra manera (y esto sí es muy probable), del 22 de noviembre a fin de año es un buen periodo.

Los padres o figuras parentales tienen un año sin novedades en la situación familiar; no hay probabilidades de mudanza.

Los hermanos y figuras fraternas tienen un año muy espiritual y comienzan a prosperar después del 21 de octubre; si están en edad de concebir, son más fértiles también entonces. Su vida doméstica ha sido inestable desde hace años y es posible que se hayan mudado muchas veces; esta tendencia continúa este año.

Los hijos también se han mudado muchas veces este último tiempo.

Profesión y situación económica

Las finanzas, como hemos dicho, son un interés importante y feliz este año. Júpiter en tu casa del dinero aumenta tu valor neto; los bienes que posees aumentan su valor. Te llegan felices oportunidades financieras; tendrás buenas ideas también. Acabarás el año más rico de lo que lo has empezado.

Júpiter es tu planeta de la familia; su posición en la casa del dinero nos da muchos mensajes. Indica, como hemos dicho, buen apoyo familiar. Un progenitor o figura parental es muy activo en tu vida financiera, y de forma positiva. También se ve buena suerte en asuntos o inversiones en inmobiliaria residencial, empresas de alimentación, restaurantes e industrias que proveen el hogar. Asimismo indica, como hemos dicho, que gastas e inviertes en la casa y la familia. Es muy posible que ganes dinero desde casa, tal vez con una oficina en casa, o tal vez dando fiestas o teniendo reuniones de negocios en casa.

Júpiter en la casa del dinero trae buena suerte en las finanzas; inspira optimismo y fe; coges las buenas rachas financieras y hay suerte en las especulaciones.

El 11 de octubre, cuando Júpiter sale de tu casa del dinero y entra en tu tercera casa, es posible que ya hayas conseguido tus objetivos económicos a corto plazo, y aunque no hayas conseguido los objetivos a largo plazo habrás avanzado mucho hacia ellos (rara vez conseguimos los objetivos a largo plazo en un año, así que el avance es éxito). Ahora la atención va a pasar a la comunicación y los intereses intelectuales, a la vida de la mente. Así es como debe ser.

Hay muchas tendencias de corta duración en las finanzas. Venus, tu planeta del dinero, avanza rápido; en un año transita por todo el horóscopo. Por lo tanto, las tendencias dependen de dónde está Venus y de los aspectos que recibe en un determinado periodo. Estas tendencias es mejor tratarlas en las previsiones mes a mes.

Este año Venus hace uno de sus movimientos retrógrados (lo hace cada dos años); esto será del 4 de marzo al 15 de abril. Este es un periodo en que hay que evitar las decisiones financieras, compras o inversiones importantes. Lógicamente compra las cosas necesarias, pero para las cosas importantes has de reflexionar y analizar más; es un periodo para hacer revisión financiera, para ver qué mejoras se pueden llevar a cabo, para adquirir claridad mental respecto a tus finanzas. Una vez que esta llega, la toma de decisiones es mucho más fácil.

El 7 de agosto hay un eclipse lunar en tu sexta casa. Esto suele indicar cambios laborales; podría ser que cambiaras de puesto en la empresa en que trabajas o que te fueras a trabajar a otra empresa. Cambian drásticamente las condiciones en el lugar de trabajo.

Tu décima casa, la de la profesión, está esencialmente vacía, sólo transitan por ella los planetas rápidos. Además, la mitad inferior de tu carta está más fuerte que la superior, y esto es de larga duración. Sin duda a lo largo del año los planetas rápidos van a dar energía al sector superior de tu carta por un tiempo, haciéndote más ambicioso, pero en general la mitad inferior es más fuerte. Por lo tanto, hay más atención al hogar y la familia, a tu bienestar emocional, que a la profesión. La profesión tiende a continuar sin novedades ni cambios.

Por lo general eres una persona ambiciosa, pero este año en menor medida.

Hay muchas tendencias a corto plazo en la profesión, de las que hablaremos en las previsiones mes a mes.

Amor y vida social

Neptuno, el más espiritual de los planetas, lleva varios años en tu séptima casa, y continuará en ella muchos años más. Neptuno no sólo está en tu séptima casa, sino que además es el señor de esta casa, tu planeta del amor.

Siempre has sido idealista en el amor, pero en este periodo lo eres mil veces más. Sólo te va a satisfacer el amor más elevado y sublime. Cualquier cosa inferior, por deseable que sea desde el punto de vista mundano te produce una vaga insatisfacción. Por citar una famosa canción: «¿Y esto es todo lo que hay?»

En una interpretación mundana, se dice que Neptuno es el planeta de los escándalos; esto es una buena descripción taquigráfica, pero no es totalmente cierto. Neptuno nunca se propone generar escándalo, es el planeta de la revelación. Ilumina las zonas oscuras para que todo se revele, lo bueno y lo malo. Cuando ocurre esto en el mundo imperfecto en que vivimos, se produce inevitablemente el escándalo. Se revelan cosas desagradables que las personas preferirían mantener en secreto. Así pues, hay muchas revelaciones, y tal vez escándalos, en tu vida social y amorosa. Esto es esencialmente bueno, es mejor vérselas con la realidad que con la ilusión, pero no siempre es agradable.

La vida amorosa ha sido difícil los dos últimos años; nada de esto es culpa tuya. Saturno ha estado en aspecto desfavorable con Neptuno, y eso ha sido el obstáculo. No había probabilidades de matrimonio, ni era deseable. Tal vez había un exceso de miedo en el amor, exceso de precaución. Tal vez la persona amada estaba viviendo sus popios dramas y esto complicaba las cosas. La infidelidad también podría haber sido un problema.

Un eclipse solar el 26 de febrero pone más a prueba el amor; ocurre en tu séptima casa y es un golpe directo a tu planeta del amor. En ese periodo van a salir a la luz muchos trapos sucios, para que se laven; habrá que hacer frente a viejos agravios, que llevan un buen tiempo reprimidos. Si la relación es buena, sobrevivirá, pero si es defectuosa podría disolverse.

Vemos otro problema más en el amor. Es posible que sientas que hay un conflicto entre el amor serio y comprometido y el de la variedad diversión y juego. Una parte de ti desea compromiso y otra parte sólo desea aventura amorosa. Este problema se resolverá solo a fin de año, cuando Saturno sale de su aspecto desfavorable a Neptuno.

Hasta el 29 de abril está en tu séptima casa el nodo sur de la Luna (que no es un planeta sino un punto abstracto); pasa mucho tiempo cerca de tu planeta del amor. Esto produce una sensación de carencia, de insuficiencia. Podría producirse entonces la sensación de «falta de amor», «falta de romance», aún cuando estés en una relación. Esto es otra prueba a la que se somete el amor.

Pero hay buenas noticias. A fin de año tendría que mejorar la vida amorosa. Saturno saldrá de su aspecto difícil con Neptuno y comenzará a formar aspectos armoniosos. El ser amado actual se sentirá mejor y esto mejorará las cosas. Serás más capaz de expresar tus sentimientos de amor.

A lo largo del año Neptuno recibe diversos aspectos por parte de los planetas rápidos; esto significa que hay tendencias a corto plazo que es mejor tratar en las previsiones mes a mes.

Progreso personal

El nodo norte de la Luna pasará la mayor parte del año, desde el 29 de abril, en tu casa doce, la de la espiritualidad; esto indica buena suerte y éxito en tu vida espiritual. Obtendrás buenos resultados de tu práctica.

El crecimiento y la comprensión espirituales son importantes no sólo en sí mismos, que lo son, sino también muy importantes en tu vida amorosa. Este año tu intuición se ejercita en el amor y las relaciones; una buena conexión con la Divina Inteligecia hará mucho por mejorar la vida amorosa.

Este año se ven dificultades en el amor. Muchas veces te sentirás abrumado por ellas, ya que en realidad no hay ninguna solución tridimensional; las únicas soluciones son espirituales, y este es el programa. Tienes el tipo de carta, y ya hemos hablado de esto en años anteriores, en que la persona necesita liberarse y poner sus cargas del amor en manos de lo Divino; es necearia una rendición completa a lo Divino. Si esto lo haces con sinceridad, con el corazón y no de boquilla, te envolverá e inundará una inmensa paz. Deja a la Divinidad totalmente a cargo de las cosas; hazte a un lado. Poco a poco las cosas comenzarán a enderezarse. O bien la relación se arregla o conoces a otra persona mejor. En este periodo el amor es demasiado complicado para llevarlo tú solo.

Tu deseo del amor ideal es bueno y correcto; te lo mereces. Pero hay que saber dónde buscarlo. Si lo buscas fuera de ti, vas por mal camino. Todas estas pruebas te conducen al Amor Ideal, al Amor Divino puro, algo a lo que llaman ágape. Esto es el amor incondicional, un amor que abarca todos los aspectos de la vida, no sólo la vida romántica. Cuando se permite que ocurra este ágape, remedia por sí solo la relación actual. Pero aunque se acabe la relación, de todos modos tienes amor. Para ti será lo mismo estar en una relación o no; se satisfarán todas tus necesidades en el amor, y «todas» significa todas.

Previsiones mes a mes

Enero

Mejores días en general: 7, 8, 15, 16, 25, 26
Días menos favorables en general: 2, 3, 9, 10, 22, 23, 24, 30, 31
Mejores días para el amor: 2, 3, 11, 12, 20, 21, 30,31
Mejores días para el dinero: 1, 2, 10, 12, 17, 18, 19, 20, 21, 28, 29, 31
Mejores días para la profesión: 6, 9, 10, 15, 25, 26

Comienzas el año con el 80 por ciento de los planetas en el sector occidental o social de tu carta; elevado porcentaje, que a veces alcanza el 90 por ciento. Está muy fuerte tu séptima casa, la del amor y las actividades sociales, mientras que está vacía tu primera casa, la del yo; sólo la Luna transita por ella los días 15 y 16. Estás, por lo tanto, en un fuerte periodo social; estás de vacaciones de ti por un tiempo. Las necesidades de los demás están en primer lugar. Esto no significa bondad o santidad necesariamente, sino sólo que estás en este ciclo. Consigues que se hagan las cosas por consenso y por tu buen talante social, no por tu iniciativa ni capacidades. De vez en cuando es bueno olvidar el yo. Muchas enfermedades psíquicas tienen su origen en un excesivo egocentrismo. Cuando está fuerte el sector occidental de la carta, la persona tiene menos autoestima y menos seguridad en sí misma, y en tu caso esto es especialmente válido hasta el 8, pues antes de esta fecha el señor de tu carta está en movimiento retrógrado. Es probable que en este periodo tu manera no sea la mejor; deja que los demás se impongan mientras esto no sea destructivo.

Han acabado las vacaciones de Navidad, pero hasta el 19 tú sigues en modalidad fiesta; estás en una de tus cimas anuales de placer personal. Para Virgo incluso el trabajo es diversión, sabe disfrutar con él; este mes esto es más acentuado, pero a medida que avance el mes se te presentarán muchas oportunidades para pasarlo bien y divertirte.

La salud es buena este mes, pero es necesario que sigas atento a ella; hay cuatro planetas, dos de ellos lentos, en aspectos desfavorables. Lo bueno es que al ser Virgo, estás atento, y en especial después del 19. Si te sientes indispuesto fortalece la salud de las maneras explicadas en las previsiones para el año.

Este es un año próspero, tienes a Júpiter en tu casa del dinero, hasta el 10 de octubre. Venus, tu planeta del dinero, tiene su solsticio del 29 al 31, lo que indica una pausa en la vida financiera y luego un cambio de dirección. Lo interesante es que vemos el mismo fenómeno en las finanzas del cónyuge, pareja o ser amado actual. El regente de su vida financiera, Marte, tiene su solsticio del 27 al 31; así pues, tanto tú como tu pareja hacéis una pausa y cambiáis de dirección más o menos al mismo tiempo. Tu planeta del dinero entra en tu séptima casa el 3 y continúa en ella el resto del mes, lo que indicaría oportunidades para formar una sociedad de negocios o una empresa conjunta; la intuición financiera es muy prominente a partir del 3.

El amor se ve difícil del 5 al 13, pero después hay una mejoría espectacular.

Febrero

Mejores días en general: 3, 4, 12, 13, 21, 22
Días menos favorables en general: 5, 6, 19, 20, 26, 27
Mejores días para el amor: 7, 8, 9, 10, 16, 17, 19, 20, 26, 27, 28
Mejores días para el dinero: 5, 6, 9, 10, 14, 15, 19, 20, 24, 25, 28
Mejores días para la profesión: 3, 4, 5, 6, 14, 15, 25, 26

Este mes dos eclipses sacuden tu vida espiritual; los dos hacen hiperactiva la vida onírica, y tal vez alarmante. No hagas mucho caso a estos sueños; sólo indican disturbios en el plano astral. Es necesario tomar medidas correctivas en tu vida espiritual y los eclipses te obligarán a hacerlo.

El eclipse lunar del 11 (el 10 en América) ocurre en tu casa doce, la de la espiritualidad, lo que produce cambios en tu actitud y práctica espirituales, y tal vez también cambio de maestro o enseñanza. Hay mucha inestabilidad en una organización espiritual o benéfica a la que perteneces o con la que te relacionas, y en ella habrá reestructuración. También hay drama en la vida de tu gurú o figura de gurú Este eclipse te afecta relativamente poco en lo personal, pero no te haría ningún daño tomarte las cosas con calma y reducir tus actividades durante el periodo del eclipse. Todos los eclipses lunares ponen a prueba las amistades, producen crisis con personas amigas; normalmente debido a dramas o circunstancias que cambian la vida de estas personas (la persona podría casarse o trasladarse a otra parte, etcétera); a veces el eclipse revela defectos en la relación de amistad. En este periodo es más vulnerable tu equipo de alta tecnología; comprueba que tienes copias de seguridad de tus archivos importantes y que está actualizado tu programa antipiratería. La tecnología es maravillosa cuando funciona bien, pero cuando va mal es una pesadilla.

El eclipse solar del 26 es más fuerte en ti; en todo caso, a partir del 18 debes reducir tus actividades, pero en especial durante el periodo de este eclipse, unos cuantos días antes y otros tantos después. Si naciste en la primera parte de tu signo, del 23 de agosto al 3 de septiembre, lo sentirás más fuerte, si no, lo sentirás de todos modos. Este eclipse ocurre en tu séptima casa y hace impacto en Neptuno, el señor de tu séptima casa, por lo tanto afecta a tu vida amorosa, a tu relación actual. El cónyuge, pareja o ser amado actual podría tener un susto con la salud, o un cambio laboral. Podrían aflorar antiguos agravios reprimidos, que es necesario resolver. Si la relación amorosa es defectuosa, está en peligro, si es buena, sobrevive. Si estás soltero o soltera podrías decidir dar el siguiente paso. Todos los eclipses solares afectan a tu vida espiritual, por lo que este tiene los mismos efectos que el eclipse lunar del 11.

A pesar del eclipse solar, a partir del 18 estás en una cima amorosa y social anual. Te veo muy dedicado a los demás, tal como debe ser; puede que tengas problemas en la relación amorosa, pero en lo social gozas de popularidad.

Marzo

Mejores días en general: 2, 3, 11, 12, 21, 22, 30
Días menos favorables en general: 4, 5, 18, 19, 25, 26
Mejores días para el amor: 1, 6, 7, 9, 15, 16, 18, 25, 26, 27
Mejores días para el dinero: 1, 5, 6, 9, 13, 14, 18, 23, 24, 27
Mejores días para la profesión: 4, 5, 7, 8, 18, 19, 28, 29

Venus, tu planeta del dinero, está en tu octava casa desde el 3 del mes pasado, y continuará en ella todo este mes. Esto indica la necesidad de hacer prosperar a otros; indica mucho interés y participación en las finanzas del cónyuge, pareja o ser amado actual; es un aspecto excelente para hacer planes testamentarios, si estás en la edad, y planes relativos a impuestos y seguros. El único problema es que Venus está en movimiento retrógrado, que inicia el 4. Esto no impide que lleguen ingresos, pero sí introduce retrasos y contratiempos. Venus retoma el movimiento directo el 15 del mes que viene, así que este periodo retrógrado es largo. No es mucho lo que podemos hacer al respecto, pues es una situación cósmica que escapa a nuestro control, pero con cierta previsión podemos menguar algunos de los efectos negativos. Para empezar, no hace ninguna falta complicar más las cosas siendo descuidados; comprueba que has puesto bien la fecha y firmado los talones o cheques; guarda los recibos importantes; revisa tus cuentas para comprobar que están bien y al día, cuando hagas un pago por el servicio postal, comprueba que has puesto bien la dirección en el sobre. Insignificancias como estas te ahorrarán dolores de cabeza después. En Estados Unidos, por ejemplo, este movimiento retrógrado ocurre justo en medio de la temporada para hacer la declaración de renta y pagar los impuestos; tómate más tiempo en esto y comprueba que todo esté perfecto. Errores pequeños pueden ser causa de retrasos. Si es posible, evita hacer compras o inversiones importantes; espera hasta el 15 del próximo mes para hacer estas cosas. Durante el periodo retrógrado dedica más tiempo a revisar tu situación económica y a ver qué mejoras puedes hacer; es un periodo para conseguir claridad mental respecto a las finanzas.

Ya pasados los eclipses, la vida amorosa se ve más tranquila. El Sol viaja con tu planeta del amor los días 1 y 2; el ser amado está en mejor estado de ánimo; si estás soltero o soltera y sin compromiso, se presentan oportunidades románticas en el lugar de trabajo. Los días 4 y 5 Mercurio viaja con tu planeta del amor; esto trae felices experiencias amorosas y sociales; hay más intimidad y unión con el ser amado, estáis en la misma onda. Si estás soltero o soltera esto indica un importante encuentro romántico.

Hasta el 20 sigue siendo necesario estar atento a la salud; después verás una enorme mejoría, tanto en la salud como en la energía; los planetas rápidos salen de su aspecto desfavorable para ti y la energía vuelve naturalmente.

El 1 podría haber algún disturbio en el lugar de trabajo; controla el mal genio. El 26 o el 27 se presenta una feliz oportunidad de trabajo.

Abril

Mejores días en general: 7, 8, 17, 18, 26, 27
Días menos favorables en general: 1, 14, 15, 16, 22, 23, 28, 29
Mejores días para el amor: 3, 4, 12, 13, 22, 23, 30
Mejores días para el dinero: 1, 4, 10, 11, 12, 13, 19, 20, 21, 23, 28, 29
Mejores días para la profesión: 1, 7, 8, 18, 24, 25, 28, 29

Este mes están en movimiento retrógrado los dos planetas relacionados con tus finanzas: Venus, tu planeta del dinero, y Júpiter, que ocupa tu segunda casa. El mes pasado estabas en la misma situación. Hay prosperidad, pero de modo complicado, enrevesado. Las cosas parecen retroceder en lugar de avanzar; hay un cambio de opinión y se produce otro cambio; alguien firma un contrato y luego lo anula; los pagos llegan después de lo que se esperaba. La comunicación con las personas adineradas de tu vida podría ser mucho mejor. Es necesario tener paciencia. Puede que no resulten algunos negocios o gestiones, pero tu prosperidad está fuera de dudas; llegarán otros a reemplazarlos.

El 2 Venus entra en tu séptima casa en movimiento retrógrado y continúa en ella hasta el 28; esto mejora tu intuición financiera. Venus está en el espiritual Piscis, pero dado su movimiento retrógrado es necesario confirmar estas intuiciones, tal vez consultando a un canalizador espiritual o a un vidente; busca diferentes opiniones. Este aspecto indica la tendencia a formar una sociedad de negocios o empresa conjunta, pero esto hay que pensarlo y estudiarlo bien. Lo bueno es que a partir del 15 ya comienza a brillar la claridad financiera.

El 20 del mes pasado se hizo poderosa tu octava casa, y hasta el 19 continúa poderosa; el cónyuge, pareja o ser amado actual prospera y compensa lo que va lento en tus finanzas; te veo muy interesado, involucrado, en las finanzas e ingresos de esta persona.

La salud es buena este mes y después del 19 mejora más aún; hay unos planetas lentos (y Marte) en aspecto desfavorable, pero cuentas con ayuda. La vitalidad se ve bien. Los días 13 y 14 se ven muy eficaces las técnicas de curación espiritual. Fortalece la salud de las maneras indicadas en las previsiones para el año.

En febrero el poder planetario pasó de la mitad inferior de tu carta a la superior. El 21 de este mes se hace más fuerte este poder pues Marte entra en tu casa de la profesión. Por lo tanto, en general, estás más orientado a tus actividades externas. Este mes están en movimiento retrógrado los dos planetas relacionados con el hogar y la familia, así que los asuntos o problemas familiares necesitan tiempo para resolverse. Centra la atención en la profesión.

Marte en tu décima casa indica mucha actividad y osadía o agresividad en la profesión; te embarcas en «guerras profesionales» con competidores o en la oficina, no con armas ni balas, sino tal vez a la manera de los «políticos»; esto podría ser causa de experiencias de tipo «casi muerte», en la empresa o industria en la que trabajas, o con jefes o figuras parentales.

Mayo

Mejores días en general: 4, 5, 14, 15, 23, 24
Días menos favorables en general: 12, 13, 19, 20, 25, 26
Mejores días para el amor: 1, 2, 3, 9, 10, 12, 13, 19, 20, 21, 22, 27, 28

Mejores días para el dinero: 2, 3, 7, 8, 12, 13, 17, 18, 21, 22, 25, 26
Mejores días para la profesión: 2, 3, 13, 16, 23, 24, 25, 26

Tu novena casa, que es muy importante y no debidamente valorada, se hizo fuerte el 19 del mes pasado y continúa fuerte hasta el 20. Este es un periodo feliz. La salud es buena, sobre todo hasta el 20. Se presentan felices oportunides de viaje, y deberías aprovecharlas (esto podría haber ocurrido ya). También se presentan felices oportunidades de formación. Cuando está fuerte la novena casa hay más interés en pasar la velada en una jugosa discusión teológica que en una salida nocturna de juerga; está el deseo de comprender el «sentido de la vida» y las leyes espirituales. Suele haber adelanto en la comprensión de temas religiosos y filosóficos.

Este también es muy buen periodo si eres estudiante universitario; estás más atento a los estudios y esto tiende a llevar al éxito. Plutón recibe aspectos felices, así que si eres estudiante aún no universitario también debería irte bien en los estudios.

Marte está en tu décima casa desde el 21 del mes pasado. El 21 de este mes entra el Sol en esta casa y tú entras en una cima profesional anual. Desde el punto de vista psicológico, estás en el «mediodía» de tu año. Están más fuertes tus ambiciones y tu capacidad para ocuparte de los asuntos «externos»; los llevas con los métodos diurnos, con actos y gestiones. En este periodo te conviene desintoxicar la profesión, librarte de actitudes y hábitos que no te son útiles. También favoreces la profesión con actividades benéficas y altruistas; estas actividades son buenas por sí mismas, pero este mes favorecen tu profesión, tu categoría pública.

Después del 20 es necesario estar más atento a la salud: cuatro planetas están en alineación desfavorable contigo, y en ciertos periodos serán cinco. Como siempre, descansa y relájate más. La profesión es exigente y no puedes desatenderla, pero sí puedes trabajar con más ritmo, alternar las actividades, y programar más momentos de descanso. Fortalece la salud de las maneras explicadas en las previsiones para el año. La energía baja es la principal enfermedad.

Tu planeta del dinero, Venus, que ya está en movimiento directo, pasa el mes en tu octava casa; este aspecto es bueno para pagar deudas y eliminar el derroche en las finanzas. Con el planeta del dinero en la octava casa la persona prospera podando, eliminando;

no debes eliminar las cosas que necesitas sino sólo las inútiles. También es buen periodo para hacer planes testamentarios, y los relativos a impuestos y seguros. Con este aspecto es más fácil refinanciar deudas (otra manera popular de reducirlas). Si tienes buenas ideas hay inversores esperándote.

El amor es feliz este mes. Si hubiera problemas en tu relación, no sería por tu culpa; la pareja o ser amado tiene ciertos aspectos desfavorables; esta persona parece no ser ella misma.

Junio

Mejores días en general: 1, 2, 10, 11, 12, 20, 21, 28, 29
Días menos favorables en general: 8, 9, 15, 16, 22, 23
Mejores días para el amor: 5, 6, 10, 11, 15, 16, 20, 21, 24, 25, 28, 29
Mejores días para el dinero: 3, 4, 10, 11, 13, 14, 20, 21, 22, 23, 28, 29, 30
Mejores días para la profesión: 1, 2, 13, 14, 22, 23, 24

Tu intensa actividad profesional da buenos resultados; te veo con mucho éxito este mes, en especial a partir del 6. El señor de tu horóscopo, Mercurio, está muy elevado, situado en lo más alto de tu carta. Estás por encima de todas las personas de tu mundo; eres una autoridad, estás al mando.

Hasta el 21 sigue siendo necesario que estés atento a la salud; ten presente lo que hablamos el mes pasado. Después del 21 mejoran de modo espectacular la salud y la vitalidad, pero mientras tanto procura descansar lo suficiente.

El amor continúa difícil hasta el 21. No hay acuerdo entre tú y el ser amado; esto no significa ruptura sino sólo que hay que hacer más esfuerzos para mantener la armonía. Tal vez tu atención a la profesión complica las cosas; a veces esto es causa de resentimiento en la persona amada, que podría creer que para ti es más importante la profesión que ella. Tal vez sin darte cuenta eres autoritario o mandón; a algunas personas no les sienta bien eso. A esto se añade que Neptuno inicia movimiento retrógrado el 16. No es este el periodo para tomar decisiones importantes en el amor, ni en uno ni en otro sentido. Vuestros desacuerdos se resolverán después del 21.

Las finanzas van bien este mes; el 6 Venus entra en Tauro y en relación armoniosa contigo; estás en armonía con las personas adineradas de tu vida; están favorablemente dispuestas hacia ti. En Tauro Venus está en su casa, elevada, dignificada, actúa con más poder, y esto debería reflejarse en tus ingresos. La presencia del planeta del dinero en la novena casa, la más afortunada según los hindúes, es otro indicador financiero positivo; indica expansión y buena suerte en las finanzas.

Tus objetivos financieros son elevados, grandes; deseas tener algo más que sólo para subsistir; te interesa la riqueza a lo grande en este periodo, Esto tiende a la prosperidad; el juicio financiero es bueno; eres más conservador en asuntos monetarios (no lo eras en los meses pasados); las decisiones financieras tendrían que ser buenas. Los días 13 y 14 Mercurio forma aspectos hermosos con Júpiter, lo que parece indicar un bonito día de paga.

El señor de tu horóscopo, Mercurio, pasa buena parte del mes «fuera de límites». Esto significa que sales de tu ambiente o esfera normal; exploras terreno desconocido. Eres más aventurero.

Marte también pasa casi todo el mes «fuera de límites». Esto indicaría que el cónyuge, pareja o ser amado actual sale de su ambiente normal en sus gestiones financieras; tal vez abre una cuenta o monta una empresa en un «paraíso fiscal»; tal vez explora oportunidades financieras fuera de su esfera normal y con diferentes tipos de personas. Al parecer esto le sale bien, sobre todo del 25 al 27.

Julio

Mejores días en general: 8, 9, 17, 18, 23, 24
Días menos favorables en general: 5, 6, 13, 14, 19, 20
Mejores días para el amor: 3, 4, 10, 13, 14, 19, 20, 21, 22, 28, 29, 30, 31
Mejores días para el dinero: 1, 10, 11, 19, 20, 28, 29
Mejores días para la profesión: 4, 16, 19, 20, 25, 26

La salud general y la energía están mucho mejor que el mes pasado; todavía tienes a dos planetas lentos en alineación desfavorable contigo, pero casi todos los planetas rápidos o están en aspecto armonioso o te dejan en paz. La salud es buena este mes. Los días 19 y 20 se ven difíciles (un problema de corta duración) así que procura descansar y relajarte más esos días.

El amor es agridulce este mes; por un lado, tu planeta del amor recibe muy buenos aspectos hasta el 20, lo que trae oportunidades amorosas y sociales; por el otro, a partir del 6 el señor de tu horóscopo, Mercurio, viaja en oposición a tu planeta del amor. El aspecto «oposición» indica «distancia máxima»: tú y el ser amado estáis muy distanciados, ya sea de modo físico o psíquico; tenéis perspectivas opuestas de las cosas; parece que no estáis de acuerdo en nada. Será necesario mucho trabajo y esfuerzo para resolver estas diferencias, pero si lo consigues, el amor será mejor que nunca. En astrología, el opuesto es la pareja amorosa natural.

Y hay otro problema más en el amor: tú y el ser amado estáis muy voluntariosos en este periodo; cada uno quiere imponer su voluntad, salirse con la suya, cada uno piensa que tiene la razón. La razón o lo correcto suele estar más o menos en el medio. Mejor aún, una vez tú te inclinas en su dirección esta persona se inclina en la tuya.

Y hablando de voluntariedad: el mes pasado el poder planetario se trasladó del sector occidental o social de tu carta al sector oriental o independiente; esto también ha complicado el amor. Estás en un periodo de mayor poder e independencia personales, y esto va aumentando día a día. Es el periodo para ponerte en primer lugar tú y anteponer tus intereses a los de los demás. Esto no es egoísmo; ocupándote de tus intereses estás en mejor posición para ayudar a los demás. Este es el periodo (que continuará unos cuantos meses) para hacer los cambios que necesitas hacer en tus circunstancias. Tienes la energía y los medios para hacerlos; no necesitas consultarlo con nadie; asume la responsabilidad de tu felicidad; que el mundo se adapte a ti.

Las finanzas deberían ir bien este mes. Tu planeta del dinero, Venus, entra en tu décima casa el 5, lo que indica muchísima atención a las finanzas. Esta faceta está en los primeros lugares de tus prioridades, lo que a veces indica aumento de sueldo en el trabajo, sea de modo oficial o no oficial. Cuida de tu fama profesional (siempre conviene hacerlo de todos modos), ya que este mes te conduce a oportunidades financieras. Las autoridades de tu vida apoyan tus objetivos financieros. Los días 18 y 19 Venus forma trígono con Júpiter, y esto trae aumento de los ingresos y buena suerte; un bonito día de paga.

Agosto

Mejores días en general: 4, 5, 13, 14, 22, 23, 31
Días menos favorables en general: 1, 2, 3, 9, 10, 16, 29, 30
Mejores días para el amor: 9, 10, 18, 19, 26, 27, 28, 29

Mejores días para el dinero: 6, 7, 9, 10, 16, 18, 19, 24, 25, 28, 29
Mejores días para la profesión: 4, 5, 13, 14, 16, 22, 23, 31

Tu casa doce se hizo poderosa el 20 del mes pasado, cuando entró Marte en ella; también entró el Sol el 22. Esta es la situación hasta el 22 de este mes (además, el 21 hay un eclipse en esta casa). Este es un periodo para hacer adelantos en la vida espiritual; también es bueno para el estudio de las escrituras, para la meditación, la contemplación y otros tipos de práctica. En el interior de cada persona hay un idealista: este es el periodo para liberarlo.

El 7 tenemos un eclipse lunar que se ve fuerte en ti; hace impacto en Marte, tu planeta de la transformación y los asuntos relacionados con la muerte. Normalmente esto no significa que vaya a morir alguien (hay que observar muchas cosas más para llegar a esta conclusión), sino que indica un «encuentro de cerca» con la muerte. Viene el ángel negro y te envía un mensaje de amor: «Ocúpate de hacer aquello para lo cual naciste; la vida en la Tierra es corta, puede acabar en cualquier momento». En todo caso este es sólo uno de los significados. Este eclipse produce drama en la vida financiera del cónyuge, pareja o ser amado actual, que tendrá que hacer cambios importantes en sus finanzas. Si estás en la edad, vas a hacer cambios en tu testamento y pólizas de seguro. Dado que este eclipse ocurre en tu sexta casa, podría haber trastornos en el trabajo, o disturbios en el lugar de trabajo. Es probable que haya cambios laborales, o bien un cambio a otro puesto en la misma empresa o un cambio a otra empresa. A veces hay sustos en la salud y la necesidad de hacer cambios en el programa de salud. Tómate las cosas con calma y reduce tus actividades durante el periodo de este eclipse. No hace ninguna falta tentar al ángel negro.

El eclipse solar del 21 ocurre en tu casa doce, y muy cerca de tu primera casa; afecta, pues, a los asuntos de las dos casas. Si naciste en la primera parte de tu signo, del 22 al 24 de agosto, lo sentirás muy fuerte; si naciste después, no lo sentirás tanto. Nuevamente (como en febrero) hay cambios en tu vida espiritual. Pienso que esto se debe a una revelación interior (este mes haces adelantos espirituales). Sería natural que a consecuencia de eso cambiaras tu práctica y tal vez de enseñanza. También como en febrero, hay trastornos y reestructuración en una organización espiritual o benéfica a la que perteneces o con la que te relacionas, y drama en la vida de gurús o figuras de gurú.

El 22 el Sol entra en tu signo y tú entras en uno de tus periodos anuales de placer personal. Este es un periodo para gozar de los placeres del cuerpo, para ponerlo en forma. También es bueno para poner en forma la imagen, tal como la deseas.

Los problemas amorosos de que hablamos el mes pasado se intensifican este mes: en el amor todo va de aprender a resolver las diferencias, de estar de acuerdo o en desacuerdo, pero con cariño y respeto.

Septiembre

Mejores días en general: 1, 10, 18, 19, 28, 29
Días menos favorables en general: 5, 6, 12, 13, 25, 26
Mejores días para el amor: 5, 6, 7, 8, 14, 15, 16, 17, 23, 24, 28
Mejores días para el dinero: 3, 4, 7, 8, 12, 13, 16, 17, 20, 21, 28, 30
Mejores días para la profesión: 8, 9, 12, 13, 18, 19, 28, 29

El poder planetario ahora está en su posición oriental máxima; el poder y la independencia personales están en su punto máximo. Los planetas están por ti, que no por los demás. Tus objetivos, tu felicidad, cuentan con un fuerte respaldo cósmico. Debes tener las cosas a tu manera en este periodo; si los demás no están de acuerdo contigo, puedes lanzarte solo. No necesitas de ningún apoyo social, así que, coge el toro por los cuernos y crea las condiciones para tu felicidad; ahora es el periodo, si esperas más tiempo será mucho más difícil.

La salud y la energía son súper este mes, tal vez de lo mejor en lo que va de año. El 50 por ciento de los planetas o están en tu signo o transitan por él, y cada uno aporta un don especial y una energía especial. El Sol en tu primera casa hasta el 22 te da una apariencia de estrella y confiere un atractivo sobrenatural a tu imagen; aumentan la clarividencia y la percepción extrasensorial. Marte en tu signo a partir del 5 te da atractivo sexual, fuerza física y valentía (ten cuidado de no excederte en algo bueno). Venus en tu signo a partir del 20 te da belleza, elegancia y encanto; te da un excelente sentido del estilo y la elegancia; también trae beneficios financieros inesperados y oportunidades. Mercurio en tu signo te da autoestima y confianza en ti mismo, y te presenta felices oportunidades profesionales. La vida es buena en este periodo.

A pesar de tu fabulosa apariencia, tu magnetismo y encanto, el amor se ve problemático. Sí, atraes al sexo opuesto, pero el problema parece estar en las relaciones serias. Eres fuerte y deseas imponerte, pero la otra persona también es fuerte y desea imponerse. Los problemas de que hemos hablado en los meses pasados están más en vigor ahora. Se trata de aprender a manifestar el desacuerdo con respeto y, especialmente, respetar la posición de la otra persona; esto puede resultar difícil. La tendencia sería (también en los meses anteriores) a romper la relación; pero esto no tiene por qué ocurrir, aunque supondrá más esfuerzo y trabajo continuar en ella. Del 23 al 25 hay una crisis amorosa, tal vez a causa de un asunto financiero, pero es algo más que eso. Sobrellévala, pues es algo de corta duración.

Cierto que el amor podría ir mejor, pero encuentras otro tipo de felicidad. Hasta el 22 sigues en una cima anual de placer personal. El 22 entras en un periodo anual de ingresos cumbre, ya que el Sol entra en tu casa del dinero. El mes es próspero.

Octubre

Mejores días en general: 7, 8, 15, 16, 25, 26
Días menos favorables en general: 3, 4, 9, 10, 22, 23, 24, 30, 31
Mejores días para el amor: 3, 4, 7, 8, 11, 12, 17, 18, 20, 21, 27, 28, 30, 31
Mejores días para el dinero: 1, 7, 8, 10, 11, 15, 16, 20, 21, 25, 26, 30
Mejores días para la profesión: 1, 9, 10, 20, 30, 31

Las finanzas son el principal titular del mes. Tu casa del dinero es con mucho la más dominante (y el interés dominante); el 60 por ciento de los planetas o están en ella o transitan por ella este mes. Esto significa mucho poder financiero; los ingresos aumentan de forma espectacular; estás en un periodo anual de ingresos cumbre. El Sol en tu casa del dinero hasta el 23 te hace una «estrella financiera»; brillas en este mundo. También indica una intuición financiera estupenda, fabulosos instintos. Mercurio en la casa del dinero hasta el 17 indica ingresos provenientes de buena comunicación, comercio, compra-venta, mercadotecnia, publicidad y relaciones públicas; también indica el favor de mayores y autoridades de tu vida; a veces indica dinero proveniente de algún organismo gubernamental. Venus en esta casa a partir del 14 también aumenta los ingresos; entonces está en su signo y casa: es fuerte en esta posición.

La vida financiera es fuerte todo el mes, pero a medida que este avanza va disminuyendo el interés. Júpiter, que ha estado en tu casa del dinero desde el año pasado, entra en tu tercera casa el 11. Mercurio sale de tu casa del dinero el 17, y el Sol el 23. Entonces ya habrás conseguido tus principales objetivos financieros, por lo menos los de a corto plazo, y no necesitas prestar mucha atención a estos asuntos.

El solsticio de Venus del 16 al 19 también indica una pausa en los asuntos financieros y luego un cambio de dirección.

Marte también tiene su solsticio este mes, del 23 al 30, lo que indica una pausa en los asuntos financieros del cónyuge, pareja o ser amado actual; estas pausas son buenas.

La entrada de Júpiter en tu tercera casa indica ingresos provenientes de ventas, mercadotecnía, publicidad, relaciones públicas, escritura y sitios blog en internet; el comercio, la compraventa también es afortunado con este aspecto. Es posible que adquieras coche y equipo de comunicación nuevos en los próximos meses, lo que también podría ser ya avanzado el año que viene.

Comienzas a encontrar interesantes las actividades intelectuales, sea cual sea tu edad. Este aspecto es especialmente bueno si eres estudiante aun no universitario; indica éxito en los estudios.

Virgo es signo intelectual, y ahora tienes el interés y los medios para darle gusto al intelecto.

La salud continúa excelente. Puedes fortalecerla más aún de las maneras indicadas en las previsiones para el año.

Noviembre

Mejores días en general: 3, 4, 12, 13, 21, 22
Días menos favorables en general: 5, 6, 19, 20, 26, 27
Mejores días para el amor: 6, 7, 8, 16, 17, 26, 27
Mejores días para el dinero: 3, 4, 7, 8, 12, 13, 14, 15, 16, 17, 21, 22, 26, 27
Mejores días para la profesión: 5, 6, 9, 19, 20, 29, 30

El mes pasado mejoró la vida amorosa; no ha sido perfecta, seguro, pero sí mejor que los meses anteriores. Este mes el amor mejora más aún. Os vais acercando tú y el ser amado, y cada día va disminuyendo la distancia. Todavía habrá algún desacuerdo después del 6, pero serán cosas temporales. Si tu relación sobrevivió a agosto y septiembre, sobrevivirá a este mes también. La entrada de Júpiter en Escorpio el mes pasado ha sido especialmente buena para el amor. Si estás soltero o soltera y sin compromiso encuentras amor serio en este periodo. Lo otro bueno es que tu planeta del amor, Neptuno, retoma por fin el movimiento directo después de meses de estar retrógrado; esto ocurre el 22. En lo que queda de año y en el próximo debería haber felicidad en el amor.

La salud y la energía continúan buenas, en especial hasta el 22; después procura descansar lo suficiente. Fortalece la salud de las maneras explicadas en las previsiones para el año. Tu planeta de la salud está en movimiento retrógrado desde agosto, así que evita hacer cambios drásticos en tu programa de salud; necesitas reflexionar y analizar más antes de hacer cambios.

Este mes el principal titular es la tercera casa; el 40 por ciento de los planetas están en esta casa o transitan por ella; en ciertos periodos el porcentaje se eleva al 50 por ciento. Si eres estudiante, este es un mes para destacar en los estudios; te gusta estudiar, no hace falta que te empujen; te apetece estudiar y leer. Hay éxito.

En este periodo te interesan todo tipo de libros y revistas diferentes: novelas románticas, poesía, literatura de inspiración, erótica, financiera y espiritual. Cada una aporta algo a tu almacén de conocimientos.

Tienes más relación con hermanos, figuras fraternas y vecinos en este periodo, y parece que estas personas prosperan.

Desde septiembre el poder planetario está en la mitad inferior de tu carta, por lo tanto también ha cambiado tu foco de atención. El hogar, la familia y tu bienestar emocional son más importantes que la profesión. Siempre eres ambicioso, eso no lo has perdido, pero este es un periodo de preparación, un periodo para reunir las fuerzas que necesitarás para tu próximo impulso profesional el año que viene. Una profesión exitosa se apoya en sólidos cimientos psíquicos y domésticos. Trabajar en estos cimientos favorecerá tu profesión más adelante.

Tu cuarta casa, la del hogar y la familia, estará poderosa a partir del 22; en cambio tu décima casa, la de la profesión, está esencialmente vacía, sólo la Luna transita por ella los días 5 y 6. Este es otro mensaje más: pon en un segundo plano la profesión y centra la atención en los asuntos familiares y domésticos.

Diciembre

Mejores días en general: 1, 2, 9, 10, 18, 19, 20
Días menos favorables en general: 3, 4, 16, 17, 24, 25, 30, 31
Mejores días para el amor: 5, 6, 7, 8, 14, 15, 16, 17, 24, 25, 28
Mejores días para el dinero: 5, 6, 7, 8, 11, 12, 14, 15, 16, 17, 24, 25, 28
Mejores días para la profesión: 3, 4, 7, 8, 16, 17, 26, 27, 30, 31

Nuevamente, como el mes pasado, encontramos ultra poderosa tu cuarta casa, la del hogar y la familia, y vacía la décima, la de la profesión; sólo la Luna transita por ella los días 3, 4, 30 y 31. Por lo tanto, continúa prestando atención a la situación doméstica y familiar; continúa atento a conseguir el «estado psíquico apropiado». En sentido simbólico este periodo es la noche de tu año, la hora de medianoche. El mundo externo deja de existir a medianoche; estamos dormidos para el mundo. Pero en el interior ocurren muchas cosas que preparan el escenario para el día siguiente, para la próxima acometida profesional. Sentirte bien es más importante que tener éxito en este periodo. Estar por la familia, con la presencia física y emocional, es más importante que hacer la gestión correcta, conseguir ese contrato o un ascenso. Estas cosas llegarán a su debido tiempo, pero ahora estate presente para la familia.

Este mes mejoran los asuntos familiares. El 21 sale por fin Saturno de tu cuarta casa. La vida familiar ha sido una carga (y tal vez también un progenitor). Esto se acaba. Es posible que en los últimos años te hayas sentido bloqueado; considerabas arriesgado expresar tus verdaderos sentimientos. Ahora esto es mucho más fácil.

La entrada de Saturno en tu quinta casa hace que la atención pase a los hijos y figuras filiales. Es necesario disciplinarlos bien, correctamente. Es un arte no excederse ni quedarse corto. Esto es algo que aprenderás en los próximos dos años y medio.

Hasta el 21 es necesario estar atento a la salud y la energía; después verás una enorme mejoría. Saturno, que ha estado casi tres años en aspecto desfavorable, comienza a formarte aspectos armoniosos. Después del 21 sólo habrá un planeta lento en alineación desfavorable, Neptuno. Esto lo sentirás en el cuerpo.

Mercurio hace movimiento retrógrado del 3 al 23. Dado que Mercurio es también tu planeta de la profesión, tenemos otra indicación de que relegues a un segundo plano los asuntos profesio-·

nales y centres la atención en la base hogareña. En este periodo te conviene revisar tus objetivos personales y profesionales para ver qué mejoras se pueden hacer. Después del 23 puedes poner por obra estas mejoras.

Del 1 al 3 Marte forma aspectos dinámicos con Urano. Estos días conduce con más precaución y evita las actividades difíciles o estresantes.

Marte está en tu casa del dinero hasta el 9. Este periodo es bueno para aprovechar el dinero de sobra para pagar deudas; es bueno para hacer planes testamentarios, si estás en la edad, y planes relativos a impuestos y seguros. El cónyuge, pareja o ser amado actual te apoya financieramente. Tu planeta del dinero, Venus, pasa gran parte del mes en tu cuarta casa; gastas en la familia y tal vez ganas con ella también. Hay buen apoyo familiar; podrías tener la tendencia a gastar en exceso.

Libra

La Balanza
Nacidos entre el 23 de septiembre y el 22 de octubre

Rasgos generales

LIBRA DE UN VISTAZO

Elemento: Aire

Planeta regente: Venus
   Planeta de la profesión: la Luna
   Planeta de la salud: Neptuno
   Planeta del amor: Marte
   Planeta del dinero: Plutón
   Planeta del hogar y la vida familiar: Saturno
   Planeta de la suerte: Mercurio

Colores: Azul, verde jade
   Colores que favorecen el amor, el romance y la armonía social:
      Carmín, rojo, escarlata
   Colores que favorecen la capacidad de ganar dinero: Borgoña,
      rojo violáceo, violeta

Piedras: Cornalina, crisolita, coral, esmeralda, jade, ópalo, cuar-
zo, mármol blanco

Metal: Cobre

Aromas: Almendra, rosa, vainilla, violeta

Modo: Cardinal (= actividad)

Cualidades más necesarias para el equilibrio: Sentido del yo, confianza en uno mismo, independencia

Virtudes más fuertes: Buena disposición social, encanto, tacto, diplomacia

Necesidades más profundas: Amor, romance, armonía social

Lo que hay que evitar: Hacer cosas incorrectas para ser aceptado socialmente

Signos globalmente más compatibles: Géminis, Acuario

Signos globalmente más incompatibles: Aries, Cáncer, Capricornio

Signo que ofrece más apoyo laboral: Cáncer

Signo que ofrece más apoyo emocional: Capricornio

Signo que ofrece más apoyo económico: Escorpio

Mejor signo para el matrimonio y/o las asociaciones: Aries

Signo que más apoya en proyectos creativos: Acuario

Mejor signo para pasárselo bien: Acuario

Signos que más apoyan espiritualmente: Géminis, Virgo

Mejor día de la semana: Viernes

La personalidad Libra

En el signo de Libra la mente universal (el alma) expresa el don de la relación, es decir, el poder para armonizar diversos elementos de modo unificado y orgánico. Libra es el poder del alma para expresar la belleza en todas sus formas. Y ¿dónde está la belleza si no es dentro de las relaciones? La belleza no existe aislada; surge de la comparación, de la correcta relación de partes diferentes. Sin una relación justa y armoniosa no hay belleza, ya se trate de arte, modales, ideas o asuntos sociales o políticos.

Los seres humanos tenemos dos facultades que nos elevan por encima del reino animal. La primera es la facultad racional, como se expresa en los signos de Géminis y Acuario. La segunda es la facultad estética, representada por Libra. Sin sentido estético seríamos poco más que bárbaros inteligentes. Libra es el instinto o impulso civilizador del alma.

La belleza es la esencia de lo que son los nativos de Libra. Están aquí para embellecer el mundo. Podríamos hablar de la buena disposición social de este signo, de su sentido del equilibrio y del juego limpio, de su capacidad de ver y amar el punto de vista de los demás, pero eso sería desviarnos de su bien principal: su deseo de belleza.

Nadie existe aisladamente, no importa lo solo o sola que parezca estar. El Universo es una vasta colaboración de seres. Los nativos de Libra, más que la mayoría, lo comprenden y comprenden las leyes espirituales que hacen soportables y placenteras las relaciones.

Un nativo de Libra es un civilizador, armonizador y artista inconsciente, y en algunos casos consciente. Este es el deseo más profundo de los Libra y su mayor don. Por instinto les gusta unir a las personas, y están especialmente cualificados para hacerlo. Tienen el don de ver lo que puede unir a la gente, las cosas que hacen que las personas se atraigan en lugar de separarse.

Situación económica

En materia económica, muchas personas consideran a los nativos de Libra frívolos e ilógicos, porque parecen estar más interesados en ganar dinero para otros que para ellos mismos. Pero esta actitud tiene una lógica. Los Libra saben que todas las cosas y personas están relacionadas, y que es imposible ayudar a alguien a prosperar sin prosperar también uno mismo. Dado que colaborar para aumentar los ingresos y mejorar la posición de sus socios o su pareja va a fortalecer su relación, Libra decide hacerlo. ¿Qué puede ser más agradable que estrechar una relación? Rara vez nos encontraremos con un Libra que se enriquezca a expensas de otra persona.

Escorpio es el signo que ocupa la segunda casa solar de Libra, la del dinero, lo cual da a este signo una perspicacia no habitual en asuntos económicos y el poder de centrarse en ellos de un modo aparentemente indiferente. De hecho, muchos otros signos acuden a Libra para pedirle consejo y orientación en esta materia.

Dadas sus dotes sociales, los nativos de Libra suelen gastar grandes sumas de dinero invitando a los demás y organizando acontecimientos sociales. También les gusta pedir ayuda a otros cuando la necesitan. Harán lo imposible por ayudar a un amigo en desgracia, aunque tengan que pedir un préstamo para ello. Sin embargo, también tienen mucho cuidado en pagar todas sus deudas y procuran que jamás haya necesidad de recordárselo.

Profesión e imagen pública

En público a los Libra les gusta parecer paternales. Sus amigos y conocidos son su familia, y ejercen el poder político de manera paternal. También les gustan los jefes que son así.

Cáncer está en la cúspide de su casa diez, la de la profesión, por lo tanto, la Luna es su planeta de la profesión. La Luna es con mucho el planeta más rápido y variable del horóscopo; es el único entre todos los planetas que recorre entero el zodiaco, los 12 signos, cada mes. Nos da una clave importante de la manera como los Libra enfocan su profesión y también de algunas de las cosas que necesitan hacer para sacar el máximo rendimiento de su potencial profesional. La Luna es el planeta de los estados de ánimo y los sentimientos, y los Libra necesitan una profesión en la cual tengan libertad para expresar sus emociones. Por eso muchos se dedican a las artes creativas. Su ambición crece y mengua como la Luna. Tienden a ejercer el poder según su estado de ánimo.

La Luna «rige» las masas, y por eso el mayor objetivo de los Libra es obtener una especie de aplauso masivo y popularidad. Los que alcanzan la fama cultivan el amor del público como otras personas cultivan el cariño de un amante o amigo. En su profesión y sus ambiciones, los Libra suelen ser muy flexibles, y muchas veces volubles. Por otro lado, son capaces de conseguir sus objetivos de muchas y diversas maneras. No se quedan estancados en una sola actitud ni en una sola manera de hacer las cosas.

Amor y relaciones

Los nativos de Libra expresan su verdadero genio en el amor. No podríamos encontrar una pareja más romántica, seductora y justa que una persona Libra. Si hay algo que con seguridad puede destruir una relación, impedir el flujo de la energía amorosa, es la injusticia o el desequilibrio entre amante y amado. Si uno de los dos miembros de la pareja da o recibe demasiado, seguro que en uno u otro momento surgirá el resentimiento. Los Libra tienen mucho cuidado con esto. Si acaso, podrían pecar por el lado de dar más, jamás por el de dar menos.

Si estás enamorado o enamorada de una persona Libra, procura mantener vivo el romance. Preocúpate de las pequeñas atenciones y los detalles: cenas iluminadas con velas, viajes a lugares exóticos, flores y obsequios. Regálale cosas hermosas, aunque no necesariamente tienen que ser caras; envíale tarjetas; llámala por teléfono con regularidad aunque no tengas nada especial que decirle. Los detalles son muy importantes. Vuestra relación es una obra de arte: hazla hermosa y tu amor Libra lo apreciará. Si además muestras tu creatividad, lo apreciará aún más, porque así es como tu Libra se va a comportar contigo.

A los nativos de Libra les gusta que su pareja sea dinámica e incluso voluntariosa. Saben que esas son cualidades de las que a veces ellos carecen y por eso les gusta que su pareja las tenga. Sin embargo, en sus relaciones sí que pueden ser muy dinámicos, aunque siempre de manera sutil y encantadora. La «encantadora ofensiva» y apertura de Gorbachov a fines de la década de 1980, que revolucionó a la entonces Unión Soviética, es típica de un Libra.

Los nativos de este signo están resueltos a hechizar al objeto de su deseo, y esta determinación puede ser muy agradable si uno está en el puesto del receptor.

Hogar y vida familiar

Dado que los Libra son muy sociales, no les gustan particularmente las tareas domésticas cotidianas. Les encanta que su casa esté bien organizada, limpia y ordenada, que no falte nada de lo necesario, pero los quehaceres domésticos les resultan una carga, una de las cosas desagradables de la vida, que han de hacerse cuanto más rápido mejor. Si tienen dinero suficiente, y a veces aunque no lo tengan, prefieren pagar a alguien para que les haga las tareas domésticas. Pero sí les gusta ocuparse del jardín y tener flores y plantas en casa.

Su casa será moderna y estará amueblada con excelente gusto. Habrá en ella muchas pinturas y esculturas. Dado que les gusta estar con amigos y familiares, disfrutan recibiéndolos en su hogar y son muy buenos anfitriones.

Capricornio está en la cúspide de su cuarta casa solar, la del hogar y la familia. Sus asuntos domésticos los rige pues Saturno, el planeta de la ley, el orden, los límites y la disciplina. Si los Libra desean tener una vida hogareña feliz, deberán desarrollar algunas de las cualidades de Saturno: orden, organización y disciplina. Al ser tan creativos y necesitar tan intensamente la armonía, pueden tender a ser demasiado indisciplinados en su casa y demasiado permisivos con sus hijos. Un exceso de permisividad no es bueno: los niños necesitan libertad, pero también límites.

Horóscopo para el año 2017*

Principales tendencias

Este es tu año, Libra, disfrútalo. Júpiter está en tu signo desde septiembre del año pasado y continuará en él hasta el 10 de octubre. Esto produce optimismo, buena suerte (lo que el mundo llama buena suerte) y placeres sensuales en abundancia. Sea cual sea la cantidad de dinero que tengas (esto no es un problema) vives a lo grande, como si fueras rico. Los medios para esto te llegan naturalmente. El 11 de octubre Júpiter entra en tu casa del dinero, produciendo expansión financiera, verdadero dinero. Hablaremos más acerca de este tema.

Saturno lleva dos años en tu tercera casa y continúa en ella casi todo este año. Si eres estudiante, aun no universitario, deberás aplicarte más a tus estudios; el aprendizaje requiere más disciplina. Si te aplicas verás el éxito (en esto cuentas con la ayuda de Júpiter).

Aun en el caso de que no seas estudiante, este año te vuelves más serio, más reflexivo, de pensamiento profundo; tu proceso de pensamiento será más organizado. Aprender podría llevarte más tiempo, pero lo que aprendas lo aprenderás bien, de modo profundo.

Plutón, que lleva muchos años en tu cuarta casa, indica más gastos en la casa y la familia, y tal vez obras de renovación en la casa. Hablaremos más de esto.

---

* Las previsiones de este libro se basan en el Horóscopo Solar y todos los signos que derivan de él; tu Signo Solar se convierte en el Ascendente, y las casas se numeran a partir de él. Tu horóscopo personal, el trazado concretamente para ti (según la fecha, hora y lugar exactos de tu nacimiento) podrían modificar lo que decimos aquí. Joseph Polansky

Neptuno está en tu sexta casa desde 2012 y continuará en ella muchos años más. Esto indica una persona que profundiza en los conocimientos de la curación espiritual, y obtiene buenos resultados. Volveremos sobre este tema.

Urano lleva muchos años en tu séptima casa, desde 2011, y continúa en ella este año. Este aspecto ha puesto a prueba a muchos matrimonios y relaciones amorosas; ha habido divorcios y casi divorcios. La vida social es muy inestable. Ya has aprendido a sobrellevar esto, pero ha sido un reto. El año que viene Urano comienza a salir de tu séptima casa, y en 2019 ya estará totalmente fuera. La vida amorosa comenzará a estabilizarse. Más adelante continuaremos con este tema.

Las facetas de mayor interés para ti este año son: el cuerpo y la imagen (hasta el 10 de octubre); las finanzas (a partir del 11 de octubre); la comunicación y las actividades intelectuales (hasta el 21 de diciembre); el hogar y la familia; la salud y el trabajo; el amor y el romance.

Los caminos para tu mayor satisfacción este año son: el cuerpo y la imagen (hasta el 10 de octubre); las finanzas (a partir del 11 de octubre); la espiritualidad (hasta el 29 de abril); las amistades, los grupos, las actividades de grupo y las actividades *online* (a partir del 29 de abril).

Salud

(Ten en cuenta que esta es una perspectiva astrológica de la salud, no una médica. Antaño no había ninguna diferencia, ambas eran idénticas, pero en esta época podrían diferir muchísimo. Para una perspectiva médica, por favor, consulta a tu médico o a otro profesional de la salud.)

Si bien la salud está mucho mejor que en el periodo 2011-2014, sigue siendo necesario prestarle atención. Dos planetas lentos, Urano y Plutón, están en alineación desfavorable contigo. A fin de año, el 21 de diciembre, Saturno entrará también en alineación desfavorable. Esto no significa enfermedad necesariamente, sino sólo que has de estar más atento a tu salud. Tu energía no está a la altura acostumbrada, por lo tanto estás más vulnerable. Lo bueno es que tu casa de la salud está prominente y le prestarás atención.

Es mucho lo que se puede hacer para fortalecer la salud y prevenir problemas. Lo primero y principal es mantener elevada la energía; no te permitas cansarte en exceso, no gastes energía en

cosas triviales, no esenciales. Ten presente las verdaderas prioridades de tu vida y deja estar las secundarias. Decirlo es fácil, pero
hacerlo es más difícil de lo que parece. Muchas veces hay que tomar decisiones difíciles.

Lo segundo es dar más atención a las siguientes zonas, que son
vulnerables en tu carta. Es probable que en una de ellas comience
el problema, si lo hay. Mantenerlas sanas es una buena medicina
preventiva.

El corazón. Normalmente este órgano no es vulnerable para ti,
pero en los últimos años lo ha sido. Te irá bien trabajar los puntos
reflejos. Evita la preocupación y la ansiedad; procura tener una
actitud relajada ante la vida. Se puede ser más eficiente sin necesidad de estar en tensión o padecer nervios. Reafirma tu fe.

Los riñones y las caderas. Estas zonas son siempre importantes
para ti. Te irá bien trabajar los puntos reflejos. Los masajes periódicos en las caderas y nalgas deberán formar parte de tu programa de salud. También son buenas las limpiezas de los riñones con
infusiones de hierbas.

Los pies. También son siempre importantes para ti. Neptuno,
que es tu planeta de la salud, rige los pies. Y desde 2012, cuando
Neptuno entró en Piscis, son más importantes aún. Masajes periódicos en los pies, trabajando los puntos reflejos, deberán formar
parte de tu programa de salud. En el mercado hay artilugios para
dar masajes en los pies, e incluso para baños terapéuticos con hidromasaje, que te irían fabulosamente bien (y los beneficios amor-
tizan el precio). Usa zapatos que calcen bien y no te desequilibren;
vale más sacrificar la moda a la comodidad, algo difícil para Libra.
Si puedes tener ambas cosas, moda y comodidad, mejor que mejor.

Neptuno, el más espiritual de los planetas, es tu planeta de la
salud, y como tal indica que respondes bien a las terapias de tipo
espiritual, como hemos dicho. Esto siempre ha sido así para ti,
pero lo es más aún desde 2012. Si te sientes indispuesto, consulta
con un terapeuta de orientación espiritual.

Tu planeta de la salud rige desde un signo de agua, por lo tanto
tienes una conexión especial con los poderes curativos del elemento agua. Este elemento está débil en el horóscopo este año, hasta el
11 de octubre, así que procura beber bastante agua; podrías tener
un problema de deshidratación. Los ejercicios aeróbicos en el agua
y los deportes acuáticos son saludables. Te conviene pasar más
tiempo en el agua, en especial si te sientes indispuesto. Haz un

paseo en barca, ve a la playa, al río o al lago. Procura estar cerca del agua. Un baño en un manantial natural, un lago, un río o en el mar será sanador. En caso de apuro te irá bien en la bañera.

Si prestas atención y tomas estas precauciones, tendrías que pasar el año con muy pocos problemas.

Hogar y vida familiar

El hogar y la familia ha sido una faceta importante en tu vida desde hace muchos años, desde 2008; ha sido tumultuosa, por decir lo mínimo. En el círculo familiar ha habido muerte y experiencias de casi muerte. En la casa ha habido obras importantes de reparación y renovación; tal vez incluso ha habido ruptura de la unidad familiar. Nada de esto debe considerarse un castigo, sino más bien una desintoxicación cósmica de la vida familiar, y de tu vida emocional. El equipo cósmico de construcción está trabajando arduo en crear el hogar soñado y la relación familiar ideal. Un tránsito de Plutón no es un «incidente», sino un proceso de muy larga duración. Se produce una serie de acontecimientos que siguen y siguen hasta que el trabajo está terminado. Así pues, esto es lo que está ocurriendo. El trabajo dista mucho de haber terminado. Plutón continuará en tu cuarta casa muchos años más.

Cualquiera que haya pasado por obras importantes de renovación sabe el caos que se arma; muebles por todas partes, no se puede pasar por ciertos sitios; hay ruido y muchas veces mal olor. A veces hay que dejar la casa e ir a dormir a otra parte. Te ves obligado a estar fuera de tu zona de agrado por un tiempo. Pero el resultado final, ¡ah!, es entonces cuando ves que valió la pena. Plutón es un maestro artesano, sabe exactamente lo que hace. Todo resultará bien al final.

Hay otro lado positivo en todo esto. El apoyo familiar se ve bueno. Gastas en el hogar, pero puedes ganar con él también. Las conexiones familiares son importantes en las finanzas.

Tu planeta del dinero, Plutón, en tu cuarta casa indica buena suerte en préstamos hipotecarios y otros tipos de crédito basados en el valor de tu casa. Podría llegar dinero proveniente de reclamaciones de seguro relacionadas con la casa; en este periodo será prudente tener una buena póliza de seguros de continente y contenido; en cualquier momento podría ser necesario hacer reparaciones.

Este aspecto también indica a una persona que gana dinero desde su casa. Es posible que instales una oficina en la ella o lleves una empresa con sede en el domicilio. La casa es tanto una oficina como un hogar. Todas estas cosas merecen la pena este año.

Como hemos dicho, en cualquier momento puede ser necesario hacer reparaciones o renovaciones. Pero si tienes la libertad para decidir, del 28 de enero al 20 de marzo y del 20 de julio al 5 de septiembre son buenos periodos; el trabajo será más rápido e irá mejor. Si tienes planes para redecorar o embellecer la casa (proceso que nunca acaba para Libra), del 22 de noviembre a fin de año es un buen periodo.

Teniendo a Júpiter en tu signo, si estás en edad de concebir eres mucho más fértil que de costumbre.

Un progenitor o figura parental está estresado o agobiado pero te apoya económicamente. Esta persona también está dedicada a renovaciones interminables en su casa, y tal vez incluso a mudanzas. La base hogareña se ve inestable; además esta persona parece estar temperamental, sujeta a cambios de humor; una terapia le iría muy bien.

Los hermanos y figuras fraternas se sentirán mejor a fin de año; hay probabilidades de mudanza depués del 11 de octubre.

Los hijos y figuras filiales tienen un año familiar sin novedades.

Profesión y situación económica

Este es un año próspero, como hemos dicho. Desde septiembre del año pasado estás en un ciclo de prosperidad de muchos años. Sin duda habrá trabajo, y ciertos retos. Pero el resultado final será mejores ingresos.

Júpiter, como ya sabemos, pasa la mayor parte del año en tu primera casa. Así pues, te vistes con ropa y accesorios caros, adoptas la imagen de la riqueza. Los demás te ven así. Y esto te atrae oportunidades financieras. Gastas más en ti también.

Ya hemos dicho que Júpiter en tu primera casa indica la «buena vida», la vida a lo grande. Gastas más en placeres personales, o tienes acceso a ellos. Este año va de placer personal, de mimarte, de usar ropa fina, de buena comida, buen vino y lujos. Eso sí, tendrás que controlar el peso: es el precio de la buena vida.

Está la tentación de gastar en exceso en estas cosas, así que ten cuidado. De todos modos, cuentas con los medios para gozar de estas cosas buenas. Si te atienes a un presupuesto tendrás menos dificultades financieras; si gastas en exceso podrás pagarlo, pero con más dificultad.

Este año gastas más en el hogar y la familia, como hemos dicho, y es posible que gastes en exceso (la influencia de Júpiter te empuja a ello). Pero este tipo de inversiones son fundamentalmente buenas, y están en tu horóscopo.

Estos aspectos favorecen los ingresos provenientes de inversiones en inmobiliaria residencial, bienes inmuebles, restaurantes, industria de hostelería e industrias que proveen el hogar. Siendo Libra, también son buenas las inversiones en diseño de interiores, fábricas de muebles, y fábricas de artículos de lujo para la casa.

Tu planeta del dinero está en el signo Capricornio desde 2008; esta es buena posición para las finanzas; indica buen juicio financiero, una visión conservadora, a largo plazo, de la riqueza. La riqueza se amasa de modo metódico, paso a paso, a lo largo del tiempo. Este aspecto es fabuloso para hacer presupuestos y planificación financiera. Libra no es famoso por su habilidad en las finanzas, su fuerte va por otro lado, pero desde 2008 han mejorado mucho tus dotes en administración financiera.

Cuando después del 11 de octubre comience a entrar el dinero en cantidad, sabrás que hacer con él.

Júpiter en Escorpio después del 11 de octubre indica que si estás en la edad, te ocuparás de hacer testamento. Los asuntos de impuestos y patrimonio determinarán las decisiones financieras que tomes.

Este año es bueno para pagar deudas, en especial después del 11 de octubre, aunque mucho depende de tus necesidades personales. Te será más fácil conseguir préstamos también; aumenta tu crédito; tienes buen acceso a capital ajeno. Aprender a utilizar bien la deuda o un préstamo es una de las lecciones importantes de la vida; si lo utilizas bien puede hacerte rico; si lo utilizas mal se convierte (como dicen los sabios en finanzas) en un arma de destrucción masiva.

La profesión no se ve importante este año; algunos años son así. La atención está más enfocada en las finanzas y en el hogar. De todos modos, hay muchas tendencias a corto plazo en la profesión que es mejor tratar en las previsiones mes a mes.

Amor y vida social

El amor es siempre importante para Libra, es la razón de su existencia (como dirían muchos si hablaras con ellos). Pero desde 2011, cuando Urano entró en tu séptima casa, el amor se ha vuelto más importante, y más difícil; también más placentero e interesante.

Urano es el planeta de la libertad y el cambio repentino, el cambio tipo rayo. Esto hace muy interesante el amor. Un rayo puede caer en cualquier momento y en cualquier lugar; el amor puede presentarse en cualquier momento. Siempre está la sensación de expectación, de hoy podría ocurrir. Pero esto también genera inestabilidad. Por lo general un rayo no dura mucho; los sentimientos que eran tan intensos la semana pasada son «beee» esta semana. Pero sea como sea, algo puede ocurrir hoy.

Urano en la séptima casa no es buen aspecto para las relaciones serias, comprometidas. Desde hace unos años ha habido muchos matrimonios en graves problemas; ha habido muchos divorcios. Y aunque no tenga que haber divorcio, una relación supondrá muchísimo trabajo y esfuerzo. Si se hace el trabajo, y la relación es esencialmente buena, he visto matrimonios que sobreviven a este tipo de aspecto, aunque no muchos, la verdad.

Si estás soltero o soltera no es aconsejable que te cases; disfruta de la vida amorosa en sí; no hay por qué proyectar nada para el futuro. La inestabilidad en el amor está en vigor todo el año; el año que viene comenzará a disminuir, y en 2019 ya entrará algo de normalidad en tu vida amorosa. Estarás más establecido, y la persona a la que atraigas también. Ya habrá salido del organismo la rebelión.

Hay muchas tendencias a corto plazo en el amor. Marte, tu planeta del amor, es de movimiento relativamente rápido; a lo largo del año no transita por todo el horóscopo, pero sí por muchos signos y casas. Así pues, la vida amorosa estará influida por la posición de Marte en un determinado momento y por los aspectos que reciba. Estas tendencias es mejor tratarlas en las previsiones mes a mes.

Si estás con miras a un segundo matrimonio, tienes un año sin novedades ni cambios. Si estás casado o casada, lo más probable es que continúes en ese estado; lo mismo vale si estás soltero o soltera, y también si estás con miras a un tercer matrimonio. Si te interesa un cuarto matrimonio, tienes maravillosos aspectos románticos, pero será mejor dejar la boda para más adelante.

Los hijos y figuras filiales tienen un buen año social; en todo caso, es posible que su vida social sea excesiva (en especial a partir del 29 de abril). Los nietos en edad apropiada, si los tienes, pasan por dificultades en su vida social.

Puede que el amor sea inestable, pero las amistades se ven felices este año, en especial después del 29 de abril, cuando el nodo norte de la Luna entra en tu casa once; el problema podría venir de tener demasiadas amistades, que no pocas.

Progreso personal

Los años 2015 y 2016 han sido fuertes en espiritualidad; ha habido mucho crecimiento, mucho progreso. Ha aumentado tu percepción extrasensorial. Has tenido muchas experiencias sobrenaturales. La vida espiritual continúa feliz este año, pero es menos activa. El nodo norte de la Luna estará en tu casa doce hasta el 29 de abril.

Urano en tu séptima casa, la del amor, ha causado dificultades, pero también ha producido un importante crecimiento personal. Has aprendido a sobrellevar la inseguridad en el amor y en la vida social, a sentirte cómodo con esto, a sentirte cómodo en los repentinos cambios que ocurren. Después de más de cinco años de esto ya no sientes tanta ansiedad.

La curación espiritual, como hemos dicho, es muy importante en este periodo; profundizas en tu comprensión de ella. Esta es una tendencia de larga duración y hemos hablado de ella en años anteriores. La curación espiritual es un tema muy, muy extenso, no es algo que se aprenda en uno, dos ni tres años; lleva mucho tiempo, y este es el mensaje de tu carta, pues Neptuno va a estar en tu sexta casa muchos años más.

A medida que profundices en la curación espiritual verás por ti mismo que la comprensión actual del cuerpo no es adecuada. Es verdadera hasta cierto punto; el cuerpo sí tiene un aspecto mecánico y químico, pero por encima de estos planos puramente físicos que se pueden medir con instrumentos hay muchos otros planos más sutiles. Hay un cuerpo energético, al que a veces se le llama cuerpo etéreo. Hay un cuerpo sensorial, y por encima de este un cuerpo mental y un cuerpo mental superior. Por encima de estos hay otros cuerpos espirituales a los que diferentes sistemas dan diferentes nombres. En astrología entendemos que cada uno de los planetas tiene su propio cuerpo en cada persona. Los cuerpos superiores son «causativos» en relación a los inferiores; un cambio en un cuerpo superior (superior en vibración) produce un cambio en el cuerpo que está debajo de él, lo que genera un cambio en el cuerpo que está debajo, y así sucesivamente hasta afectar al plano físico-químico.

La medicina mente-cuerpo es una corriente bastante importante hoy en día, pero tiene sus límites. Los problemas de la mente, donde están las semillas de la patología, no los puede tratar la mente humana (la mente humana es en sí el problema). Lo que se necesita es la intervención de un poder que está por encima de la mente humana para que resuelva estos problemas, y aquí es donde actúa el método espiritual de curación. Va de invocar a un poder que está por encima de la mente para que entre y haga su trabajo perfecto.

Cuando desciende este poder sana la mente, y sana los problemas que hay en ella y que son la causa del trastorno físico. Entonces, por un bello proceso natural, sanan los sentimientos y luego el cuerpo físico. A veces el efecto se acelera y no notamos las fases, pero, por lo general, la curación se produce por un proceso gradual.

Lo importante es perseverar en la práctica y permitir la desaparición gradual del problema de salud. Rara vez es algo «paf, ya está».

Previsiones mes a mes

Enero

Mejores días en general: 1, 9, 10, 17, 18, 19, 27, 28
Días menos favorables en general: 5, 6, 11, 12, 25, 26
Mejores días para el amor: 2, 3, 4, 5, 6, 11, 12, 20, 21, 31
Mejores días para el dinero: 1, 7, 8, 10, 15, 16, 18, 19, 20, 21, 25, 26, 28, 29
Mejores días para la profesión: 7, 8, 11, 12, 16, 27, 28

Comienzas el año con un dominio abrumador del sector occidental o social de tu carta; el 70 por ciento de los planetas están en este sector social. El 13, cuando Mercurio pasa al sector occidental, el porcentaje sube al 80 por ciento. Del 11 al 24 baja al 70 por ciento, pues la Luna transita por el sector oriental. A partir del 25 el porcentaje vuelve al 80 por ciento. Por naturaleza estás orientado hacia los demás, pero ahora lo estás más aún. Esta situación es agradable, cómoda, para ti, mucho más que para otros signos, como Aries o Leo. Te gusta depender, disfrutas ejercitando tus dotes sociales, sabes manejarte en esto. Ya eres experto en conseguir la colaboración de los demás, así que este mes tendría que ser feliz y próspero.

Es necesario que estés más atento a la salud, en especial hasta el 19, aunque después de esta fecha no te hará ningún daño descansar y relajarte más. Lo bueno es que Venus entra en tu sexta casa el 3 y pasa el resto del mes en ella. Estás al tanto de los asuntos de salud, tu atención está centrada en esto. Puedes fortalecer la salud de las maneras indicadas en las previsiones para el año. Después del 3 son especialmente potentes las técnicas de curación espiritual, sobre todo los días 11 y 12. Si te sientes indispuesto consulta a un terapeuta de orientación espiritual o aplica tus propias técnicas.

Tu atención a la salud tiene otros beneficios también. Tu planeta del amor, Marte, pasa la mayor parte del mes (hasta el 28) en tu sexta casa. Por lo tanto, tu atención a la salud podría llevar a romance y oportunidades sociales; tal vez sientas atracción por profesionales de la salud o personas relacionadas con tu salud. El amor es más idealista en este periodo; es importante la compatibilidad espiritual. Los problemas de salud podrían tener su causa en problemas amorosos; en este caso, restablece la armonía lo más pronto posible. Una visita a un profesional de la salud, o asistir a un seminario sobre salud podría llevar a oportunidades románticas y sociales.

Plutón, tu planeta del dinero, recibe aspectos positivos este mes, hasta el 19. Esto indica que hay prosperidad. Cuentas con el apoyo especial de amistades y familiares. La alta tecnología y las actividades *online* también producen beneficios. El 7 se ve un día especialmente bueno para las finanzas.

Hasta el 19 está poderosa tu cuarta casa, la del hogar y la familia. El poder planetario está principalmente bajo el horizonte de tu carta. La profesión no es un asunto importante este mes. Centra la atención en el hogar, la familia y tu bienestar emocional. Esto preparará las cosas para el impulso profesional de este año, que comenzará en marzo y abril. Este es el periodo para construir la infraestructura psíquica del futuro éxito profesional.

Febrero

Mejores días en general: 5, 6, 14, 15, 24, 25
Días menos favorables en general: 1, 2, 7, 8, 21, 22, 28
Mejores días para el amor: 1, 2, 9, 10, 19, 20, 28
Mejores días para el dinero: 3, 4, 5, 6, 12, 13, 14, 15, 16, 17, 18, 21, 22, 24, 25
Mejores días para la profesión: 5, 6, 7, 8, 14, 15, 26, 27

Hacia fines del mes pasado tanto Venus como Marte tuvieron sus solsticios; Venus lo tuvo del 29 al 31 y Marte del 27 al 31. Estos solsticios produjeron una corta pausa en tu vida amorosa y asuntos personales, y ahora vas en diferente dirección en estos aspectos; has cambiado de rumbo.

Este mes tenemos dos eclipses. Los eclipses siempre producen cambios y trastornos, pero estos serán moderados en ti, no te afectan mucho personalmente. De todos modos, no te hará ningún daño reducir tus actividades durante estos periodos.

El eclipse lunar del 11 (el 10 en América) ocurre en tu casa once; y no sólo eso, también hace impacto en el Sol,* el señor de tu casa once. Esto significa que hay drama en la vida de personas amigas; pasan por pruebas las amistades; tus amistades podrían estar más temperamentales estos días, así que ten paciencia. Podrían funcionar mal los ordenadores, los teléfonos móviles y otros artilugios de alta tecnología; tienden a ser sensibles a la energía cósmica. Es posible que vuelvan a funcionar bien una vez que pase el eclipse, pero a veces es necesario reemplazar el equipo o los programas informáticos; te conviene hacer copias de seguridad de los documentos importantes. También podría haber problema con virus o piratería informática. Todos los eclipses lunares afectan a la profesión; este no es diferente. Podría producir cambios drásticos en la empresa o industria en la que trabajas; cambian las normas. También podría producir drama en la vida de jefes, padres o figuras parentales.

El eclipse solar del 26 ocurre en tu sexta casa, la de la salud y el trabajo; además, hace impacto en Neptuno, el señor de esta casa. Así pues, podría haber sustos en la salud o cambios laborales. Hay trastornos en el lugar de trabajo; si eres empleador, habrá disturbios en el personal y tal vez cambio de empleados. En los próximos seis meses harás cambios drásticos en tu programa de salud; necesitas tomar medidas correctivas en tu programa o el eclipse te obligará a hacerlo. Dado que el planeta eclipsado es el Sol, señor de tu casa once, tu equipo y aparatos de alta tecnología pasan por más pruebas, y hay más drama en la vida de tus amigos.

---

* Todos los eclipses lunares hacen impacto en el Sol, aun cuando el planeta eclipsado es la Luna.

Marzo

Mejores días en general: 4, 5, 13, 14, 23, 24
Días menos favorables en general: 1, 6, 7, 21, 22, 28
Mejores días para el amor: 1, 9, 10, 18, 20, 21, 27, 28, 30
Mejores días para el dinero: 2, 3, 5, 6, 11, 12, 13, 14, 16, 17, 21, 22, 23, 24, 31
Mejores días para la profesión: 6, 7, 16, 27, 28

Después del 20 comienza a trasladarse el poder planetario y la mitad superior de tu carta se hace fuerte. Llega el periodo para centrar la atención en tu profesión y objetivos externos. Ahora bien, dado el modo como están alineados los planetas lentos, la mitad inferior sigue siendo bastante fuerte; hay cuatro planetas lentos ahí. Por lo tanto, siguen siendo importantes el hogar, la familia y el bienestar emocional; no puedes desentenderte de estas cosas, pero sí puedes dar más atención a tus ambiciones y tu vida externa. Tienes que equilibrar una profesión exitosa con una vida familiar feliz y armoniosa, hacer malabarismos entre ambas facetas.

Tus mejores días para la profesión están señalados en la lista de más arriba, pero, en general, tienes más entusiasmo y dinamismo del 1 al 12 y después del 28, cuando tu planeta de la profesión, la Luna, está en fase creciente. Hay más éxito en esos periodos. Los días 3 y 30 también son muy buenos, aun cuando los aspectos son algo opacos; estos son los días en que la Luna está en su perigeo, es decir, su posición más cercana a la Tierra.

Hasta el 20 la atención está en la salud y el trabajo; tu sexta casa está muy fuerte. Esto es bueno; necesitas acumular fuerzas para más adelante, cuando la salud sea más problemática. A partir del 20 procura descansar lo suficiente.

El poder que hay en tu sexta casa es excelente en el caso de que busques trabajo; los días 1 y 2 se ven excepcionalmente buenos. Los hijos y figuras filiales prosperan estos días; también se ve romance en sus vidas más avanzado el mes.

El 20 entras en una de tus cimas amorosas y sociales del año; tu séptima casa, la del amor, está llena de planetas; el 60 por ciento de los planetas o están en ella o transitan por ella este mes; es un mes activo en lo social; si estás soltero o soltera y sin compromiso hay muchas oportunidades románticas. El problema es que a partir del 4 Venus hace movimiento retrógrado, entonces no sabes muy bien qué deseas; tu seguridad en ti mismo no es la que debiera: tu sector occidental está muy poderoso y el planeta regente de tu horóscopo, Venus, está muy lejos de su casa; en Aries es mucho más débil. En cierto modo esto es bueno: no vas a intentar imponerte a los demás; seguirás la corriente; serás más popular que de costumbre. Veo una relación amorosa, pero al parecer tú das marcha atrás.

Las finanzas van bien hasta el 20; después se hacen algo más difíciles. Esto no afecta a tu prosperidad general, que es excelente este año, pero sí tienes que afrontar más dificultades; debes esforzarte más que de costumbre para conseguir tus objetivos.

Abril

Mejores días en general: 1, 10, 11, 19, 20, 21, 28, 29
Días menos favorables en general: 3, 4, 17, 18, 24, 25, 30
Mejores días para el amor: 4, 7, 8, 12, 13, 18, 23, 24, 25, 28
Mejores días para el dinero: 1, 7, 8, 10, 11, 12, 13, 17, 18, 19, 20, 21, 26, 27, 28, 29
Mejores días para la profesión: 3, 4, 5, 6, 15, 16, 26, 27, 30

El mes pasado estabas muy impulsivo en el amor, más de lo que es normal en ti; es muy posible que hayas tenido que pagar el precio de eso. Este mes eres más prudente, cauteloso; Venus, el planeta señor de tu carta, pasa la mayor parte del mes en Piscis (el mes pasado estaba en el impulsivo Aries). La vida amorosa sigue muy activa y tú sigues en una cima amorosa y social anual. Pero me parece que las actividades tienen que ver más con la amistad y los grupos que con el romance. Venus continúa en movimiento retrógrado hasta el 15, así que aprovecha este tiempo para aclararte respecto a tus objetivos personales; parece que necesitas decidir qué imagen deseas proyectar, cómo quieres que te vean los demás.

El 28 Venus vuelve a entrar en Aries, tu séptima casa, esta vez de modo más sano o normal, avanzando. Debes seguir cuidando de no precipitarte a entablar una relación, pero tu juicio será mejor. Tu popularidad es más fuerte y no tienes ninguna dificultad para anteponer a los demás; te muestras activo y osado en el amor, más de lo que lo eres habitualmente.

Si hablamos con una persona Libra, o alguien que tenga muchos planetas en Libra, nos dirá que «la vida va de relaciones; la relación lo es todo. Sólo se aprende acerca de uno mismo a través de las relaciones». No todo el mundo piensa así. Pero tú sí, y en este periodo más aún.

Tu planeta del amor, Marte, pasa gran parte del mes en tu octava casa (hasta el 21). Esto indica la importancia del magnetismo sexual en el amor; aun cuando no sientas esta atracción, atraes a personas que la sienten. Si bien la atracción sexual es importante, no hace duradera una relación. El 21 Marte entra en el intelectual Géminis, tu novena casa. Esto introduce más profundidad en la vida romántica; la atracción sexual sigue siendo importante, pero ahora también deseas buena comunicación y compatibilidad filosófica. Te atrae la persona que tiene el don de la labia (y algo que decir, claro está). Una función en la universidad o formativa es la ocasión y lugar para el amor; también lo es tu lugar de culto.

Hasta el 19 sigue siendo necesario estar atento a la salud; después mejora. Como siempre, hasta el 19 procura descansar lo suficiente; la energía elevada es mejor que un montón de píldoras y pociones.

Continúas en un periodo de prosperidad general, pero hasta el 19 tienes que trabajar más por tus ingresos. Después del 19 mejoran las finanzas. Eso sí, ten presente que el 20 inicia movimiento retrógrado tu planeta del dinero, Plutón, y que va a durar muchos meses. Habrá ingresos, pero es posible que lleguen con cierto retraso, con más lentitud de lo normal.

Mayo

Mejores días en general: 7, 8, 17, 18, 25, 26
Días menos favorables en general: 1, 14, 15, 21, 22, 27, 28
Mejores días para el amor: 2, 3, 7, 8, 12, 13, 17, 18, 21, 22, 25, 26
Mejores días para el dinero: 4, 5, 7, 8, 9, 10, 14, 15, 17, 18, 23, 24, 25, 26
Mejores días para la profesión: 1, 4, 5, 14, 15, 25, 26, 27, 28

La salud y la energía van mejorando día a día. Si te sientes indispuesto, fortalece la salud de las maneras indicadas en las previsiones para el año.

El 19 del mes pasado se hizo fuerte tu octava casa, y continúa fuerte hasta el 20 de este mes. El cónyuge, pareja o ser amado actual prospera, está en un periodo de ingresos cumbre. Tus finanzas también son buenas, pero tu planeta del dinero, Plutón, continúa en movimiento retrógrado; habrá retrasos, contratiempos y, tal vez, malos entendidos; procura no empeorar las cosas con descuidos; lee atentamente la letra pequeña de todos los folletos de garantía o de los contratos de servicios de cierta duración. Comprueba que no te has equivocado al escribir o poner los nombres en los talones o cheques; comprueba que el número de la cuenta y la dirección están correctos; errores pequeños pueden causar grandes problemas después.

El poder que hay en la octava casa indica más actividad sexual y una libido más fuerte, pero hay algo más: indica interés en la muerte y la vida después de la muerte; indica interés en los estudios ocultos o herméticos. Es posible que te hayas embarcado en un proyecto de transformación personal, y este es un buen mes para estas cosas. También son más interesantes la psicología profunda y la exploración de encarnaciones anteriores.

La octava casa se relaciona con la muerte. En astrología la muerte tiene más significados aparte de la muerte del cuerpo físico. La muerte también implica morir a lo viejo e inútil en nuestra vida; la muerte de los viejos hábitos, pautas de comportamiento y condiciones. En un plano más profundo, la octava casa va de «renovación», o, para emplear un término anticuado, de «resurrección». A la muerte siempre sigue la renovación y la resurrección. Si observas la vida, lo verás. Muere algo, tal vez una relación o una empresa de negocios, o un querido animal doméstico o un objeto; muy pronto nace algo nuevo que ocupa su lugar. Esta es la naturaleza de la vida y este es el mensaje del horóscopo. No hay muerte sin resurrección. Este es, pues, un mes para hacer resucitar cosas en tu vida que lo necesitan; pero antes debe morir lo viejo.

Este es un periodo fabuloso para regímenes de adelgazamiento o de desintoxicación (si los necesitas). En la octava casa nos liberamos de lo que sea que ya no es útil o necesario. Un objeto o lo que sea no tiene por qué ser malo, igual podría ser inocuo, pero si sólo ocupa espacio, líbrate de él.

Tu planeta del amor pasa todo el mes en tu novena casa; esto significa que hay oportunidades amorosas en otros países o con personas extranjeras. Después del 20 se ven muchas oportunidades de viaje al extranjero, y si estás soltero o soltera te convendría aprovechar una oportunidad. Si eres estudiante habrá oportunidades amorosas en el colegio o en funciones del colegio. En el caso de que estés en una relación y haya problemas en ella, un viaje al extranjero juntos podría sanar la relación.

Junio

Mejores días en general: 3, 4, 13, 14, 22, 23, 30
Días menos favorables en general: 10, 11, 12, 18, 19, 24, 25
Mejores días para el amor: 4, 5, 10, 11, 15, 16, 18, 19, 20, 21, 24, 25, 28, 29
Mejores días para el dinero: 1, 2, 3, 4, 5, 6, 7, 10, 11, 13, 14, 20, 21, 22, 23, 28, 29, 30
Mejores días para la profesión: 3, 4, 13, 14, 24, 25

La profesión es el principal titular este mes. Marte, tu planeta del amor, entra en tu décima casa el 4; el Sol y Mercurio entran el 21; la Luna nueva del 24 ocurre también en tu décima casa. Este es, pues, un periodo profesional potente. Haces mucho progreso en la profesión.

La presencia de Marte en tu décima casa nos da muchos mensajes. El cónyuge, pareja o ser amado actual tiene éxito, y es activo en tu profesión, tal vez te abre puertas; los contactos sociales en general son útiles. Actos sociales apropiados favorecen la profesión, por ejemplo asistir a u ofrecer fiestas o reuniones convenientes. Marte en tu décima casa tambien indica que eres activo y osado en la profesión; en este periodo son necesarios los actos osados.

La Luna nueva del 24 crea un día profesional excepcionalmente potente y trae mucho éxito. Todas las Lunas nuevas y llenas estimulan la profesión, pero esta es una súper Luna nueva, pues ocurre cerca de su perigeo, su posición más cercana a la Tierra.

La entrada del Sol en tu décima casa también indica la importancia de tus conexiones sociales. También indica que tu pericia en el uso de los equipos de alta tecnología tiene un papel importante (la red de contactos sociales favorece la profesión). La entrada de Mercurio en tu décima casa indica que participar en actividades benéficas o altruistas favorece la profesión. Tratándose de asuntos profesionales tienes buena intuición.

Si buscas trabajo tienes excelentes oportunidades todo el mes, pero en especial después del 21.

Después del 21 las finanzas se ven más difíciles. Simplemente tienes que trabajar más que de costumbre. Te llegan las cosas, pero no de modo uniforme.

Tu planeta del amor pasa «fuera de límites» la mayor parte del mes; esto indica que sales de tu esfera normal en tu vida social y amorosa; tu círculo habitual no tiene lo que deseas, así que lo buscas fuera; exploras terreno desconocido.

Después del 4 cambia tu actitud hacia el amor; te atraen personas poderosas, personas de posición elevada; la categoría profesional y social es excitante y romántico. A veces este aspecto indica oportunidades románticas con jefes o superiores, relaciones de tipo clandestino; otras veces simplemente indica citas con personas muy poderosas, personas de posición social superior a la tuya.

Después del 21 es necesario que estés más atento a la salud. Como siempre, procura descansar lo suficiente.

Julio

Mejores días en general: 1, 10, 11, 19, 20, 28, 29
Días menos favorables en general: 8, 9, 15, 16, 21, 22
Mejores días para el amor: 3, 4, 10, 13, 14, 15, 16, 19, 20, 23, 28, 29, 30, 31
Mejores días para el dinero: 1, 3, 4, 8, 9, 10, 11, 17, 18, 19, 20, 25, 26, 28, 29, 30, 31
Mejores días para la profesión: 3, 4, 13, 14, 21, 22, 23, 24

La profesión sigue siendo el principal titular este mes; tu cima profesional anual continúa hasta el 22. Hay mucho progreso y mucho éxito. Tus mejores días para la profesión están señalados en la lista, más arriba, pero también ten presente que tu energía profesional tenderá a ser más fuerte del 1 al 9 y después del 23, cuando la Luna está en fase creciente; el periodo del 1 al 9 será más fuerte que el de después del 23. El 21 también será exitoso ya que la Luna estará en su perigeo, su posición más cercana a la Tierra.

Las tendencias en la profesión de que hablamos el mes pasado continúan vigentes este mes; repasa lo que dijimos sobre esto.

Hasta el 22 sigue siendo necesario estar atento a la salud, por lo que sigue siendo importante descansar lo suficiente. Continúa fortaleciendo la salud de las maneras indicadas en las previsiones para el año. Después del 22 mejoran mucho la salud y la energía; los planetas rápidos salen de sus aspectos desfavorables para ti.

El amor es siempre importante para Libra, pero ahora lo es especialmente. Marte, tu planeta del amor, está en tu décima casa, por lo que está más prominente de lo habitual; esto podría indicar que tu vida amorosa y tu vida social son tu profesión este mes, son tu misión espiritual. Es necesario que estés por tu pareja o ser amado, y por tus amistades también. A veces la persona tiene su profesión mundana, pero la vida social es su verdadera profesión, su primera prioridad; esto tiende al éxito.

Hasta el 20 siguen en vigor muchas de las tendencias en el amor que explicamos el mes pasado. Te atraen personas de poder y prestigio; la vida amorosa no sólo es romántica, también favorece la profesión. Te atrae la persona que te pueda ayudar en la profesión. El poder es lo más seductor en este periodo.

El 20 Marte sale de tu décima casa y entra en Leo, tu casa once; esto también nos da muchos mensajes. Las oportunidades amorosas se presentan en sitios de contactos por internet o cuando participas en actividades de grupo y de organizaciones profesionales. Ya no te atraen el poder ni la posición, deseas pasarlo bien con el ser amado, te inclinas hacia la persona con la que puedes divertirte, la persona que sabe gozar de la vida; la simple ambición es menos atractiva; deseas «igualdad» en la relación.

Las finanzas siguen algo difíciles hasta el 22; después mejoran. Entre los días 18 y 19 hay un día de paga cósmica especialmente bueno, pero Plutón sigue en movimiento retrógrado este mes, así que ten más prudencia o cautela al hacer compras o inversiones importantes.

Agosto

Mejores días en general: 6, 7, 8, 16, 24, 25
Días menos favorables en general: 4, 5, 11, 12, 18, 31
Mejores días para el amor: 1, 2, 9, 10, 11, 12, 18, 19, 20, 21, 28, 29, 30
Mejores días para el dinero: 4, 5, 6, 7, 13, 14, 16, 22, 23, 24, 25, 26, 27, 31
Mejores días para la profesión: 1, 2, 3, 11, 12, 18, 20, 21, 31

Tu casa once, la de las amistades y actividades de grupo, se hizo muy poderosa el 22 del mes pasado, y este mes está más poderosa aún. Esto quiere decir que este es un mes muy social, un mes feliz. Generalmente la casa once no es de energía romántica, sino más de relaciones tipo platónico. Pero dado que Marte, tu planeta del amor, está en ella todo el mes, es probable que en estas actividades encuentres romance; el día 1 ocurre algo bueno y romántico.

La salud es buena este mes, no perfecta pero buena. Con la mayor energía que tienes, si había algún trastorno anterior, o bien desaparece o disminuye notablemente.

Aunque ya terminó tu cima profesional anual, seguimos viendo éxito este mes; el 1 Venus cruza tu medio cielo y entra en tu décima casa, la de la profesión. Venus, el señor de tu horóscopo, es el planeta más elevado en tu carta este mes (la Luna estará más elevada los días 17 y 18, pero esta es una posición de corta duración). Esto indica que estás por encima de todas las personas de tu mundo; estás elevado; las personas te admiran y aspiran a ser como tú; indica autoridad y poder. Es probable que recibas honores y reconocimiento. En general, tendrás más entusiasmo y gusto por tu profesión del 1 al 7 y después del 21, periodos en que la Luna está en fase creciente.

El eclipse lunar del 7 afecta a la profesión y produce cambios drásticos, creo que serán buenos; se te abren puertas (esto lo causa un trastorno y tal vez cambios en la jerarquía de la empresa en la que trabajas). También podría haber drama en la vida de los padres y figuras parentales.

Este eclipse lunar hace impacto en tu planeta del amor, Marte, por lo tanto la relación amorosa actual pasa por pruebas. A veces este tipo de eclipse señala un cambio en el estado civil; la persona soltera suele casarse o comprometerse en matrimonio.

Hay también un eclipse solar el 21, que ocurre en tu casa once y hace impacto en el señor de esta casa, el Sol. Esto ya lo experimentaste en febrero (dos veces). Nuevamente pasan por pruebas las amistades; también pasan por pruebas tu equipo y aparatos de alta tecnología; es posible que tengas que reemplazar alguno. Los ordenadores y la actividad *online* podrían funcionar de forma irregular; comprueba que tienes copias de seguridad de los documentos importantes; haz todo lo posible para protegerte de virus y piratería informática. Los hijos y figuras filiales pasan por dramas sociales; si alguno está casado, su matrimonio pasa por pruebas; si son niños o muy jóvenes, pasan por pruebas sus relaciones de amistad.

Septiembre

Mejores días en general: 3, 4, 12, 13, 20, 21, 30
Días menos favorables en general: 1, 7, 8, 14, 15, 28, 29
Mejores días para el amor: 7, 8, 9, 10, 16, 17, 18, 19, 28, 29

Mejores días para el dinero: 1, 3, 4, 10, 12, 13, 18, 19, 20, 21, 23, 24, 28, 29, 30
Mejores días para la profesión: 1, 10, 14, 15, 19, 30

El poder planetario está principalmente en el sector oriental de tu carta, que no es tu favorito; esta situación la tenemos desde julio, pero ahora este poder se hace más fuerte. Entras en un periodo de poder e independencia máximos. Uno de los problemas de estar demasiado consciente de los demás es que la persona puede perder la conciencia de su centro, su sentido de identidad; puede ser demasiado vulnerable a la presión de sus iguales, a complacer a los demás, y de modo erróneo. Ha llegado el periodo para afirmar tu identidad, para hacerte valer, para conectar con lo que te gusta y con lo que sientes, para conectar contigo mismo y seguir tu camino personal a la felicidad. No temas, no perderás amistades; es muy probable que estas te apoyen. En realidad, si uno no es uno mismo no puede ser un verdadero amigo ni amante. Por lo tanto, si ves necesario hacer cambios en tus condiciones o circunstancias, este es el periodo para hacerlo (el próximo mes también es bueno). Si esperas demasiado tiempo, podrás hacer los cambios, pero te resultará mucho más difícil.

La profesión disminuye en importancia este mes; la vida tiene su ritmo, hay un ritmo para hacer las cosas. Has tenido mucho éxito estos últimos meses y el impulso o empuje profesional va menguando, es menos exigente. Puedes dedicarte a otras cosas, en especial a tu vida espiritual; tu casa doce, la de la espiritualidad, es con mucho la más dominante este mes; el 50 por ciento de los planetas o están en ella o transitan por ella. Este es un mes para hacer progreso interior, espiritual, para conectar con la Divinidad que llevas dentro; para meditación, lecturas espirituales, estudio de las sagradas escrituras y para «buenas obras». No es necesario pertenecer a una organización benéfica para practicar la caridad; cada día ofrece oportunidades.

Tu planeta del amor, Marte, entra en tu casa doce el 5 y pasa en ella el resto del mes. Esto nos da varios mensajes: te sientes más cerca de lo Divino cuando estás enamorado; este aspecto favorece el camino shakti; amor, amor, amor, y todo irá bien. Venus entra en tu casa doce el 20, y esto refuerza lo anterior. La presencia de Mercurio y el Sol en la casa doce indica que también es importante el camino del conocimiento y la racionalidad; te beneficias de la combinación de amor y razón.

Marte en tu casa doce indica que la conexión y la compatibilidad espirituales son importantes en este periodo; es necesario que tú y el ser amado tengáis los mismos ideales espirituales y os apoyéis mutuamente en el crecimiento; indica que las oportunidades románticas se presentan cuando sigues tu camino espiritual y con personas que también lo siguen. Este no es un mes para buscar el amor en bares o clubes; asiste al taller espiritual, a la reunión para hacer oración o cantar las alabanzas a la Divinidad, o a una función benéfica; en esos lugares lo encontrarás.

El 22 el Sol entra en tu signo y tú comienzas uno de tus periodos de placer personal; es un periodo feliz. La salud es buena y se refleja en tu apariencia.

Octubre

Mejores días en general: 1, 9, 10, 18, 19, 27, 28, 29
Días menos favorables en general: 5, 6, 11, 12, 25, 26
Mejores días para el amor: 5, 6, 7, 8, 15, 16, 17, 18, 27, 28
Mejores días para el dinero: 1, 7, 8, 10, 11, 15, 16, 20, 21, 25, 26, 30
Mejores días para la profesión: 1, 9, 10, 11, 12, 19, 30

El principal titular este mes es la aglomeración de planetas en tu signo; el 60 por ciento de los planetas o están en él o transitan por él (ningún otro signo o casa se acerca a este porcentaje). Cada planeta aporta sus dones y capacidades. Este mes tu independencia y poder son más fuertes que el mes pasado. Es el periodo para ser tú mismo; es maravilloso ser uno mismo, sin pedir disculpas. Repasa lo que dijimos sobre esto el mes pasado.

La salud es súper este mes; si acaso, podría ser demasiado buena. Tienes tanta energía y dinamismo que si no los diriges bien podrías abusar o usarlas mal, y esto llevaría a problemas. Usa tu energía, pero no abuses de ella.

Todo lo que podrías desear o necesitar te llega, suspira por ti, te busca ardientemente; el amor y la amistad te buscan. Marte entra en tu signo el 22; no tienes que hacer nada especial para encontrar el amor; simplemente estar presente, ocuparte de tus asuntos diarios. Si estás en una relación esto quiere decir que el ser amado está totalmente dedicado a ti; te pone en primer lugar; te miman este mes. El Sol, tu planeta de las amistades, está en tu primera casa desde el 22 del mes pasado. Lo que hemos dicho sobre el ser amado vale también para tus amigos.

Has llevado la «buena vida» en lo que va de año, y tal vez este mes más aun. Este periodo no sólo es bueno para gozar de los placeres sensuales, sino también para poner el cuerpo y la imagen en buena forma, tal como deseas que sean.

Este mes Júpiter hace un importante traslado, sale de tu primera casa y entra en la segunda. Por lo tanto hay prosperidad en lo que queda de año y hasta bien entrado el próximo. Algo más avanzado el mes, el 23, entra el Sol en tu casa del dinero, y tu entras en una cima financiera anual. Los días 26 y 27 se ven especialmente buenos para las finanzas; las amistades prosperan y te ofrecen oportunidades financieras. Los hijos y figuras filiales tienen oportunidades románticas esos días.

Tienes amor, dinero, salud y buena apariencia en este periodo, ¿necesitas algo más?

Noviembre

Mejores días en general: 5, 6, 14, 15, 24, 25
Días menos favorables en general: 1, 2, 7, 8, 21, 22, 29, 30
Mejores días para el amor: 1, 2, 5, 6, 7, 14, 15, 16, 17, 24, 25, 26, 27, 29, 30
Mejores días para el dinero: 3, 4, 7, 8, 12, 13, 16, 17, 21, 22, 26, 27
Mejores días para la profesión: 7, 8, 17, 18, 28, 29

Este es otro mes feliz y muy próspero, Libra, disfrútalo.

El amor y el dinero son los principales titulares este mes. Tu casa del dinero está aun más fuerte que el mes pasado; en ella no sólo hay muchos planetas, sino que, además, estos son muy importantes, en especial los días 16 y 17. Y no es eso todo: tu planeta del dinero, Plutón, está en movimiento directo desde el 28 de septiembre. Todos los sistemas financieros funcionan; lo que tocas se convierte en oro. El 7 entra Venus en tu casa del dinero y pasa el resto del mes en ella. Los días 12 y 13 Venus viaja con Júpiter, produciendo una estupenda bonanza financiera, aunque en todo el mes abundan estas bonanzas. La entrada de Venus en la casa del dinero indica que te ocupas personalmente de tus finanzas, no delegas esta tarea, te encargas tú. Indica también que gastas en ti; te ves rico; para las personas de tu entorno eres una persona adinerada, la gente tiende a verte así. Dado que Venus también rige tu octava casa, este es un periodo fabuloso para usar el dinero de sobra para pagar deudas; tienes una verdadera oportunidad de liquidar deudas en este periodo, y deberías aprovecharla.

El mes pasado el poder planetario pasó de la mitad superior de tu carta a la inferior; del 15 al 27 el 90 por ciento de los planetas están en la mitad inferior; antes y después están el 80 por ciento; esto es estar muy dominante. Ha llegado el periodo para poner la profesión en un segundo plano y centrar la atención en el hogar, la familia y en el bienestar emocional; un periodo para reunir las fuerzas para el próximo empuje profesional, que será el año que viene. Este es un mes en que valoras más el dinero que el prestigio y la posición; no te interesa una oportunidad profesional que da prestigio, pero poco dinero; tampoco te interesa una que trastorne tu equilibrio emocional. A pesar de su poca importancia no podrás desentenderte totalmente del prestigio. Tus mejores días para la profesión están señalados en la lista del comienzo; en general, tienes más entusiasmo por la profesión y más poder del 1 al 4 y después del 18, cuando la Luna está en fase creciente. La Luna nueva del 4 hace de este un día particularmente fuerte en la profesión, ya que la Luna está cerca de su perigeo (su posición más cercana a la Tierra). Pero, como hemos dicho, ahora el impulso va hacia el hogar y la familia.

La salud continúa buena este mes. Marte en tu signo todo el mes indica dinamismo y energía; estás dinámico, destacas en deportes y en programas de ejercicios; tienes buen tono muscular y seguridad en ti mismo. Además, tienes amor, y amor dedicado por añadidura; la persona amada no desvía la mirada en este periodo; está dedicada totalmente a ti, y de tu parte.

Diciembre

Mejores días en general: 3, 4, 11, 12, 21, 22, 30, 31
Días menos favorables en general: 5, 6, 18, 19, 20, 26, 27
Mejores días para el amor: 3, 7, 8, 14, 16, 17, 24, 26, 27, 28
Mejores días para el dinero: 1, 2, 5, 6, 9, 10, 14, 15, 19, 20, 24, 25, 28, 29
Mejores días para la profesión: 5, 6, 7, 8, 16, 17

Los asuntos familiares y domésticos son aún más importantes que el mes pasado; tu cuarta casa está ultra poderosa a partir del 21; en cambio, tu décima casa está prácticamente vacía, sólo la Luna transita por ella los días 5 y 6.

Para muchas personas la temporada de vacaciones es un periodo de fiestas. Tendrás algo de fiesta, el señor de tu quinta casa recibe buenos aspectos hasta el 21, pero lo que a ti te viene de perlas es celebrarlo con la familia; no me sorprendería que pasaras el año viejo en una tranquila velada con los familiares. No es que no puedas salir, sino que sencillamente deseas estar en casa.

El 21 Saturno entra en tu cuarta casa (en la que se quedará los dos próximos años); esto indica un sentido del deber, un sentido de responsabilidad familiar. Demuestras tu cariño asumiendo más responsabilidades. La vida familiar podría ser una pesada carga en este periodo, pero no la puedes evitar: acéptala y llévala; esto te producirá mucho crecimiento personal y te traerá ayuda inesperada.

Saturno en la cuarta casa inicia un periodo en que te será necesario controlar o dirigir tu vida emociona. Con este aspecto viene la tendencia a reprimir las emociones, pero esto nunca da buen resultado a la larga. Controlar o dirigir los sentimientos no es lo mismo que reprimirlos; la persona asume el mando y los dirige bien, de modos constructivos. La meditación te será muy útil para esto.

Las finanzas siguen excelentes. Júpiter está en tu casa del dinero desde el 11 de octubre, y el 9 entra Marte y pasa el resto del mes en ella. Esto indica el apoyo financiero del cónyuge, pareja o ser amado actual; podrían presentarse oportunidades para formar una sociedad de negocios o una empresa conjunta. Tus amistades prosperan y te ofrecen oportunidades financieras.

Marte en la casa del dinero indica un cambio de tus preferencias en el amor. Ahora la riqueza material es un excitante romántico. Si estás soltero o soltera te atrae la persona «buena proveedora». El amor se demuestra con apoyo financiero o regalos materiales. Así es como te sientes amado y así es como demuestras el amor. En los meses anteriores, teniendo a Marte en tu signo, el amor era romántico; eran importantes los detalles románticos, pero a partir del 9, con Marte en Escorpio, lo que atrae es el magnetismo sexual.

La salud es buena hasta el 21; después necesita mucha más atención. No son sólo desfavorables los dos planetas rapidos, el Sol y Venus, también Saturno te forma aspectos desfavorables, y esta es una tendencia de larga duración. En los próximos años tendrás que tomar decisiones difíciles; no puedes hacerlo todo ni complacer a todo el mundo. Tendrás que centrar la atención en lo que es verdaderamente importante.

Escorpio

El Escorpión
Nacidos entre el 23 de octubre y el 22 de noviembre

Rasgos generales

ESCORPIO DE UN VISTAZO

Elemento: Agua

Planeta regente: Plutón
Planeta corregente: Marte
Planeta de la profesión: el Sol
Planeta de la salud: Marte
Planeta del amor: Venus
Planeta del dinero: Júpiter
Planeta del hogar y la vida familiar: Urano

Color: Rojo violáceo
Color que favorece el amor, el romance y la armonía social: Verde
Color que favorece la capacidad de ganar dinero: Azul

Piedras: Sanguinaria, malaquita, topacio

Metales: Hierro, radio, acero

Aromas: Flor del cerezo, coco, sándalo, sandía

Modo: Fijo (= estabilidad)

Cualidad más necesaria para el equilibrio: Visión más amplia de las cosas

Virtudes más fuertes: Lealtad, concentración, determinación, valor, profundidad

Necesidades más profundas: Penetración y transformación

Lo que hay que evitar: Celos, deseo de venganza, fanatismo

Signos globalmente más compatibles: Cáncer, Piscis

Signos globalmente más incompatibles: Tauro, Leo, Acuario

Signo que ofrece más apoyo laboral: Leo

Signo que ofrece más apoyo emocional: Acuario

Signo que ofrece más apoyo económico: Sagitario

Mejor signo para el matrimonio y/o las asociaciones: Tauro

Signo que más apoya en proyectos creativos: Piscis

Mejor signo para pasárselo bien: Piscis

Signos que más apoyan espiritualmente: Cáncer, Libra

Mejor día de la semana: Martes

La personalidad Escorpio

Un símbolo del signo de Escorpio es el ave fénix. Si meditamos sobre la leyenda del fénix podemos comenzar a comprender el carácter de Escorpio, sus poderes, capacidades, intereses y anhelos más profundos.

El fénix de la mitología era un ave capaz de recrearse y reproducirse a sí misma. Lo hacía de la manera más curiosa: buscaba un fuego, generalmente en un templo religioso, se introducía en él y se consumía en las llamas, y después renacía como un nuevo pájaro. Si eso no es la transformación más profunda y definitiva, ¿qué es entonces?

Transformación, eso es lo que los Escorpio son en todo, en su mente, su cuerpo, sus asuntos y sus relaciones (son también transformadores de la sociedad). Cambiar algo de forma natural, no artificial, supone una transformación interior. Este tipo de cambio es radical, en cuanto no es un simple cambio cosmético. Algunas personas creen que transformar sólo significa cambiar la apariencia, pero no es ese el tipo de cambio que interesa a los Escorpio. Ellos buscan el cambio profundo, fundamental. Dado que el verdadero cambio siempre procede del interior, les interesa mucho el aspecto interior, íntimo y filosófico de la vida, y suelen estar acostumbrados a él.

Los Escorpio suelen ser personas profundas e intelectuales. Si quieres ganar su interés habrás de presentarles algo más que una imagen superficial. Tú y tus intereses, proyectos o negocios habréis de tener verdadera sustancia para estimular a un Escorpio. Si no hay verdadera sustancia, lo descubrirá y ahí terminará la historia.

Si observamos la vida, los procesos de crecimiento y decadencia, vemos funcionar todo el tiempo los poderes transformadores de Escorpio. La oruga se convierte en mariposa, el bebé se convierte en niño y después en adulto. Para los Escorpio esta transformación clara y perpetua no es algo que se haya de temer. La consideran una parte normal de la vida. Esa aceptación de la transformación les da la clave para entender el verdadero sentido de la vida.

Su comprensión de la vida (incluidas las flaquezas) hace de los nativos de Escorpio poderosos guerreros, en todos los sentidos de la palabra. A esto añadamos su profundidad y penetración, su paciencia y aguante, y tendremos una poderosa personalidad. Los Escorpio tienen buena memoria y a veces pueden ser muy vengativos; son capaces de esperar años para conseguir su venganza. Sin embargo, como amigos, no los hay más leales y fieles. Poca gente está dispuesta a hacer los sacrificios que hará una persona Escorpio por un verdadero amigo.

Los resultados de una transformación son bastante evidentes, aunque el proceso es invisible y secreto. Por eso a los Escorpio se los considera personas de naturaleza reservada. Una semilla no se va a desarrollar bien si a cada momento se la saca de la tierra y se la expone a la luz del día. Debe permanecer enterrada, invisible, hasta que comience a crecer. Del mismo modo, los Escorpio temen revelar demasiado de sí mismos o de sus esperanzas a otras personas. En cambio, se van a sentir más que felices de mostrar el producto acabado, pero sólo cuando esté acabado. Por otro lado, les encanta conocer los secretos de los demás, tanto como les disgusta que alguien conozca los suyos.

Situación económica

El amor, el nacimiento, la vida y la muerte son las transformaciones más potentes de la Naturaleza, y a los Escorpio les interesan. En nuestra sociedad el dinero es también un poder transformador y por ese motivo los Escorpio se interesan por él. Para ellos el dinero es poder, produce cambios y gobierna. Es el poder del dinero lo que los fascina. Pero si no tienen cuidado, pueden ser demasiado materialistas y dejarse impresionar excesivamente por el poder del dinero, hasta el punto de llegar a creer que el dinero gobierna el mundo.

Incluso el término plutocracia viene de Plutón, que es el regente de Escorpio. De una u otra manera los nativos de este signo consiguen la posición económica por la que luchan. Cuando la alcanzan, son cautelosos para manejar su dinero. Parte de esta cautela es en realidad una especie de honradez, porque normalmente los Escorpio trabajan con el dinero de otras personas, en calidad de contables, abogados, agentes de Bolsa, asesores bursátiles o directivos de empresa, y cuando se maneja el dinero de otras personas hay que ser más prudente que al manejar el propio.

Para lograr sus objetivos económicos, los nativos de Escorpio han de aprender importantes lecciones. Es necesario que desarrollen cualidades que no tienen naturalmente, como la amplitud de visión, el optimismo, la fe, la confianza y, sobre todo, la generosidad. Necesitan ver la riqueza que hay en la Naturaleza y en la vida, además de las formas más obvias del dinero y el poder. Cuando desarrollan esta generosidad, su potencial financiero alcanza la cima, porque Júpiter, señor de la opulencia y de la buena suerte, es el planeta del dinero en su carta solar.

Profesión e imagen pública

La mayor aspiración de los nativos de Escorpio es ser considerados fuente de luz y vida por la sociedad. Desean ser dirigentes, estrellas. Pero siguen un camino diferente al de los nativos de Leo, las otras estrellas del zodiaco. Un Escorpio llega a su objetivo discretamente, sin alardes, sin ostentación; un Leo lo hace abierta y públicamente. Los Escorpio buscan el encanto y la diversión de los ricos y famosos de modo discreto, secreto, encubierto.

Por naturaleza, los Escorpio son introvertidos y tienden a evitar la luz de las candilejas. Pero si quieren conseguir sus más elevados objetivos profesionales, es necesario que se abran un poco y se expresen más. Deben dejar de esconder su luz bajo un perol y permitirle que ilumine. Por encima de todo, han de abandonar cualquier deseo de venganza y mezquindad. Todos sus dones y capacidades de percibir en profundidad las cosas se les concedieron por un importante motivo: servir a la vida y aumentar la alegría de vivir de los demás.

Amor y relaciones

Escorpio es otro signo del zodiaco al que le gustan las relaciones comprometidas, claramente definidas y estructuradas. Se lo piensan mucho antes de casarse, pero cuando se comprometen en una relación tienden a ser fieles, y ¡Dios ampare a la pareja sorprendida o incluso sospechosa de infidelidad! Los celos de los Escorpio son legendarios. Incluso pueden llegar al extremo de detectar la idea o intención de infidelidad, y esto puede provocar una tormenta tan grande como si de hecho su pareja hubiera sido infiel.

Los Escorpio tienden a casarse con personas más ricas que ellos. Suelen tener suficiente intensidad para los dos, de modo que buscan a personas agradables, muy trabajadoras, simpáticas, estables y transigentes. Desean a alguien en quien apoyarse, una persona leal que los respalde en sus batallas de la vida. Ya se trate de su pareja o de un amigo, para un Escorpio será un verdadero compañero o socio, no un adversario. Más que nada, lo que busca es un aliado, no un contrincante.

Si estás enamorado o enamorada de una persona Escorpio, vas a necesitar mucha paciencia. Lleva mucho tiempo conocer a los Escorpio, porque no se revelan fácilmente. Pero si perseveras y tus intenciones son sinceras, poco a poco se te permitirá la entrada en las cámaras interiores de su mente y su corazón.

Hogar y vida familiar

Urano rige la cuarta casa solar de Escorpio, la del hogar y los asuntos domésticos. Urano es el planeta de la ciencia, la tecnología, los cambios y la democracia. Esto nos dice mucho acerca del comportamiento de los Escorpio en su hogar y de lo que necesitan para llevar una vida familiar feliz y armoniosa.

Los nativos de Escorpio pueden a veces introducir pasión, intensidad y voluntariedad en su casa y su vida familiar, que no siempre son el lugar adecuado para estas cualidades. Estas virtudes son buenas para el guerrero y el transformador, pero no para la persona que cría y educa. Debido a esto (y también a su necesidad de cambio y transformación), los Escorpio pueden ser propensos a súbitos cambios de residencia. Si no se refrena, el a veces inflexible Escorpio puede producir alboroto y repentinos cataclismos en la familia.

Los Escorpio necesitan desarrollar algunas de las cualidades de Acuario para llevar mejor sus asuntos domésticos. Es necesario que fomenten un espíritu de equipo en casa, que traten las actividades familiares como verdaderas relaciones en grupo, porque todos han de tener voz y voto en lo que se hace y no se hace, y a veces los Escorpio son muy tiranos. Cuando se vuelven dictatoriales, son mucho peores que Leo o Capricornio (los otros dos signos de poder del zodiaco), porque Escorpio aplica la dictadura con más celo, pasión, intensidad y concentración que estos otros dos signos. Lógicamente, eso puede ser insoportable para sus familiares, sobre todo si son personas sensibles.

Para que un Escorpio consiga todos los beneficios del apoyo emocional que puede ofrecerle su familia, ha de liberarse de su conservadurismo y ser algo más experimental, explorar nuevas técnicas de crianza y educación de los hijos, ser más democrático con los miembros de la familia y tratar de arreglar más cosas por consenso que por edictos autocráticos.

Horóscopo para el año 2017*

Principales tendencias

Saturno en tu casa del dinero los dos últimos años ha echado sobre tus hombros más cargas y responsabilidades financieras; de ninguna manera podías evitarlas. Por lo tanto, tal vez has tenido la sensación de «estrechez». Esto no es lo que parece; el Cosmos

---

* Las previsiones de este libro se basan en el Horóscopo Solar y todos los signos que derivan de él; tu Signo Solar se convierte en el Ascendente, y las casas se numeran a partir de él. Tu horóscopo personal, el trazado concretamente para ti (según la fecha, hora y lugar exactos de tu nacimiento) podrían modificar lo que decimos aquí. Joseph Polansky

te ha llamado a reorganizar esta faceta, a sanearla, a administrar mejor tu dinero y tus recursos. Esta tendencia continúa este año.

A pesar de la sensación de estrechez acabarás el año más rico de como lo comenzaste. Tu planeta del dinero, Júpiter, entrará en tu signo el 11 de octubre; entonces comienza un ciclo de prosperidad de muchos años. Volveremos sobre este tema.

Plutón, el señor de tu horóscopo, está en tu tercera casa desde 2008. Estos años has sido más conservador y tradicional (y tal vez esto te ha procurado muchas críticas, no te ha hecho popular). Has centrado la atención en actividades de tipo intelectual (escribir, llevar tu blog, enseñar, ventas, publicidad o mercadotecnia). Es posible que hayas hecho cursos sobre temas que te interesan; has explorado el mundo intelectual, la vida de la mente. Sea cual sea tu nivel de formación anterior, te has vuelto más intelectual. Esta tendencia continuará muchos años más.

Neptuno está en tu quinta casa desde 2012. Tu visión de la diversión se ha ido refinando, espiritualizando; te resultan más interesantes las formas espirituales de diversión; te atraen las películas y obras de teatro espirituales, inspiradas. Los hijos y figuras filiales de tu vida están más espirituales, pero, como ocurre a veces, esto podría indicar que están liados con drogas y alcohol.

Urano está en tu sexta casa desde 2011; este año continuará en ella, pero se está preparando para salir dentro de los dos próximos años. Esto indica mucha experimentación en los asuntos de salud; tal vez has hecho muchos cambios drásticos en tu programa de salud; esto es un proceso continuo. Volveremos sobre este tema.

Júpiter pasa la mayor parte del año en tu casa doce, la de la espiritualidad, de modo que el año es muy espiritual. Descubrirás que la comprensión espiritual no es sólo algo abstracto o nebuloso, sino que tiene consecuencias muy prácticas, y útiles. Hablaremos más acerca de esto.

Los intereses más importantes para ti este año son: el cuerpo y la imagen (a partir del 11 de octubre); las finanzas; la comunicación y las actividades intelectuales; los hijos, la diversión y la creatividad; la salud y el trabajo; la espiritualidad (hasta el 10 de octubre).

Los caminos para tu mayor satisfacción este año son: la espiritualidad (hasta el 10 de octubre); el cuerpo y la imagen (a partir del 11 de octubre); las amistades, los grupos, las actividades de grupo y las actividades *online* (hasta el 29 de abril); la profesión (a partir del 29 de abril).

Salud

(Ten en cuenta que esta es una perspectiva astrológica de la salud, no una médica. Antaño no había ninguna diferencia, ambas eran idénticas, pero en esta época podrían diferir muchísimo. Para una perspectiva médica, por favor, consulta a tu médico o a otro profesional de la salud.)

La salud se ve buena este año, Escorpio. No hay ningún planeta lento en alineación difícil contigo; a fin de año ya habrá cuatro planetas lentos en aspecto armonioso contigo; esta es una muy buena señal para la salud. Tienes muchísima energía. Sin duda habrá periodos del año en que la salud y la energía estén menos bien: son cosas temporales causadas por los planetas rápidos; cuando acaba el tránsito difícil vuelven la salud y energía normales.

Esto es bueno para ti en el caso de que estés pasando por algún trastorno de la salud; este año debería aliviarse, no dar muchos problemas. También podría haber curación. Es posible que algún profesional de la salud o una terapia, un medicamento o suplemento se lleve el mérito, pero la verdad es que estabas respaldado por la energía cósmica.

Aunque tu salud es buena, el poder que hay en tu sexta casa indica que estás muy atento a ella. Tal vez le prestas demasiada atención, más de lo necesario; podrías estar tan obsesionado que cualquier pequeña molestia la agrandas desproporcionadamente. Lo más probable es que no sea nada (la Luna podría estar en una posición desfavorable en ese momento, y cuando sale de ella desaparece el malestar).

Tu salud es buena y la puedes fortalecer más aún. Da más atención a las siguientes zonas, que son las vulnerables en tu carta:

El colon, la vejiga y los órganos sexuales. Estos órganos son siempre importantes para Escorpio. Te irá bien trabajar los puntos reflejos. Es importante mantener limpio el colon; por lo general los enemas con infusiones de hierbas son buenos para ti. También son importantes la moderación sexual y el sexo seguro (Escorpio tiende a excederse en la actividad sexual).

La cabeza, la cara y el cuero cabelludo. Estas zonas también son siempre importantes para ti. Te convienen masajes periódicos en ellas, ya que eso no sólo fortalecerá esas zonas, sino también todo el organismo, pues en ellas hay puntos reflejos de todo el cuerpo. La terapia sacro-craneal también suele ser buena para Escorpio.

La musculatura. Es necesario mantener el buen tono muscular. Un músculo débil puede desalinear la columna y el esqueleto, y esto podría ser causa de muchos otros problemas. Es importante para ti el ejercicio físico vigoroso, según tu edad y fase en la vida.

Las suprarrenales. Estas glándulas también son siempre importantes para Escorpio; te irá bien trabajar los puntos reflejos. Evita la ira y el miedo, las dos emociones que hacen trabajar excesivamente a estas glándulas.

Los tobillos y las pantorrillas. Estas zonas son importantes sólo desde 2011. Masajes periódicos en ellas deberían formar parte de tu programa de salud. Protege bien los tobillos cuando hagas ejercicio.

Urano en la sexta casa indica más afinidad con la medicina alternativa que con la ortodoxa; aun así, te resultarán atractivas las nuevas tecnologías de vanguardia de la medicina ortodoxa. Te gusta lo nuevo y moderno.

Hay muchas tendencias a corto plazo en la salud; tu planeta de la salud, Marte, avanza relativamente rápido; cambia de signo y casa cada 45 días más o menos. Estas tendencias es mejor tratarlas en las previsiones mes a mes.

Hogar y vida familiar

La faceta hogar y familia ha estado turbulenta desde hace muchos años; parece que no estás en armonía con los familiares, en especial con un progenitor o figura parental. Lo bueno es que ahora las cosas van mejor que en el periodo de 2011 a 2014, aunque aún no están como debieran.

Lo importante en un problema de larga duración es no empeorar las cosas innecesariamente. Haz todo lo posible por reducir al mínimo la negatividad; habrá negatividad, pues hay desacuerdos en lo personal y en lo financiero, pero de lo que se trata es de cómo llevarlos. No hay reglas para esto, sólo el principio de la mínima negatividad; cada persona lo aplica a su manera.

Los desacuerdos financieros se resolverán solos después del 11 de octubre, pero continuarán los relacionados con los asuntos personales. Hará falta mucho esfuerzo para mantener por lo menos la apariencia de armonía.

La salud es buena este año, como hemos dicho, pero podrían afectarla las discordias familiares o los problemas emocionales; así pues, mantener la mayor armonía posible es en realidad un asunto de salud. Si surgiera (no lo permita Dios) un problema de salud, restablece la armonía lo más pronto posible.

Tu planeta de la familia, Urano, está en tu sexta casa desde 2011, por lo que siguen muy en vigor muchas de las tendencias que hemos explicado en años anteriores. Instalas en casa equipo y artilugios de salud; eliminas todo tipo de materia tóxica que pudiera haber en ella, y es probable que gastes en eso. La salud de tu familia es una prioridad para ti. La casa va a ser tanto un hogar como un balneario de salud.

La presencia del planeta de la familia en la sexta casa también indica trabajo desde casa. Así pues, es posible que instales o expandas un negocio o empresa con sede en el domicilio; los familiares podrían trabajar en eso también, lo que es otra complicación en tu relación con ellos.

Siendo Urano tu planeta de la familia, te gusta modernizar continuamente la casa; te gusta tener aparatos de alta tecnología, de modo que tal vez en tu casa hay muchísimos, y cuando se inventa uno nuevo eres uno de los primeros en comprarlo. Tienes tendencia a mudarte de casa, aunque este año no se ven probabilidades de mudanza. El año que viene será más apropiado para esto.

Los hermanos y figuras fraternas también pasan por la inestabilidad familiar; aun así no es probable que haya mudanza este año, aunque no hay nada en contra.

Un progenitor o figura parental podría mudarse después del 11 de octubre. Hay buena suerte en la compra o venta de una casa.

Los hijos y figuras filiales tienen un año familiar sin novedades ni cambios. Algún nieto, si los tienes, podría mudarse después del 11 de octubre.

Si tienes planes para redecorar la casa o embellecerla con objetos de arte, del 29 de enero al 18 de febrero es buen periodo; si tu idea es hacer obras de construcción o renovaciones importantes, hazlo del 28 de enero al 10 de marzo.

Profesión y situación económica

Este año será próspero, como hemos dicho, pero hasta el 11 de octubre estás en un periodo de preparación; el 90 por ciento de la vida es preparación; los resultados, lo que de verdad ocurre, sólo es el 10 por ciento. Tu planeta del dinero, Júpiter, pasa la mayor parte del año en tu casa doce, la de la espiritualidad; esto significa que hay revelaciones interiores, espirituales, respecto a tu vida fi-

nanciera, a tu actitud hacia las finanzas. Tener una revelación es
fabuloso, pero mientras ocurre no es muy agradable. Una luz en
un cuarto oscuro revela joyas y tesoros ocultos, pero también muchas cosas desagradables; podría haber escándalos relacionados
con las personas adineradas de tu vida. En tu vida financiera o en
tus inversiones hay maquinaciones secretas, entre bastidores, y es
probable que las descubras. Pero junto con esto, si estás receptivo,
habrá revelaciones sobre cómo manejar estas cosas.

Júpiter en la casa doce indica que este año desarrollas la intuición para las finanzas. La intuición siempre es el atajo hacia la
riqueza. Normalmente hay que hacer el trabajo, pero la intuición
te orienta acerca de la manera más rápida.

Este año te veo más filántropo, más generoso; aportas dinero a
obras benéficas y a causas altruistas. Oyes una historia triste o
trágica y abres el billetero.

Júpiter en Libra indica que este año hay afinidad con la industria de la belleza, con el arte, la moda, los cosméticos, las joyas y
las antigüedades. Estas son inversiones interesantes, ya sea la compra del objeto físico o la compra de acciones de las empresas que
los trabajan. Es posible que gastes más en estas cosas también.

Júpiter en la casa doce indica afinidad con las industrias el petróleo, gas natural, pesca, transporte marítimo, construcción naval y, en general, industrias relacionadas con el agua.

Lo más importante de la presencia de Júpiter en tu casa doce
es que aprendes las dimensiones espirituales de la riqueza (y tal
vez profundizas tu comprensión de ellas). Este es un año en que
aprendes a utilizar los recursos del Universo, y no sólo a trabajar
con tus propios recursos. Hablaremos más de esto.

Está el peligro de gastar en exceso en el hogar y la familia; esto
podría ser un problema.

Saturno, como hemos dicho, lleva dos años en tu casa del dinero,
está en ella desde la Navidad de 2014. Esto también forma parte de
tu preparación; si quieres conseguir los objetivos financieros a que
aspiras, y se ven elevados, necesitas preparación. Estás ejercitando
la intuición (con Júpiter en tu casa doce), y, en general, es necesario
reorganizar y reestructurar tu vida financiera. Esta reestructuración
ya está casi terminada, pero aún te queda un año. Debes usar de
modo más eficaz tus recursos; es posible que debas hacer algunos
cambios en tus inversiones o en tus gastos. Eliminas el derroche y
construyes sólidos cimientos. Ideas planes de inversión y ahorro a
largo plazo. Y si te atienes a ellos, sin duda habrá riqueza a la larga.

El 11 de octubre Júpiter entra en tu signo, y entonces comienza a entrar el dinero en cantidad; te llegan beneficios inesperados; las personas adineradas de tu vida te proveen y ofrecen oportunidades; hay suerte en las especulaciones; los hijos y figuras filiales te apoyan económicamente; vistes ropa más cara; se te considera una persona próspera; para los demás serás la «persona adinerada». Más importante aún, te sientes rico. Por último, cuando Saturno salga de tu casa del dinero a fines de año, el 21 de diciembre, la prosperidad aumentará más aún. Habrá valido la pena la espera.

Este año hay muchos cambios en la profesión. Hay dos eclipses solares, y estos siempre afectan a tu profesión y a la empresa e industria en la que trabajas. Y hay un tercer eclipse, el lunar del 11 de febrero, que afecta a tu profesión dado que ocurre en tu décima casa. Hay, pues, mucho drama en esta faceta. En mi opinión, los cambios serán buenos y los dramas te favorecerán; el nodo norte de la Luna entra en tu décima casa el 29 de abril.

Amor y vida social

Este año no está fuerte tu séptima casa, la del amor y las actividades sociales; no es prominente; sólo transitan por ella los planetas rápidos. Esto hace que las cosas continúen como están; ya sea que estés soltero o soltera, casado o casada, lo más probable es que continúes en ese estado. Te veo más o menos a gusto con las cosas como están y no tienes ninguna necesidad de hacer cambios importantes o prestarles mucha atención.

Pero esta situación, esta calma, es temporal; disfrútala. El año que viene Urano comienza su traslado a tu séptima casa, y en 2019 ya estará establecido en ella para muchos años. Entonces comenzarán a ponerse interesantes las cosas; no habrá ni un solo momento aburrido en el amor durante unos siete años. Toda la vida social pasará por cambios drásticos; esto lo trataremos con más detalle el próximo año.

Tu planeta del amor, Venus, es de movimiento rápido. A lo largo de un año transita por todos los sectores del horóscopo; sólo la Luna y Mercurio avanzan más rápido. Por lo tanto, el amor y las oportunidades románticas y sociales pueden presentarse de muchas maneras y a través de muchas personas, según dónde está Venus en un determinado momento y los aspectos que recibe. Además, esto indica que tus necesidades en el amor cambian rápido. La persona que está relacionada románticamente con un/a Escorpio debe entenderlo. No es que Escorpio sea voluble, sino que simplemente reacciona a los movimientos de Venus. Estas tendencias a corto plazo es mejor tratarlas en las previsiones mes a mes.

Este año tu planeta del amor hace movimiento retrógrado, el que hace cada dos años (a excepción de Marte, todos los demás planetas hacen movimiento retrógrado cada año, y Mercurio lo hace cuatro veces este año). Por eso, un movimiento retrógrado de Venus ocupa un titular; y este año lo hace del 4 de marzo al 15 de abril. Este es un periodo para hacer revisión de la vida amorosa y social; la vida romántica tiende a enlentecerse; podría parecer que las relaciones retroceden en lugar de avanzar. Nada de esto debe tomarse muy en serio; es un descanso, una pausa para reflexionar, para aclarar las cosas. Durante este periodo no tomes ninguna decisión importante en el amor.

Este año Venus pasa muchísimo tiempo en Aries, más de tres meses. Este tiempo es el triple del que pasa normalmente en un signo. Hay por lo tanto oportunidades amorosas en el lugar de trabajo, con personas del lugar de trabajo o personas relacionadas con tu salud.

Tu casa once, la de las amistades, se ve feliz; el nodo norte de la Luna estará en ella hasta el 29 de abril. Esto indica exceso. Tal vez tu problema es que tienes demasiadas amistades, pero es un problema que es agradable tener.

Progreso personal

Como hemos dicho, este año está fuerte tu casa doce, la de la espiritualidad. Es un año, pues, de mucho crecimiento interior; ocurren cosas fabulosas en tu interior, cosas que aún no son visibles para el mundo. Estos cambios comenzarán a hacerse visibles después del 11 de octubre y hasta bien avanzado el año que viene. Si estás en un camino espiritual harás enorme progreso este año; habrá muchos descubrimientos o revelaciones de tipo espiritual, y es una dicha cuando ocurren. Aumentan mucho tus capacidades espirituales, la percepción extrasensorial; la vida onírica es muy activa y a veces profética; te conviene escribir y analizar estas cosas; son importantes.

Si aún no estás en un camino espiritual, o lo estás muy superficialmente (que es una fase normal), es posible que te embarques en uno este año. Tendrás muchas experiencias sincrónicas, coincidencias inexplicables, que son la manera como te llama el espíritu.

Este año la práctica espiritual no es una «disciplina» en que la persona «aprieta firmemente las mandíbulas», sino que es agradable y placentera (y beneficiosa también); es algo que desearás hacer, que esperarás con ilusión.

Escorpio es un alma guerrera; el mundo es un lugar peligroso y sólo sobreviven los fuertes y los más listos. Pero en los asuntos espirituales hay que dejar de lado esta tendencia. Siendo Venus tu planeta espiritual, el amor es el camino. Hay una necesidad de desarrollar la naturaleza amorosa. Por lo tanto, entonar mantras, el canto, el tambor y el baile son caminos espirituales válidos para ti; es buena cualquier práctica que refuerce tu amor y dedicación.

Júpiter es tu planeta del dinero; su presencia en tu casa doce indica que este año desarrollas tu intuición financiera; la conviertes en instrumento de tu arsenal financiero. Pero hay algo más; este es un año en que profundizas más tu comprensión de las dimensiones espirituales de la riqueza. Está la perspectiva Wall Street y está la perspectiva Divina, y son radicalmente diferentes. Todo el mundo ansía tener libertad financiera e independencia económica, pero la verdad es que estas cosas son imposibles sin una comprensión espiritual del aprovisionamiento. Incluso las personas mundanas más ricas dependen de muchas cosas, de los altibajos del mercado bursátil, de la economía, de las decisiones gubernamentales, etcétera, etcétera. Pero la persona que comprende la dimensión espiritual está libre de todo esto. Depende solamente del Aprovisionamiento Divino, ninguna otra cosa importa.

Pase lo que pase en el trabajo o en la economía, ocurre el Aprovisionamiento Divino, se satisface la necesidad del momento. Otras personas pueden tener una cartera de acciones más grande que la tuya, pero nunca se trata de cuánto se posee; sólo se trata de «cuánto posee lo Divino», y lo posee todo.

Las leyes del aprovisionamiento espiritual no son tan complejas que no se puedan entender, pero normalmente es difícil ponerlas en práctica; a algunas personas se les da más fácil que a otras. Es necesario superar muchísimo, mucho «aprendizaje humano», muchos miedos y creencias subconscientes. Y esto es lo que lleva tiempo. Es posible que ya sepas mucho sobre esto; y este año vas a profundizar más en ello. Lee todo cuanto puedas sobre el tema; hay muchos libros si los buscas. Pon en práctica lo que aprendes. La práctica producirá el resultado.

Este año te llega orientación financiera en sueños y también a través de un astrólogo, vidente, lector de tarot, canalizador espiritual, gurú o persona del tipo gurú. Si te sientes confundido, consulta a alguna de estas personas.

Previsiones mes a mes

Enero

Mejores días en general: 2, 3, 11, 12, 20, 21, 30, 31
Días menos favorables en general: 1, 7, 8, 13, 14, 27, 28
Mejores días para el amor: 2, 7, 8, 12, 20, 21, 31
Mejores días para el dinero: 1, 10, 18, 19, 22, 23, 24, 28, 29
Mejores días para la profesión: 7, 8, 13, 14, 16, 27, 28

Este mes estás en un muy buen periodo para iniciar algún proyecto o empresa. Tanto tu ciclo solar personal como el universal están en fase creciente. Lo mejor de todo es que el movimiento directo este mes es muy fuerte. Después del 7 todos los planetas están en movimiento directo. Del 1 al 12 y del 28 al 31 son periodos especialmente buenos pues la Luna está en fase creciente. La primavera suele ser un buen periodo para iniciar cosas, pero entonces la actividad retrógrada será mayor. Para ti este periodo es mejor.

Comienzas el año con la mitad inferior de tu carta dominante. Del 1 al 6 y después del 21, el 90 por ciento de los planetas están bajo el horizonte de tu carta. Así pues, la profesión no es muy importante para ti; este es un periodo para ocuparte del bienestar interior, para poner en orden la base doméstica. Reúnes las fuerzas para el próximo empuje profesional que darás más adelante. La naturaleza nunca funciona sin parar, tiene su ritmo. Es bueno respetarlo.

La salud en general es buena este año y este mes, aunque después del 16 lo será menos. No pasa nada grave, simplemente el Sol entra en una alineación desfavorable que acaba el próximo mes. Si te sientes indispuesto, hasta el 28 te irán bien los masajes en los pies; después es potente el masaje en la cabeza y el cuero cabelludo.

Hasta el 19 tu misión, tu profesión espiritual, es adquirir conocimiento e información; también podría significar enseñar a otros lo que sabes; es importante estar presente para los hermanos y figuras fraternas. Después del 19 tu misión es el hogar, la familia y tu bienestar emocional; sin esto no habrá éxito profesional duradero.

Adquirir conocimiento y difundirlo no sólo es interesante en sí, sino que también favorece la economía. Gastar en libros o revistas es una buena inversión. La intuición es importante en las finanzas y mejora después del 19; los instintos son más fiables también; la prosperidad es mejor después del 19 que antes, pero antes está bien.

Tu planeta del amor, Venus, entra en Piscis el 3 y pasa el resto del mes ahí. El cónyuge, pareja o ser amado actual está extraordinariamente sensible, así que cuida tu tono de voz y tu lenguaje corporal.

Del 29 al 31 Venus tiene su solsticio; esto significa una pausa en tu vida social y luego un cambio de dirección, un nuevo rumbo. El solsticio de Marte, del 27 al 31, indica una pausa en el lugar de trabajo. Estas pausas son buenas, son como unas vacaciones: sales de ellas renovado.

Febrero

Mejores días en general: 7, 8, 16, 17, 18, 26, 27
Días menos favorables en general: 3, 4, 9, 10, 24, 25
Mejores días para el amor: 3, 4, 9, 10, 19, 20, 28
Mejores días para el dinero: 5, 6, 14, 15, 19, 20, 24, 25
Mejores días para la profesión: 5, 6, 9, 10, 14, 15, 26, 27

Todavía es un buen periodo para iniciar nuevos proyectos o empresas o lanzar nuevos productos. Hasta el 6 el periodo es óptimo; la Luna está en fase creciente y todos los planetas están en movimiento directo. El 6 inicia movimiento retrógrado Júpiter, tu planeta del dinero, así que te conviene hacerlo antes de esta fecha.

Aun cuando tenemos dos eclipses este mes, estás en un periodo esencialmente feliz; el 18 entras en una de tus cimas anuales de placer personal. Aunque hay muchos cambios y trastornos, te las arreglas para pasarlo bien.

El eclipse lunar del 11 (el 10 en América) es fuerte en ti, así que tómate las cosas con calma y reduce tus actividades durante ese periodo; no te hace ninguna falta hacer proezas temerarias ni batir ningún récord. Este eclipse ocurre en tu décima casa, la de la profesión, y señala cambios en tu vida profesional; cambios que pueden presentarse de muchas formas: podría haber trastornos o reorganización en la empresa o la industria en que trabajas; podría haber cambios en la administración o en las normas de la empresa;

el gobierno podría cambiar las normas o reglamentos de esta industria; también ocurre a veces que la persona cambia de camino profesional. Hay dramas en la vida de jefes, mayores, padres o figuras parentales, dramas de esos que cambian la vida. Dado que el planeta eclipsado, la Luna, rige tu novena casa, será mejor que evites viajar al extranjero en este periodo; si el viaje es necesario, lo haces, pero si el intenta evitarlo. Hay trastornos o reorganización en tu lugar de culto. Si eres estudiante universitario haces cambios importantes en tus planes de estudio; o tal vez cambias de facultad o asignatura principal.

El eclipse solar del 26 no es tan fuerte en ti: te forma aspectos armoniosos, pero no te hará ningún daño reducir tus actividades de todos modos. No obstante, este eclipse podría no ser tan amable con las personas de tu entorno; ocurre en tu quinta casa y afecta a los hijos o figuras filiales, que pasan por ciertos cambios drásticos; cambios que podrían ser de lo más naturales: entrada en la pubertad, despertar sexual, graduación, en fin, cosas importantes que cambian la vida; conviene protegerlos de riesgos o peligros durante el periodo del eclipse. Será mejor que evites las especulaciones. Es muy probable que la vida onírica sea muy activa, y no de modo agradable. Este eclipse ocurre en Piscis y muy cerca de Neptuno, así que no des mucha atención ni te preocupes por estos sueños; el plano astral (la dimensión onírica) está agitado, y eso es lo que ves. Todos los eclipses solares afectan a la profesión, a la industria y la empresa en que trabajas; también a jefes, padres y figuras parentales. En este sentido es una repetición del eclipse lunar del 11. Dado que este eclipse hace impacto en Neptuno, podría haber escándalo o revelaciones desagradables en la empresa o la industria en que trabajas.

Las finanzas van bien este mes, sobre todo hasta el 18, pero trata de dejar concluidas las compras e inversiones importantes antes del 6, pues a partir de este fecha Júpiter estará en movimiento retrógrado varios meses. Esto enlentece las cosas, pero no impide que lleguen los ingresos.

Marzo

Mejores días en general: 6, 7, 16, 17, 25, 26
Días menos favorables en general: 2, 3, 9, 10, 23, 24, 30
Mejores días para el amor: 1, 2, 3, 9, 18, 27, 30
Mejores días para el dinero: 5, 6, 13, 14, 18, 19, 23, 24
Mejores días para la profesión: 7, 9, 10, 16, 27, 28

El sector occidental o social de tu carta está dominante desde el 7 del mes pasado, y estará fuerte varios meses más. El poder planetario se aleja de ti, avanza hacia los demás. Esto significa que debes comenzar a atender a los demás y no a tu propio interés. Ahora cultivas tus dotes sociales; tienes muchas habilidades y dones, pero ahora lo que importa es lo bien que te llevas con los otros. Es de esperar que estés en condiciones y circunstancias felices; si hay algún problema con eso, toma nota y espera a que los planetas pasen a tu sector oriental (dentro de unos cinco meses) para hacer los cambios. En este periodo haces las cosas por consenso, no con actos independientes.

Hasta el 20 continúas en una cima anual de placer personal; es importante para ti pasarlo bien y gozar de la vida; hacer las cosas que te gustan favorece tu bienestar emocional, que ahora es importante. Tu profesión y objetivos externos no son tan importantes en este periodo; son más importantes tus hijos y las figuras filiales de tu vida.

Este mes está muy fuerte tu sexta casa, la de la salud y el trabajo. No te conviene estar demasiado atento a la salud, que es buena; no tienes por qué imaginar que cualquier pequeño malestar o dolor es algo grave. Es mejor que centres la atención en el trabajo; este periodo es muy bueno para hacer esas tareas aburridas, detallistas, como ordenar archivos, llevar las cuentas, preparar la declaración de la renta y el pago de impuestos, etcétera; tienes la energía y el ánimo para hacer estas cosas. En el caso de que busques trabajo, tienes buena suerte a partir del 20; también la tienes si eres empleador y quieres contratar personal.

Tu planeta de la salud, Marte, entra en tu séptima casa el 10 y pasa en ella el resto del mes. El amor, entonces, es importante en la salud; si hay un problema en el amor puede resentirse la salud. Si ocurriera esto (no lo permita Dios), restablece la armonía cuanto antes. Puedes fortalecer la salud con masajes en el cuello y la garganta, como también de las maneras indicadas en las previsiones para el año.

El amor es complicado este mes. Tu planeta del amor, Venus, inicia movimiento retrógrado el 4, y así continúa hasta el 15 del próximo mes. La relación amorosa podría quedar estancada o dar la impresión de que retrocede; no hay acuerdo entre tú y la persona amada; tal vez hay conflicto. Pero no tomes ninguna decisión importante todavía, ni en un sentido ni en otro; el 15 del mes que viene verás más claras las cosas. Además, Marte en tu séptima

casa no es el mejor aspecto para el amor; puede provocar luchas de
poder en la pareja, lo que sin duda mata todo sentimiento romántico; también puede producir demasiado perfeccionismo en la actitud hacia el amor, mucha crítica. Ten cuidado con esto.

Abril

Mejores días en general: 3, 4, 12, 13, 22, 23, 30
Días menos favorables en general: 5, 6, 19, 20, 21, 26, 27
Mejores días para el amor: 4, 12, 13, 23, 26, 27
Mejores días para el dinero: 1, 10, 11, 14, 15, 16, 19, 20, 21, 28,
29
Mejores días para la profesión: 5, 6, 15, 16, 26, 27

Este mes mejora la vida amorosa; el 2 Venus entra nuevamente en
Piscis, en movimiento retrógrado, y pasa ahí la mayor parte del
mes, hasta el 28. Hay más armonía con el ser amado. Pero Marte
sigue en tu séptima casa hasta el 21, así que continúa atento, trata
de evitar las luchas de poder y las críticas. La perfección es algo
bueno, pero ve de modo gradual y con cariño. Lo bueno es que el
19 entra el Sol en tu séptima casa, con lo que inicias una cima
amorosa y social anual. Esto indica que tienes la atención centrada en el amor, que ahora es importante para ti; te esfuerzas mucho, y esto tiende a salvar la relación. También contribuye positi-
vamente a esto que Venus retoma el movimiento directo el 15.

La entrada del Sol en tu séptima casa el 19 indica actividades
sociales relacionadas con la profesión. Haz lo posible por asistir
a ellas; indica que alternas con las personas poderosas de tu mundo. Tu buen talante social favorece la profesión, como también
muchas otras facetas de tu vida.

Si estás soltero o soltera y sin compromiso las oportunidades
amorosas se presentan en los lugares de costumbre: fiestas, reuniones, clubes nocturnos, balnearios y lugares de diversión. Si estás en
una relación, diviértete con tu pareja, haced cosas placenteras;
esto aliviará mucho la tensión si la hay.

La salud continúa muy buena; y será buena incluso después del
19, cuando el Sol entra en alineación desfavorable con tu salud; el
Sol será el único planeta en aspecto desfavorable (Marte sale de
su alineación desfavorable el 21). Así pues, aun cuando este no es
tu periodo de salud óptima del año, no tienes nada de qué preocuparte. Fortalece la salud de las maneras explicadas en las previ-

siones para el año. Hasta el 21 añade masajes en el cuello y la garganta; después añade masajes en los brazos y hombros.

Las finanzas han estado difíciles desde el 20 del mes pasado. Tu planeta del dinero no sólo está en movimiento retrógrado, sino que además recibe aspectos desfavorables. Ventas, contratos o gestiones se encuentran con contratiempos y no se cierran o resuelven a tiempo; los clientes podrían cambiar de decisión (tal vez unas cuantas veces). Hay ingresos, pero con más trabajo. Ten paciencia.

El 26 hay una súper Luna nueva; ocurre muy cerca de su perigeo (su posición más cercana a la Tierra) y, por lo tanto, tiene más efecto que la Luna nueva normal. Este será un buen día profesional para ti (la profesión comienza a ser importante); también es un día excelente si eres estudiante universitario o de posgrado; hay éxito en los estudios. Si tienes pendiente algún asunto legal o jurídico, este es buen día para esos asuntos también.

Mayo

Mejores días en general: 1, 9, 10, 19, 20, 27, 28
Días menos favorables en general: 2, 3, 17, 18, 23, 24, 29, 30
Mejores días para el amor: 2, 3, 12, 13, 21, 22, 23, 24
Mejores días para el dinero: 7, 8, 12, 13, 17, 18, 25, 26
Mejores días para la profesión: 2, 3, 4, 5, 14, 15, 25, 26, 29, 30

Este año nunca estará realmente dominante la mitad superior de tu carta (y esta situación lleva ya varios años); esto se debe a que todos los planetas lentos, a excepción de Júpiter, están en la mitad inferior. Por lo tanto, en general, tu vida ha ido de bienestar emocional y de funcionar desde tu zona de agrado emocional. Pero ahora que los planetas rápidos transitan por la mitad superior puedes comenzar a prestar más atención a la profesión. Esta situación comienza el 6 y el mes que viene será más fuerte. Ahora se trata de dedicarte a tu profesión de manera que no afecte a tu armonía emocional; procura protegerla, no turbarla.

Hasta el 21 sigues en una cima amorosa y social anual, y, como el mes pasado, hay mucha actividad social relacionada con la profesión. Si estás soltero o soltera, los mayores, jefes, padres y figuras parentales se interesan mucho por tu vida amorosa y desean favorecerla; es posible que alguno haga de casamentero, presentándote personas, concertándote citas a ciegas, etcétera. Venus en tu sexta casa todo el mes indica atracción por profesionales de la salud o personas relacionadas con tu salud; también te inclina al amor a primera vista; tal vez te hace demasiado impulsivo. El lugar de trabajo también parece ser un sitio para el romance. La salud mejora mucho después del 20. Antes del 20 no hay ningún problema grave, pero la energía es ligeramente menor de lo habitual. Fortalece la salud de las maneras indicadas en las previsiones para el año; añade masajes en los brazos y los hombros. Si te sientes indispuesto te irá bien el aire fresco: sal a tomarlo y haz respiraciones profundas. El planeta de la salud en tu octava casa indica que también son potentes los regímenes de desintoxicación.

Aunque tu planeta del dinero continúa retrógrado este mes, las finanzas mejoran mucho; los ingresos llegan con más facilidad que el mes pasado; el poder adquisitivo es más fuerte. Después del 20 habrá aún más mejoría en las finanzas. Este año tienes una intuición financiera excelente, pues Júpiter está en tu casa doce, pero mientras esté en movimiento retrógrado tus intuiciones necesitan verificación.

El 25 tenemos otra súper Luna nueva; la Luna está muy cerca de su perigeo. Este será un buen día para la profesión, y excelente si eres estudiante universitario o de posgrado.

Junio

Mejores días en general: 5, 6, 7, 15, 16, 24, 25
Días menos favorables en general: 13, 14, 20, 21, 26, 27
Mejores días para el amor: 10, 11, 20, 21, 28, 29
Mejores días para el dinero: 3, 4, 8, 9, 13, 14, 22, 23, 30
Mejores días para la profesión: 3, 4, 13, 14, 24, 26, 27

Tu octava casa, tu favorita, se hizo poderosa el 20 del mes pasado y continúa poderosa hasta el 21. Este es, pues, un mes de libido fuerte; hasta el 4 tienes a tu planeta de la salud en esta casa, así que resiste la tentación a excederte; escucha a tu cuerpo, él te dirá cuando ya has tenido bastante.

La octava casa se ocupa de todos tus intereses importantes: sexualidad, transformación y reinvención personales, muerte y resurrección. Este es pues un mes fabuloso para dedicar tu atención a estos intereses: verás mucho progreso. Cuando está fuerte la octava casa es un buen periodo para librarte de lo que está obsoleto y es inútil en tu vida. Quizá se trate de posesiones, de exceso de peso, de toxinas o de materia de desecho en el cuerpo, de pautas emocionales negativas y de una forma anticuada de pensar. En la octava casa nos renovamos mediante la «eliminación»; crecemos podando y recortando (la novena casa, de la expansión, viene después de la octava, de la eliminación).

Este es un mes fabuloso para hacer planes testamentarios (si estás en la edad) y para pagar impuestos; es bueno para negociar crédito o refinanciar deudas. El cónyuge, pareja o ser amado actual prospera en este periodo, está en una cima financiera anual. Es bueno para hacer ricas a otras personas (y esto tú lo haces naturalmente), para anteponer sus intereses financieros a los tuyos. Este interés te traerá prosperidad de modo natural.

La salud es buena todo el mes y mejora más aún después del 21; sólo hay un planeta en alineación desfavorable contigo: Mercurio hasta el 6, y Venus después del 6. La natación, los ejercicios aeróbicos en el agua y los deportes acuáticos son actividades saludables a partir del 4; después de esta fecha es más importante la dieta también. Si te sientes indispuesto, una posible causa podría ser que no comes bien.

Tu pareja o persona amada deberá protegerse de situaciones de riesgo o peligro del 2 al 4. El 6 Venus entra en tu séptima casa y comienza a formar aspectos muy buenos a Plutón, el señor de tu horóscopo. El amor es feliz este mes; hay armonía con el ser amado. Si estás soltero o soltera tienes oportunidades románticas; del 23 al 25 son días especialmente buenos; estás en ánimo para el amor.

Marte, tu planeta de la salud y el trabajo, pasa «fuera de límites» la mayor parte del mes. Esto quiere decir que tu trabajo te lleva fuera de tu ambiente o esfera normal. En el caso de que busques trabajo, significa que debes buscar oportunidades fuera de los límites normales. Me parece que en los asuntos de salud también te ocurre esto, aun cuando en tu cuerpo no va nada mal; tal vez simplemente te apetece explorar terapias, regímenes o ejercicios de tipo exótico.

Julio

Mejores días en general: 3, 4, 13, 14, 21, 22, 30, 31
Días menos favorables en general: 10, 11, 17, 18, 23, 24
Mejores días para el amor: 10, 17, 18, 19, 20, 28, 29
Mejores días para el dinero: 1, 5, 6, 10, 11, 19, 20, 28, 29
Mejores días para la profesión: 3, 4, 13, 14, 23, 24

La salud es excelente hasta el 20; después tendrás que descansar y relajarte más; el problema parece ser de fatiga o cansancio; exceso de trabajo. A partir del 22 hay mucho éxito en la profesión, pero te lo ganas trocito a trocito. Si te sientes indispuesto, a partir del 20 son buenas las terapias térmicas: sauna, baño de vapor, baño en agua caliente, cosas que calienten el cuerpo y relajen los músculos; también presta más atención al corazón; no trabajes hasta el extremo de no tener tiempo para salir a tomar el sol. Estos problemas de salud son de corta duración, habrán acabado el próximo mes.

La profesión es el principal titular este mes. En ella está centrada tu atención, y con toda razón. El hogar y la familia son importantes en este periodo, pero sirves a tu familia triunfando en tu vida externa (y aumentas tu bienestar emocional también).

Marte, tu planeta de la salud y el trabajo, cruza tu medio cielo el 20 y entra en tu décima casa. Esto indica que tu buena ética laboral produce éxito; los superiores se fijan; también indica mucha actividad y agresividad en la profesión; hay batallas competitivas; tu capacidad para luchar es tan importante como tu habilidad profesional. Este aspecto también indica que la salud es una prioridad y que le prestas atención.

El 22 el Sol entra en tu décima casa y tú entras en una cima profesional anual. El Sol, que es tu planeta de la profesión, es muy poderoso en su signo y casa, y esto anuncia éxito. Mejoran tus capacidades profesionales.

El 5 Venus entra en Géminis, tu octava casa. La buena relación sexual cubre muchos pecados en una relación; la química sexual es el principal atractivo. Pero no lo es todo; la buena comunicación es importante también; en este periodo la buena comunicación es una forma de juego sexual preliminar; el magnetismo sexual es importante, pero también lo es el don de la palabra. Los días 18 y el 19 se ven felices oportunidades románticas, si estás soltero o soltera y sin compromiso; si estás en una relación, indica felices experiencias sociales. Tus zonas eróticas (aparte de las normales) están en el pecho hasta el 16; después en el abdomen; los brazos y hombros también tienden a ser zonas eróticas para ti.

Un progenitor o figura parental tiene un fuerte mes social a partir del 20; si esta persona está soltera se le presentan oportunidades románticas.

Agosto

Mejores días en general: 9, 10, 18, 26, 27
Días menos favorables en general: 6, 7, 8, 13, 14, 20, 21
Mejores días para el amor: 9, 10, 13, 14, 18, 19, 28, 29
Mejores días para el dinero: 1, 2, 3, 6, 7, 16, 24, 25, 29, 30
Mejores días para la profesión: 1, 2, 3, 11, 12, 20, 21, 31

La profesión sigue siendo el principal titular este mes. Tu décima casa no sólo está poderosa, sino que, además, el 21 hay un eclipse solar en ella. Esto significa que hay mucha actividad y cambio en la profesión. Continúa atento a la salud este mes, en especial durante el periodo del eclipse. Te afectará más si naciste en la última parte de tu signo (del 19 al 22 de noviembre); si no, de todos modos lo sentirás.

La salud y la energía deberían mejorar de forma espectacular a partir del 23; tal vez ya te sientas mejor después del 22. Mientras tanto, procura programar más ratos de descanso, aunque todavía te veo muy, muy ocupado. Fortalece la salud de las maneras indicadas en las previsiones para el año, y continúa dando más atención al corazón; siguen siendo muy eficaces las terapias con calor, de las que hablamos el mes pasado.

El 7 hay un eclipse lunar que también es fuerte en ti. Durante ese periodo reduce tus actividades y pasa más tiempo tranquilo en casa. Este eclipse ocurre en tu cuarta casa y por lo tanto afecta al hogar y la familia. Si hubiera problemas ocultos en la casa, este es el periodo en que los descubres y tomas medidas correctivas. Los familiares, en especial un progenitor, están más temperamentales, así que debes tener más paciencia. A veces este aspecto indica que los familiares pasan por experiencias de aquellas que cambian la vida. Todos los eclipses lunares afectan a los estudiantes universitarios; si lo eres, harás cambios en tus planes de estudios. Es mejor evitar viajes al extranjero durante este periodo; si debes viajar, programa el viaje antes o después del periodo del eclipse; procura no estar en la carretera ni en el aire en ese periodo. Hay trastornos o reorganización en tu lugar de culto; pasan por pruebas tus creencias religiosas; por cierto, esto es bueno, pues a veces es necesario revisarlas para modificarlas o descartarlas. Dado que este eclipse hace impacto en Marte, habrá cambios laborales o cambios en las condiciones de trabajo; también podría haber sustos en la salud.

El eclipse solar del 21 ocurre técnicamente en tu décima casa, pero muy cerca de la cúspide (límite) de tu casa once. Por lo tanto, afecta a ambas casas. Habrá cambios en la profesión, cambios en la jerarquía o las normas de la empresa o la industria en que trabajas. Hay drama en la vida de jefes, padres o figuras parentales; también las amistades experimentan dramas de aquellos que cambian la vida. Pasa por pruebas tu equipo de alta tecnología.

Septiembre

Mejores días en general: 5, 6, 14, 15, 23, 24
Días menos favorables en general: 3, 4, 10, 16, 17, 30
Mejores días para el amor: 7, 8, 10, 16, 17, 28
Mejores días para el dinero: 3, 4, 12, 13, 20, 21, 25, 26, 30
Mejores días para la profesión: 1, 10, 16, 17, 19, 30

El 26 del mes pasado el poder planetario hizo un traslado importante, que en realidad comenzó antes, pero que en esta fecha llegó a su punto máximo; los planetas pasaron de tu sector occidental o social al sector oriental o independiente; ahora el poder planetario avanza hacia ti y se aleja de los demás. El poder y la independencia personales aumentan día a día; tienes el poder para crear tu felicidad; tienes que comenzar a pensar en ti, el «número uno»; prácticamente ha llegado a su fin el ciclo de complacer a los demás. Ahora tienes que complacerte tú; el Cosmos te respalda. Esto no es egoísmo como creen muchas personas; si tú eres feliz, el mundo en su conjunto es un lugar más feliz; si cada persona asume la responsabilidad de su felicidad, aumenta la felicidad en el mundo en general.

Este mes disminuye la atención a la profesión. El 5 Marte sale de tu décima casa; las cosas se calman, hay menos ajetreo. Mercurio sale de esta casa el 10 y Venus el 20. Junto con estos traslados hay una gran mejoría en la salud y la energía general; es probable que mejore el estado de ánimo también. Fortalece la salud dando más atención al intestino delgado; también serán buenos los masajes en el abdomen.

Tu casa once, la de las amistades, se hizo poderosa el 22 del mes pasado, y este mes está más poderosa aún. Es más prominente la vida social. La vida social de la casa once es diferente de la de la séptima casa; va más de amistad y relaciones platónicas, no de relaciones románticas o del corazón. Pero la entrada de Venus en tu casa once el 20 indica que podría haber romance. Tal vez participas en una actividad de grupo o asistes a una función organizativa y conoces a una persona especial. Con este aspecto a veces los amigos hacen de casamenteros; o una persona a la que sólo considerabas amiga se convierte en algo más. El mundo de internet es bueno en lo social este mes, en especial los sitios de redes sociales.

Venus en Virgo, a partir del 20, no es la mejor posición para el amor; Venus no se siente a gusto en Virgo; no puede funcionar con toda su fuerza. Así pues, tu magnetismo social no está a la altura habitual.

Del 8 al 10 se presenta una oportunidad profesional muy feliz; tienes éxito estos días.

Las finanzas van bien este mes también. El 22 el Sol comienza a viajar con Júpiter, así que habrá expansión financiera, y el mes que viene será mejor aún.

Octubre

Mejores días en general: 3, 4, 11, 12, 20, 21, 30, 31
Días menos favorables en general: 1, 7, 8, 13, 14, 27, 28, 29
Mejores días para el amor: 7, 8, 17, 18, 27, 28
Mejores días para el dinero: 1, 10, 11, 20, 22, 23, 24, 30
Mejores días para la profesión: 1, 9, 10, 13, 14, 19, 30

Este es un mes feliz, sano y próspero, Escorpio, ¡que lo disfrutes!

Tu planeta del dinero, Júpiter, hace un importante traslado (el que hace una vez al año); sale de Libra y entra en tu signo. Esto inicia un periodo de prosperidad de muchos años; este tránsito trae beneficios inesperados y felices oportunidades financieras. Tienes la apariencia, la imagen, de persona rica; eres la «persona adinerada» entre las personas de tu entorno; esta imagen de riqueza trae todo tipo de oportunidades, por la ley de la atracción: lo semejante atrae a lo semejante. Gastas en ti y llevas un estilo de vida a lo grande; puedes permitírtelo, las oportunidades financieras te buscan. Sólo tienes que ocuparte de tus asuntos diarios y las oportunidades te encontrarán. Cuentas con el afecto de las personas adineradas de tu vida.

El 23 el Sol cruza tu ascendente y entra en tu primera casa; esto te trae felices oportunidades profesionales; no te precipites a aceptarlas, las ofertas están ahí, puedes ser más selectivo. No sólo pareces rico, sino también exitoso; la gente te ve así; eres uno de los «encumbrados y poderosos» en este periodo.

El poder planetario está en su posición oriental máxima, y el próximo mes también; si aún no has hecho los cambios que te harán feliz, este es el periodo para hacerlos. Ahora tienes el poder y el dinero para crear tu felicidad; si esperas demasiado tiempo, podrás hacer los cambios, pero con más dificultad.

La vida espiritual es el otro titular importante este mes; el 60 por ciento de los planetas o están en tu casa doce o transitan por ella; esto es muchísimo poder. Este es, pues, un periodo para hacer progreso espiritual, para tener expericias espirituales en directo, como si dijéramos. Una cosa es leer algo en un libro u oírlo en un seminario, y otra cosa muy diferente es experimentarlo. Esto es lo que te ocurre este mes. Armoniza tu vida espiritual, sintoniza con la Divinidad que llevas dentro, y todo lo demás se armonizará.

La salud es excelente este mes; tienes la energía de diez personas; no hay ningún planeta en aspecto desfavorable contigo (algo muy excepcional); sólo la Luna lo estará de tanto en tanto, pero esto será moderado y de corta duración. La entrada de Marte en tu casa doce el 22 indica que te beneficias de técnicas curativas espirituales; así pues, en el improbable caso de que te sientas indispuesto, recurre a un terapeuta de orientación espiritual.

Noviembre

Mejores días en general: 7, 8, 16, 17, 26, 27
Días menos favorables en general: 3, 4, 9, 10, 24, 25
Mejores días para el amor: 3, 4, 6, 7, 16, 17, 26, 27
Mejores días para el dinero: 7, 8, 16, 17, 19, 20, 26, 27
Mejores días para la profesión: 7, 8, 9, 10, 17, 18, 28, 29

Este mes tienes amor, dinero, salud e independencia. ¿Qué más se le puede pedir a la vida? Eres muy tú mismo teniendo las cosas a tu manera; mientras no abuses de estos dones, las cosas son maravillosas. Los abusos llevan a problemas más adelante.

La salud es fabulosa este mes. Imagínate, no hay ningún planeta en aspecto desfavorable contigo; sólo la Luna, y sólo de tanto en tanto, te forma aspectos desagradables, y estos acaban muy pronto. Si tenías algún problema de salud, este brilla por su ausencia o está muy disminuido. Tedrías que controlar el peso en este periodo; la buena vida podría echarte unos kilos encima. Si estás en edad de concebir, ahora eres mucho más fértil.

Tu apariencia resplandece; atraes más al sexo opuesto que de costumbre; la apariencia física es tanto formal como una función de la energía; la energía podría ser más importante que la forma. Tu apariencia es la de una persona que está «en la cima del mundo». Te vistes con ropa cara, para el éxito. Normalmente Escorpio no es persona derrochadora, pero en este periodo ostentas tu riqueza.

El 7 Venus entra en tu signo; si eres mujer esto aumenta tu belleza y elegancia; si eres hombre, suele atraer chicas jóvenes a tu entorno. Seas mujer u hombre, la entrada de Venus en tu signo trae amor, que te persigue; es como si no pudieras escapar del romance. Si estás en una relación, el ser amado está muy dedicado a ti, a tu disposición.

Los días 12 y 13 son especialmente buenos en el amor y las finanzas.

Júpiter en tu signo trae dinero y oportunidades financieras, como hemos dicho. El 22, cuando el Sol entra en tu casa del dinero, aumenta aún más la riqueza; entras en una cima financiera anual. Cuentas con el favor financiero de jefes, mayores, padres o figuras parentales. Todos ellos te apoyan en las finanzas y te ofrecen oportunidades.

Júpiter en tu signo indica buen ojo para las empresas relacionadas con agua: servicio de agua, empresas embotelladoras o purificadoras, barcos y transporte marítimo. Es posible que te compres un barco en este periodo. Esta posición también es buena para empresas proveedoras de material quirúrgico o las que proveen a las agencias de investigación o inteligencia.

Tu planeta de la salud pasa el mes en tu casa doce; tu salud es buena, pero este es un mes bueno para explorar las técnicas de curación espiritual, el papel que desempeña el espíritu en el cuerpo físico.

Diciembre

Mejores días en general: 5, 6, 14, 15, 24, 25
Días menos favorables en general: 1, 2, 7, 8, 21, 22, 28, 29
Mejores días para el amor: 1, 2, 7, 8, 16, 17, 28, 29
Mejores días para el dinero: 5, 6, 14, 15, 16, 17, 24, 25
Mejores días para la profesión: 7, 8, 16, 17

El rico se hace más rico. Este mes las finanzas van mejor aún que el mes pasado (y esto por decir algo). El 21 Saturno sale de tu casa del dinero, donde ha estado más de dos años haciendo de freno en tu vida financiera; enlentecía las cosas; te traía cargas financieras extras de las que no podías escapar; te obligaba a hacer revisiones y reorganizaciones; y lo peor de todo, te producía pesimismo. Esto se acaba pasado el 21. Vuelve la confianza financiera, desaparecen las cargas, y si no desaparecen se llevan con tanta facilidad que ya no parecen cargas. Saturno ha hecho su trabajo y entra en tu tercera casa, a reorganizar tu vida intelectual. Escorpio es pensador profundo por naturaleza, pero Saturno te hará profundizar más. Organizarás mejor tu forma de hablar, de pensar y de escribir; te verás obligado a informarte bien antes de hablar, para saber bien de qué hablas; el discurso frívolo no aparecerá en absoluto durante los dos próximos años más o menos.

La entrada de Saturno en tu tercera casa afecta a tus hermanos y a las figuras fraternas de tu vida. Se ven obligados a asumir más responsabilidad, a tomarse la vida más en serio. Saturno sabe hacer esto.

Hasta el 21 continúas en una cima financiera anual. Los ingresos son muy fuertes. Venus, tu planeta del amor, entra en tu casa del dinero el 1 y pasa casi todo el mes en ella, hasta el 25. Esto indica el apoyo financiero del cónyuge, pareja o ser amado actual; también indica oportunidades para formar una sociedad de negocios o una empresa conjunta. Si estás soltero o soltera y sin compromiso, indica atracción por la riqueza; la riqueza es tan excitante como el magnetismo sexual (y tal vez más). Te gusta la persona buena proveedora; los regalos materiales y el apoyo económico te seducen. Las oportunidades amorosas se presentan cuando estás dedicado a tus objetivos financieros y con personas relacionadas con tus finanzas.

Marte entra en tu signo el 9. Esto da energía y dinamismo a tu imagen. Si eres mujer, introduce chicos jóvenes en el cuadro; si eres hombre, aumenta tu energía física y tu instinto de «macho»; el nivel de testosterona se dispara por las nubes.

Marte es tu planeta de la salud y del trabajo. Por lo tanto, se te presentan oportunidades de trabajo; si eres empleador, encuentras buenos trabajadores; no es mucho lo que tienes que hacer, simplemente ocuparte de tus asuntos diarios.

La salud continúa muy buena. Marte en tu signo indica que te ves sano también (la persona puede estar sana pero no necesariamente parecerlo). Te ves en buena forma física. El mejor ejercicios será la natación, los deportes acuáticos y los ejercicios aeróbicos en el agua.

Sagitario

El Arquero
Nacidos entre el 23 de noviembre y el 20 de diciembre

Rasgos generales

SAGITARIO DE UN VISTAZO

Elemento: Fuego

Planeta regente: Júpiter
  Planeta de la profesión: Mercurio
  Planeta del amor: Mercurio
  Planeta de la riqueza y la buena suerte: Júpiter

Colores: Azul, azul oscuro
  Colores que favorecen el amor, el romance y la armonía social: Amarillo, amarillo anaranjado
  Colores que favorecen la capacidad de ganar dinero: Negro, azul índigo

Piedras: Rubí, turquesa

Metal: Estaño

Aromas: Clavel, jazmín, mirra

Modo: Mutable (= flexibilidad)

Cualidades más necesarias para el equilibrio: Atención a los detalles, administración y organización

Virtudes más fuertes: Generosidad, sinceridad, amplitud de criterio, una enorme clarividencia

Necesidad más profunda: Expansión mental

Lo que hay que evitar: Exceso de optimismo, exageración, ser demasiado generoso con el dinero ajeno

Signos globalmente más compatibles: Aries, Leo

Signos globalmente más incompatibles: Géminis, Virgo, Piscis

Signo que ofrece más apoyo laboral: Virgo

Signo que ofrece más apoyo emocional: Piscis

Signo que ofrece más apoyo económico: Capricornio

Mejor signo para el matrimonio y/o las asociaciones: Géminis

Signo que más apoya en proyectos creativos: Aries

Mejor signo para pasárselo bien: Aries

Signos que más apoyan espiritualmente: Leo, Escorpio

Mejor día de la semana: Jueves

La personalidad Sagitario

Si miramos el símbolo del Arquero conseguiremos una buena e intuitiva comprensión de las personas nacidas bajo este signo astrológico. El desarrollo de la arquería fue el primer refinamiento que hizo la Humanidad del poder de cazar y hacer la guerra. La habilidad de disparar una flecha más allá del alcance normal de una lanza amplió los horizontes, la riqueza, la voluntad personal y el poder de la Humanidad.

Actualmente, en lugar de usar el arco y las flechas proyectamos nuestro poder con combustibles y poderosos motores, pero el motivo esencial de usar estos nuevos poderes sigue siendo el mismo. Estos poderes representan la capacidad que tenemos de ampliar nuestra esfera de influencia personal, y eso es lo que hace Sagitario en todo. Los nativos de este signo siempre andan en busca de expandir sus horizontes, cubrir más territorio y aumentar su alcance y su campo de acción. Esto se aplica a todos los aspectos de su vida: económico, social e intelectual.

Los Sagitario destacan por el desarrollo de su mente, del intelecto superior, que comprende conceptos filosóficos, metafísicos y espirituales. Esta mente representa la parte superior de la naturaleza psíquica y está motivada no por consideraciones egoístas, sino por la luz y la gracia de un poder superior. Así pues, a los Sagitario les gusta la formación superior. Tal vez se aburran con los estudios formales, pero les encanta estudiar solos y a su manera. El gusto por los viajes al extranjero y el interés por lugares lejanos son también características dignas de mención.

Si pensamos en todos estos atributos de Sagitario, veremos que nacen de su deseo interior de desarrollarse y crecer. Viajar más es conocer más, conocer más es ser más, cultivar la mente superior es crecer y llegar más lejos. Todos estos rasgos tienden a ampliar sus horizontes intelectuales y, de forma indirecta, los económicos y materiales.

La generosidad de los Sagitario es legendaria. Hay muchas razones que la explican. Una es que al parecer tienen una conciencia innata de la riqueza. Se sienten ricos, afortunados, piensan que pueden lograr cualquier objetivo económico, y entonces creen que pueden permitirse ser generosos. Los Sagitario no llevan la carga de la carencia y la limitación, que impide a muchas personas ser generosas. Otro motivo de su generosidad es su idealismo religioso y filosófico, nacido de la mente superior, que es generosa por naturaleza, ya que las circunstancias materiales no la afectan. Otro motivo más es que el acto de dar parece ser enriquecedor, y esa recompensa es suficiente para ellos.

Situación económica

Generalmente los Sagitario atraen la riqueza. O la atraen o la generan. Tienen ideas, energía y talento para hacer realidad su visión del Paraíso en la Tierra. Sin embargo, la riqueza sola no es suficiente. Desean el lujo; una vida simplemente cómoda les parece algo pequeño e insignificante.

Para convertir en realidad su verdadero potencial de ganar dinero, deben desarrollar mejores técnicas administrativas y de organización. Deben aprender a fijar límites, a llegar a sus metas mediante una serie de objetivos factibles. Es muy raro que una persona pase de los andrajos a la riqueza de la noche a la mañana. Pero a los Sagitario les resultan difíciles los procesos largos e interminables. A semejanza de los nativos de Leo, quieren alcanzar la riqueza y el éxito de manera rápida e impresionante.

Deben tener presente, no obstante, que este exceso de optimismo puede conducir a proyectos económicos no realistas y a decepcionantes pérdidas. Evidentemente, ningún signo del zodiaco es capaz de reponerse tan pronto como Sagitario, pero esta actitud sólo va a causar una innecesaria angustia. Los Sagitario tienden a continuar con sus sueños, jamás los van a abandonar, pero deben trabajar también en su dirección de maneras prácticas y eficientes.

Profesión e imagen pública

Los Sagitario son grandes pensadores. Lo quieren todo: dinero, fama, prestigio, aplauso público y un sitio en la historia. Con frecuencia suelen ir tras estos objetivos. Algunos los consiguen, otros no; en gran parte esto depende del horóscopo de cada persona. Pero si Sagitario desea alcanzar una buena posición pública y profesional, debe comprender que estas cosas no se conceden para enaltecer al ego, sino a modo de recompensa por la cantidad de servicios prestados a toda la Humanidad. Cuando descubren maneras de ser más útiles, los Sagitario pueden elevarse a la cima.

Su ego es gigantesco, y tal vez con razón. Tienen mucho de qué enorgullecerse. No obstante, si desean el aplauso público, tendrán que aprender a moderarlo un poco, a ser más humildes y modestos, sin caer en la trampa de la negación y degradación de sí mismos. También deben aprender a dominar los detalles de la vida, que a veces se les escapan.

En el aspecto laboral, son muy trabajadores y les gusta complacer a sus jefes y compañeros. Son cumplidores y dignos de confianza, y disfrutan con las tareas y situaciones difíciles. Son compañeros de trabajo amistosos y serviciales. Normalmente aportan ideas nuevas e inteligentes o métodos que mejoran el ambiente laboral para todos. Siempre buscan puestos y profesiones que representen un reto y desarrollen su intelecto, aunque tengan que trabajar arduamente para triunfar. También trabajan bien bajo la supervisión de otras personas, aunque por naturaleza prefieren ser ellos los supervisores y aumentar su esfera de influencia. Los Sagitario destacan en profesiones que les permitan comunicarse con muchas personas diferentes y viajar a lugares desconocidos y emocionantes.

Amor y relaciones

A los nativos de Sagitario les gusta tener libertad y de buena gana se la dan a su pareja. Les gustan las relaciones flexibles, informales y siempre cambiantes. Tienden a ser inconstantes en el amor y a cambiar con bastante frecuencia de opinión respecto a su pareja. Se sienten amenazados por una relación claramente definida y bien estructurada, ya que esta tiende a coartar su libertad. Suelen casarse más de una vez en su vida.

Cuando están enamorados son apasionados, generosos, francos, bondadosos y muy activos. Demuestran francamente su afecto. Sin embargo, al igual que los Aries, tienden a ser egocéntricos en su manera de relacionarse con su pareja. Deberían cultivar la capacidad de ver el punto de vista de la otra persona y no sólo el propio. Es necesario que desarrollen cierta objetividad y una tranquila claridad intelectual en sus relaciones, para que puedan mantener una mejor comunicación con su pareja y en el amor en general. Una actitud tranquila y racional les ayudará a percibir la realidad con mayor claridad y a evitarse desilusiones.

Hogar y vida familiar

Los Sagitario tienden a dar mucha libertad a su familia. Les gusta tener una casa grande y muchos hijos. Sagitario es uno de los signos más fértiles del zodiaco. Cuando se trata de sus hijos, peca por el lado de darles demasiada libertad. A veces estos se forman la idea de que no existe ningún límite. Sin embargo, dar libertad en casa es algo básicamente positivo, siempre que se mantenga una cierta medida de equilibrio, porque la libertad permite a todos los miembros de la familia desarrollarse debidamente.

Horóscopo para el año 2017*

Principales tendencias

Saturno lleva dos años en tu signo y continuará en él hasta casi fin de año. Si bien esto trae prosperidad y oportunidades financieras, te hace mostrarte algo frío, formal y distante con los demás. Esto afecta a tu vida social. Volveremos sobre este tema.

Este año se ve próspero. Tu planeta del dinero, Saturno, está en tu signo casi todo el año. El 21 de diciembre entra en tu casa del dinero, y esa es una posición fuerte; en esa casa es poderoso por ti. Hablaremos más de esto.

Júpiter, el señor de tu horóscopo, pasa la mayor parte del año en tu casa once. Este es un año para amistades y actividades de grupo, un año para hacer realidad tus deseos y esperanzas más acariciados. Entran en el cuadro nuevas e importantes amistades.

El 11 de octubre Júpiter entra en tu espiritual casa doce; comienza a ser importante la espiritualidad, y continúa importante hasta el año que viene. Entras en un periodo de crecimiento espiritual.

La espiritualidad es importante de otras maneras también. Plutón, tu planeta de la espiritualidad, está en tu casa del dinero desde 2008; tu comprensión espiritual tiene resultados concretos en la economía, y esto es una tendencia a largo plazo; Plutón continuará en esta casa muchos años más.

Neptuno está en tu cuarta casa desde 2012, y continuará en ella muchos años más. Las relaciones familiares se elevan y espiritualizan; esto es un proceso de larga duración.

Urano está en tu quinta casa desde 2011. Los hijos y figuras filiales han sido más rebeldes y difíciles de llevar; dales toda la libertad posible mientras no sea destructiva. Deberían aprender formas no arriesgadas de poner a prueba sus límites físicos.

Las facetas de mayor interés para ti este año son: el cuerpo y la imagen; las finanzas; el hogar y la familia; los hijos, la diversión y

---

* Las previsiones de este libro se basan en el Horóscopo Solar y todos los signos que derivan de él; tu Signo Solar se convierte en el Ascendente, y las casas se numeran a partir de él. Tu horóscopo personal, el trazado concretamente para ti (según la fecha, hora y lugar exactos de tu nacimiento) podrían modificar lo que decimos aquí. Joseph Polansky

la creatividad; las amistades, los grupos, las actividades de grupo y las actividades *online* (hasta el 10 de octubre); la espiritualidad (a partir del 11 de octubre).

Los caminos para tu mayor satisfacción este año son: la profesión (hasta el 29 de abril); la religión, la filosofía, la formación superior, viajes al extranjero (a partir del 29 de abril); las amistades, los grupos, las actividades de grupo y las actividades *online* (hasta el 10 de octubre); la espiritualidad (a partir del 11 de octubre).

Salud

(Ten en cuenta que esta es una perspectiva astrológica de la salud, no una médica. Antaño no había ninguna diferencia, ambas eran idénticas, pero en esta época podrían diferir muchísimo. Para una perspectiva médica, por favor, consulta a tu médico o a otro profesional de la salud.)

La salud mejora mucho con respecto al año pasado, y mejorará más aún a fin de año; mientras tanto hay dos planetas lentos en aspecto desfavorable para ti. Esto en sí no basta para causar enfermedad, pero de todos modos la energía general no está a la altura que debiera. Durante los periodos en que los planetas rápidos estén en alineación desfavorable deberás estar más atento, pues entonces estarás más vulnerable a los problemas. Estos periodos son del 19 de febrero al 20 de marzo; del 20 de abril al 21 de junio, y del 22 de agosto al 22 de septiembre. Procura descansar y relajarte más en estos periodos y haz todo lo posible por mantener elevada la energía.

Yo diría que tu salud es buena, no espectacular pero adecuada. Tu sexta casa está vacía, sólo transitan por ella los planetas rápidos, y esto es una buena señal, significa que no tienes necesidad de prestarle mucha atención.

Es mucho lo que puedes hacer para fortalecer la salud y la energía y prevenir problemas; da más atención a las siguientes zonas, que son las vulnerables en tu carta:

El hígado y los muslos. Estos son siempre importantes para Sagitario. Te irán bien sesiones de reflexología. Los masajes periódicos en los muslos deberían formar parte de tu programa de salud, como también las limpiezas periódicas del hígado con infusiones de hierbas; la función hepática ha estado perezosa los últimos años, necesita más energía.

El cuello y la garganta. También estas zonas son siempre importantes para ti. Te conviene trabajar los puntos reflejos. Los masajes periódicos en el cuello aflojarán la tensión y fortalecerán toda la zona. También es buena la terapia sacro-craneal.

Los riñones y las caderas. Estas zonas también son siempre importantes para ti. Te irán bien los masajes periódicos en las caderas y las nalgas; y también sería buena, de vez en cuando, una limpieza de los riñones con infusiones de hierbas, sobre todo cuando te sientas indispuesto.

El corazón. Este órgano sólo ha sido importante desde hace unos años (desde Navidad de 2014). Te convienen sesiones de reflexología para trabajar los puntos reflejos. Este último tiempo estás muy ocupado en asuntos mundanos, especialmente de negocios o trabajo. Evita la preocupación y la ansiedad, las dos emociones que hacen trabajar en exceso al corazón; acrecienta tu fe.

Siendo tu planeta de la salud, Venus te indica la importancia de la armonía social en este sentido; para ti buena salud significa una vida amorosa y social sana. Aun cuando no tengas ningún síntoma físico, si la vida amorosa no va bien es probable que no te sientas bien. Si la discordia se prolonga podría producir enfermedad física. Así pues, si (no lo permita Dios) surgiera un problema de salud, restablece la armonía en tu vida social lo más pronto posible.

Venus es un planeta de movimiento rápido; a lo largo del año transita por todos los signos y casas del horóscopo. Por lo tanto, hay muchas tendencias a corto plazo en la salud (diferentes necesidades y diferentes terapias eficaces) según dónde está Venus y los aspectos que recibe. Estas tendencias es mejor tratarlas en las previsiones mes a mes.

Este año Venus hace uno de sus movimientos retrógrados (los hace cada dos años), del 4 de marzo al 15 de abril. Durante este periodo evita hacer cambios drásticos en tu programa de alimentación y salud; haz más investigación; tu forma de pensar no será realista en este periodo.

Hogar y vida familiar

Esta faceta ha sido problemática estos dos últimos años y has tenido que darle mucha atención. Esta tendencia continúa este año, aunque con menos severidad. A fin de año ya serán mucho más felices las cosas.

Un progenitor o figura parental se ve muy estresado o agobiado. Hay desacuerdos financieros entre tú y esta persona; al parecer las obligaciones familiares afectan adversamente a tus finanzas.

Los familiares están mucho más sensibles que de costumbre; se sienten heridos con mucha facilidad. Por naturaleza eres una persona franca, dices sin más lo que deseas decir; tiendes a ser bruscamente sincero. Y esto no les sienta bien a ellos; lo podrían considerar «crueldad» o grave falta de sensibilidad. Tú no lo consideras así, simplemente eres sincero; pero ellos sí, así que haz un esfuerzo en ser más diplomático en tu forma de hablar y de manifestar tus opiniones.

Esta sensibilidad de los familiares no se limita a las palabras; también reaccionan ante el tono de la voz y el lenguaje corporal; si, por ejemplo, un día estás molesto por algo que ocurrió en el trabajo y al llegar a casa hablas con ellos, tu tono de irritación los herirá, pensarán que la irritación va dirigida a ellos.

Poner un poco más de cuidado en estos asuntos te ahorrará muchas molestias.

Las finanzas son una faceta importante este año, como hemos dicho. Los familiares podrían pensar que prestas más atención a tus asuntos de trabajo o negocios que a ellos; desde su punto de vista, pones en primer lugar tu trabajo o negocio.

El 26 de febrero hay un eclipse solar que no sólo ocurre en tu cuarta casa, sino que también hace impacto en Neptuno, el señor de tu cuarta casa. Esto afecta mucho a la familia y a las relaciones familiares; algunos familiares podrían pasar por dramas, de esos que cambian la vida; las emociones se exaltan. Con este aspecto a veces es necesario hacer reparaciones en la casa. Ten más paciencia con la familia durante el periodo de este eclipse.

A partir del 11 de octubre, cuando Júpiter entra en Escorpio, podría haber mudanza. Comienzas a llevarte mejor con la familia, y en especial con un progenitor o figura parental, pero los desarreglos en finanzas no se resuelven del todo hasta fin de año.

Con la entrada de Júpiter en Escorpio se expande el círculo familiar; normalmente esto ocurre por nacimientos o bodas; a veces ocurre porque conoces a personas que hacen el papel de familiares en tu vida.

Siempre te han gustado las casas grandes, espaciosas, pero estos últimos años (en especial desde 2012) te atraen más las casas situadas cerca del agua, junto al mar, a un río o un lago.

Los hijos y figuras filiales han sido difíciles de manejar desde hace muchos años. No responden bien al método «autoritario»; están más rebeldes. Sin embargo, si los haces comprender el motivo de tus peticiones o exigencias, deberían ir mucho mejor las cosas. En estas etapas muchos chicos son adictos a internet y a aparatos de alta tecnología, pero tus hijos lo son más que otros.

Si tienes planes para hacer obras importantes de reparación o renovación en la casa, los periodos buenos son del 1 al 28 de enero; del 4 de junio al 20 de julio, y del 9 al 31 de diciembre. Si quieres redecorar o embellecer de alguna otra manera la casa, los buenos periodos son del 3 de enero al 3 de febrero y del 18 de febrero al 20 de marzo.

Profesión y situación económica

Ha habido prosperidad desde la Navidad de 2014, cuando tu planeta del dinero, Saturno, entró en tu signo, y continuará en tu signo casi todo el año. Continúa la prosperidad; piensas en el dinero, le prestas mucha atención.

Por naturaleza tienes buena intuición para invertir en empresas de viajes, en aerolíneas, en empresas extranjeras y en colegios o universidades de pago, pero ahora es aún mejor tu intuición; invierte en las cosas que te gustan, que te interesan.

Lógicamente, la mejor inversión eres tú. Gastas en ti en este periodo. Te vistes con ropa cara y te creas una imagen de riqueza. Los demás te consideran rico. Las personas adineradas de tu vida te aprecian, están de tu lado y te ayudan. Y tú pareces una «persona adinerada» por propio derecho, en especial con los demás.

Tu apariencia y tu forma de presentarte son ultra importantes en tus finanzas, y esto podría ser el motivo de los gastos. Es más una «inversión de negocios» que vanidad.

La riqueza sólo es otro accesorio de moda en este periodo.

Lo bueno de tener a tu planeta del dinero en tu signo es que no necesitas hacer nada especial para atraerte ingresos y oportunidades; estos te buscan. Sólo tienes que ocuparte de tus asuntos rutinarios y el dinero te encontrará.

En esto hay un lado negativo también. Podrías sentir la tendencia a definirte por el dinero: mi situación financiera soy yo; si gano más soy más, si gano menos soy menos. Esto puede distorsionar el juicio financiero y conducir a pérdidas. Debes dejar fuera el ego en tu toma de decisiones financieras.

Por lo general eres arriesgado en las finanzas, aunque estos últimos años lo has sido menos. Esto es bueno. El juicio financiero es bueno y conservador (y será mejor aún después del 21 de diciembre). Tienes buena perspectiva de la riqueza a largo plazo, buena comprensión de lo que valdrán tus inversiones dentro de muchos años.

Los últimos años han sido un periodo fabuloso para hacer planes de ahorro e inversión y presupuestos; este año también lo es. Hay algo cómodo, reconfortante, en hacer un buen plan; una vez que lo has hecho ya no necesitas pensar mucho en él; simplemente te atienes al plan y la riqueza llega más o menos a su tiempo.

Plutón, como hemos dicho, está en tu casa del dinero desde hace muchos años y continuará en ella muchos años más. Un tránsito de Plutón es un proceso de muy larga duración. Esto indica, entonces, que estás desarrollando tu intuición financiera; esta es y será cada vez más un importante instrumento de tu arsenal financiero, tal vez el más importante. También indica otras cosas: si ya eres mayor, harás planes testamentarios. Si eres joven has heredado considerables sumas y ahora necesitas invertirlas bien. Los impuestos y asuntos patrimoniales rigen gran parte de tu toma de decisiones en las finanzas.

El nodo norte de la Luna está en tu décima casa hasta el 29 de abril. Esto quiere decir que la profesión debería ir bien, ser un motivo de satisfacción para ti. Este aspecto también indica una ambición fuerte, tal vez excesiva; esto tiende al éxito. Tal vez eres más ambicioso de lo necesario.

Después del 29 de abril disminuye la ambición, y la profesión ya no es un factor tan importante para ti; la riqueza es más importante que la posición y el prestigio.

Amor y vida social

Tu séptima casa no está fuerte desde hace unos años; el romance no es un asunto importante este año. Algunos años son así. Por lo general esto indica un año sin novedades ni cambios en la faceta social y amorosa. Ya sea que estés casado o casada, soltero o soltera, tenderás a continuar en ese estado. Este año tienes mucha libertad en lo social; no hay nada en contra de un matrimonio o relación seria, pero sencillamente te falta interés. El Cosmos no te impulsa ni en un sentido ni en otro.

La vida social en general es otra historia; es activa y feliz. Esta vida social va más de amistades, relaciones de tipo platónico, pero no de romance. Te veo con la atención muy centrada en esto; actúas, no te quedas sentado esperando; cultivas la amistad en actividades de grupo; entran nuevas y felices amistades en tu vida.

Mercurio, tu planeta del amor, es el más rápido de todos los planetas, después de la Luna; es también el más irregular: a veces avanza rapidísimo, otras veces lento, a veces retrocede (este año cuatro veces), y otras veces se queda estacionado, sin moverse. Esto te hace parecer voluble, difícil de agradar, difícil de comprender en el amor. Sí, según los diferentes periodos cambian tus necesidades y deseos en el amor. A veces te agrada una cosa, otras veces otra; demuestras el amor a veces de una manera, a veces de otra. Esto es simplemente tu naturaleza; sigues los movimientos de Mercurio. Siendo así las cosas, hay muchas tendencias a corto plazo en el amor, que dependen de dónde está Mercurio en un determinado periodo y de los aspectos que recibe. Estas tendenciass a corto plazo es mejor tratarlas en las previsiones mes a mes.

La persona que esté enamorada de un/a Sagitario tiene que interpretar muchos papeles; le hará falta una enorme flexibilidad.

Saturno lleva dos años en tu signo, como hemos dicho. Si bien esto tiene muchos puntos buenos, de los que ya hemos hablado, no es el aspecto más fabuloso para el amor. Hemos explicado esto en años anteriores, y la tendencia continúa en vigor. Se te ve demasiado serio, demasiado formal, frío, reservado y distante. Ahora bien, tú no eres así. No hay en el planeta una persona más cordial, simpática y efervescente que Sagitario. Sin embargo, en este periodo los demás te considerarán así si no tienes cuidado. La influencia de Saturno es como una droga (una fuerte); podría ser que, sin ninguna intención, proyectaras esta vibración o actitud. La solución que hemos explicado otros años es hacer un trabajo de enviar afecto y simpatía a los demás. Normalmente no necesitas hacer esto, te sale solo, pero ahora debes hacerlo conscientemente. Esto será muy útil a tu vida amorosa.

Saturno sale de tu signo el 21 de diciembre; después de esta fecha debería mejorar el amor.

Lo que hemos explicado se aplica a todos los nativos de Sagitario, pero vale en especial para el caso de que estés con miras a un primer, segundo o cuarto matrimonio. Si estás pensando en un tercer matrimonio, este año tienes aspectos fabulosos; hay probabilidades de romance serio.

Los hijos y figuras filiales tienen hermosos aspectos románticos este año; si alguno está en edad, podría haber boda. De todos modos, sea cual sea su edad, hacen nuevas y felices amistades.

Los hermanos y figuras fraternas tienen un año romántico sin novedades; estén casados o solteros, tenderán a continuar en el mismo estado.

Progreso personal

Tu planeta de la espiritualidad, Plutón, lleva muchos años en tu casa del dinero, como hemos dicho. Para ti la espiritualidad, tu comprensión espiritual de cómo funcionan las cosas, dista mucho de ser una abstracción ilusoria. Tiene potentes consecuencias financieras. Siempre eres intuitivo en las finanzas, pero ahora lo eres más aún. Sí, muestras al mundo una fachada de lógica en la manera de hablar de finanzas, pero en realidad tu intuición es el factor decisivo.

Ya hemos escrito sobre esto en años anteriores, y la tendencia (y el proceso) continúa en vigor. Estás profundizando tu comprensión de las leyes espirituales de la riqueza (no tanto de las mundanas). Esto es un tema extensísimo. No se aprende en unos pocos años; no es como obtener un título en empresariales en la universidad. Se necesita mucha experimentación personal; hay que hurgar mucho en los bloqueos subconscientes y hay mucho que deshacer del aprendizaje humano. No podemos acceder al aprovisionamiento espiritual con sólo el conocimiento intelectual. Hay que practicar. Es necesario conectar con el «espíritu de la riqueza», dejarlo entrar para que nos enseñe la manera de ser ricos; la riqueza lo sabe. Es necesario dejar de lado toda la «sabiduría humana» sobre el tema y permitir que el espíritu puro nos enseñe directamente.

Si haces esto, y es muy posible que lo estés haciendo, verás que las leyes económicas que enseñan en el colegio no son como nos las enseñan. Existe una «economía espiritual» que reemplaza todo eso; en este periodo te inicias en esta «economía espiritual».

La economía espiritual no tiene que ver con ninguna condición o situación material. La persona conectada con la Riqueza Espiritual puede estar en una isla desierta y en ese medioambiente proveerse de todo lo que necesita; no importan ni la raza, ni el sexo de la persona, ni el tamaño de su cartera de acciones. La Riqueza Espiritual nunca va de cuánto tenemos, sino de cuánto somos capaces recibir. En muchos casos (esto no vale para ti, pero sí para muchos otros) el concepto de riqueza, el contenedor mental, no es lo bastante grande para contener el aprovisionamiento espiritual. Si una persona va al mar con una copa, sólo puede sacar una copa de agua, aun cuando es inmensa la cantidad de agua que hay; si va con un barril, sacará un barril de agua, pero no toda la que hay. Al mar no le importa cuánto saca la persona. El asunto es que la persona debe saber que «existe» ese mar, ese océano.

Después del 11 de octubre, cuando Júpiter entra en tu casa doce, se intensificarán las lecciones espirituales para ti. Esto te ayudará no sólo en las finanzas, sino también en tu crecimiento personal y en tu capacidad para llevar los asuntos familiares.

Previsiones mes a mes

Enero

Mejores días en general: 5, 6, 13, 14, 22, 23, 24
Días menos favorables en general: 2, 3, 9, 10, 15, 16, 30, 31
Mejores días para el amor: 2, 6, 9, 10, 12, 15, 20, 21, 25, 26, 31
Mejores días para el dinero: 1, 5, 6, 10, 13, 14, 18, 19, 23, 24, 25, 26, 28, 29
Mejores días para la profesión: 6, 15, 16, 25, 26

Comienzas el año con la mayoría de los planetas en el sector oriental o independiente de tu carta. Pronto cambiará esto. Si hay algún cambio importante que necesites hacer en las condiciones o circunstancias de tu vida personal, este es el periodo para hacerlo; después será más difícil. Ahora el éxito depende de tu iniciativa.

La mitad inferior de tu carta es abrumadoramente dominante al comenzar el año; el 80 por ciento de los planetas están dando energía a esta mitad; del 1 al 6 y después del 22, el porcentaje sube al 90 por ciento. Las ambiciones no son muy fuertes en este periodo; la profesión no es muy importante; tu décima casa está vacía, sólo la Luna transita por ella los días 15 y 16; en cambio, tu cuarta casa, la del hogar y la familia, está ultra poderosa. El mensaje del horóscopo es claro: centra la atención en poner en orden la base doméstica; pon la atención en tu bienestar emocional. Este es el periodo para reunir las fuerzas para el empuje profesional que se producirá más adelante. Estás en la noche de tu año; la noche es para las actividades nocturnas, para el descanso y la recuperación. Se dice que en invierno la naturaleza sueña y en primavera manifiesta sus sueños en el exterior. Eso es lo que te ocurre a ti. Ahora sueñas con lo que deseas que ocurra en tu profesión, y en tu primavera, en el día de tu año, harás manifiestos esos sueños.

Este mes es próspero; el 21 del mes pasado entraste en una cima financiera anual, que continúa hasta el 19. Tu planeta del dinero continúa en tu primera casa, en la que te hace prosperar y recibe aspectos principalmente buenos.

Estás en un excelente periodo para iniciar nuevos proyectos o empresas. Este periodo es tal vez mejor que el de primavera; tu ciclo solar personal está en fase creciente, y también lo está el ciclo solar universal. Más importante aún, el impulso planetario es abrumadoramente de avance (y esto no lo tendrás en primavera); en ningún momento hay menos del 90 por ciento de los planetas en movimiento directo; y después del 7 todos los planetas están en movimiento directo (esto es muy excepcional). Del 7 al 12 y del 28 al 31 son los mejores periodos del mes para iniciar un proyecto o lanzar un nuevo producto; esos días la Luna estará en fase creciente y todos los planetas en movimiento directo.

Este mes la salud es buena aunque no perfecta; hay unos cuantos planetas en aspecto desfavorable para ti. A partir del 2 puedes fortalecerla con masajes en los pies y con técnicas espirituales. Si te sientes indispuesto, responderás muy bien al tratamiento de un terapeuta de orientación espiritual.

Febrero

Mejores días en general: 1, 2, 9, 10, 19, 20, 28
Días menos favorables en general: 5, 6, 12, 13, 26, 27
Mejores días para el amor: 3, 4, 5, 6, 9, 10, 14, 15, 19, 20, 25, 26, 28
Mejores días para el dinero: 1, 2, 5, 6, 9, 10, 14, 15, 19, 20, 21, 22, 24, 25, 28
Mejores días para la profesión: 3, 4, 12, 13, 14, 15, 25, 26

El amor va mejor que el mes pasado. Tu planeta del amor estuvo en movimiento retrógrado hasta el 8 del mes pasado y ahora está en movimiento directo y avanza raudo. Tal vez ahora el problema sea tu volubilidad (¿veleidad tal vez?) sobre tus necesidades en el amor. Por otro lado, este mes las oportunidades amorosas se presentan en diferentes lugares y de diferentes maneras. Hasta el 7 las oportunidades se presentan cuando estás dedicado a tus objetivos financieros, y tal vez con personas relacionadas con tus finanzas. Del 7 al 25 te atrae la persona que tiene el don de la labia; la buena comunicación es un excitante romántico; la intimidad intelectual es tan importante como la física. Tu planeta del amor en Acuario indica que te inclinas por personas brillantes, en ciencias, astronomía, astrología, personas inventoras e innovadoras. Podría haber encuentros románticos por internet. Después del 25 anhelas intimidad emocional, aunque sigue gustándote el lado intelectual; también te atraen personas espirituales.

El rápido avance de Mercurio indica fuerte confianza social; es probable que tengas más citas; me parece que cubres mucho terreno.

Este mes tenemos dos eclipses, que sin duda van a trastornar las cosas.

El eclipse lunar del 11 (el 10 en América) ocurre en tu novena casa y afecta principalmente a los estudiantes universitarios; si lo eres, haces cambios drásticos en tus planes de estudios. No es aconsejable viajar por carretera o avión durante este periodo. Hay trastornos o reorganización en tu lugar de culto, y pasan por pruebas tus creencias religiosas y filosóficas, que experimentan una «terapia de realidad»; revisarás tus creencias, modificarás algunas y descartarás otras. La Luna, el planeta eclipsado, es regente de tu octava casa, y esto nos da muchos mensajes. El cónyuge, pareja o ser amado actual se ve obligado a tomar importantes medidas correctivas en su vida financiera; es muy probable que sus planteamientos o estrategias no sean realistas. Este eclipse podría traer encuentros con la muerte, por ejemplo un accidente en que te salvas por un pelo, una experiencia de casi muerte, sueños con la muerte, etcétera. El Cosmos te envía un amable recordatorio para que te tomes más en serio la vida, que puede acabar en cualquier momento. Evita las actividades arriesgadas o peligrosas durante el periodo de este eclipse.

El eclipse solar del 26 es más fuerte en ti; reduce tus actividades (de todos modos deberías reducirlas a partir del 18, pero en especial durante el periodo del eclipse). Este eclipse también afecta a los estudiantes universitarios, a tu lugar de culto y a tus creencias religiosas y filosóficas, pues el Sol es el señor de tu novena casa; los dos eclipses de este mes afectan esta faceta de la vida. Pero este, además, ocurre en tu cuarta casa, así que afecta también a los asuntos domésticos y familiares y, en especial, a un progenitor o figura parental.

Marzo

Mejores días en general: 1, 9, 10, 18, 19, 28
Días menos favorables en general: 4, 5, 11, 12, 25, 26
Mejores días para el amor: 1, 4, 5, 7, 8, 9, 18, 19, 27, 28, 29
Mejores días para el dinero: 1, 5, 6, 10, 13, 14, 19, 20, 21, 22, 23, 24, 28
Mejores días para la profesión: 7, 8, 11, 12, 18, 19, 28, 29

Tu cuarta casa se hizo poderosa el 18 del mes pasado y continúa poderosa hasta el 20. La mayoría de los planetas siguen en la mitad inferior de tu carta, y tu décima casa, la de la profesión, sigue vacía, sólo la Luna transita por ella los días 11 y 12. Continúa, pues, centrando la atención en el hogar y la familia. Estás en la mágica y mística hora de medianoche de tu año. Este es el periodo en el que ocurren los milagros, aunque se produzcan en el interior; son invisibles. Por la noche se disponen las pautas para el día siguiente; respeta, pues, la medianoche. Con una buena noche de sueño tenemos buenas posibilidades de tener un día exitoso; sin esto es muy probable que no haya éxito.

Hasta el 20 sigue siendo necesario estar atento a la salud; lo más importante es descansar lo suficiente. Puedes fortalecer la salud con masajes en la cabeza, la cara y el cuero cabelludo; también es buena la terapia sacro-craneal. El regente de estas zonas, Marte, entra el 10 en tu sexta casa, la de la salud, y pasa el resto del mes en ella. También es bueno el ejercicio, lo más vigoroso que te sea posible; es muy importante mantener el buen tono muscular. Después del 20 la salud mejora espectacularmente.

Tu planeta de la salud inicia movimiento retrógrado el 4, así que después de este día evita hacer cambios importantes en tu dieta o en tu programa de salud; si es necesario hacer algún cambio debes informarte más y analizar detenidamente; el próximo mes pensarás de otra manera respecto a estas cosas.

Las finanzas están más difíciles desde el 18 del mes pasado y continúan así hasta el 20. Sin duda habrá ingresos, pero supondrán mucho más trabajo y esfuerzo; las cosas están más complicadas que de costumbre. Pero después del 20 funcionan todos los sistemas; Saturno, tu planeta del dinero, comienza a recibir aspectos maravillosos.

El 20, cuando el Sol entra en Aries, tú entras en una de tus cimas anuales de placer personal, en un periodo de vacaciones; es el periodo para gozar de la vida y hacer las cosas que más te gusta hacer. El amor y el romance te encontrarán cuando estés haciendo las cosas que te gustan; tu planeta del amor entra en tu quinta casa el 13.

Por naturaleza eres una persona de amor a primera vista; después del 13 lo eres más aún; podrías ser demasiado impulsivo para entablar una relación, dar el salto antes de mirar. Lo bueno de esto es que la relación puede empezar y desarrollarse muy rápido.

Abril

Mejores días en general: 5, 6, 14, 15, 16, 24, 25
Días menos favorables en general: 1, 7, 8, 22, 23, 28, 29
Mejores días para el amor: 1, 4, 7, 8, 12, 13, 18, 23, 24, 25, 28, 29
Mejores días para el dinero: 1, 5, 6, 10, 11, 15, 16, 17, 18, 19, 20, 21, 24, 25, 28, 29
Mejores días para la profesión: 7, 8, 18, 24, 25

Hasta el 19 continúas en una cima anual de placer personal, un periodo para relajación y descanso; un periodo para dejar de lado tus preocupaciones y hacer las cosas que te gustan. Como por milagro, descubrirás que las cosas que te preocupaban se resuelven naturalmente. Muchas veces, después de un periodo de diversión vemos soluciones a problemas que antes no veíamos; la obsesión por el problema no nos dejaba ver la solución.

Con el Sol en tu quinta casa, este es un mes para viajes de placer. Si eres estudiante disfrutas con los estudios, y eso tiende al éxito. Los hijos y figuras filiales que estén en edad de concebir son más fértiles en este periodo; además, prosperan, sobre todo a partir del 19; sin embargo, dado que su planeta del dinero está en movimiento retrógrado hasta el 15, deben ser más cautelosos en sus finanzas.

Tus finanzas son excelentes hasta el 19; después también son buenas, pero hasta el 19 van mucho mejor. Tu planeta del dinero, Saturno, inicia movimiento retrógrado el 6 y este continuará varios meses. Como es lógico, no puedes parar toda la actividad financiera, pero evita, en lo posible, hacer compras o inversiones importantes. Déjalas a un lado y analízalas detenidamente; seguro que dentro de unos meses tendrás una actitud diferente hacia ellas; estas cosas no son tan importantes como podrías creer. Mientras tanto compra las cosas que necesitas, alimentos, ropa, etcétera. Lo importante en este periodo es aclararte respecto a tu vida financiera y tus gestiones en finanzas. Cuando tengas esto claro estarás en buena posición para poner por obra tus grandes planes en cuanto Saturno retome el movimiento directo el 25 de agosto.

Este mes la salud es buena, especialmente buena hasta el 19, después es simplemente buena. Del 2 al 28, casi todo el mes, respondes muy bien a las técnicas de curación espiritual; el masaje en los pies es también un buen estimulante.

El amor es complicado este mes. Para empezar, tu planeta del amor, Mercurio, inicia movimiento retrógrado el 9, y esto tiende a debilitar la confianza y el juicio sociales. Marte entra en tu séptima casa el 21 y pasa en ella el resto del mes; este aspecto no es especialmente bueno para el amor, tiende a generar conflictos y luchas por el poder, y dado que Marte rige tu quinta casa, indicaría falta de seriedad en el amor; favorecería una aventura amorosa, no un romance serio.

Evita las especulaciones después del 21.

Mayo

Mejores días en general: 2, 3, 12, 13, 21, 22, 29, 30
Días menos favorables en general: 4, 5, 19, 20, 25, 26
Mejores días para el amor: 2, 3, 12, 13, 21, 22, 23, 24, 25, 26
Mejores días para el dinero: 3, 7, 8, 13, 14, 15, 17, 18, 22, 25, 26, 30
Mejores días para la profesión: 2, 3, 4, 5, 13, 16, 23, 24

El poder planetario está instalado en el sector occidental o social de tu carta y ahora está en su posición occidental máxima. En este periodo la vida va de los demás y no tanto de tu interés propio. Si hay condiciones o circunstancias que te fastidian, toma nota de ellas; dentro de unos meses llegará el periodo para hacer los cambios. En este periodo tu bien te llega a través de otros; deja que los demás se impongan mientras eso no sea destructivo. El 20 el Sol entra en tu séptima casa, la del amor, y tú entras en una cima amorosa y social anual. El amor debería mejorar mucho este mes pues Mercurio, tu planeta del amor, retoma el movimiento directo el 3. Ya tienes claridad respecto al amor; hay más confianza social.

Mercurio pasa buena parte del mes en tu sexta casa (a partir del 16); en este periodo te atraen profesionales de la salud y personas de tu lugar de trabajo; haces más vida social con los compañeros de trabajo. Además, este aspecto indicaría que para ti buena salud significa también buena salud social; un problema en el amor podría afectar la salud física. Así pues, si surgiera un problema en el amor, restablece la armonía lo más pronto posible. En general te atraen personas extranjeras, y a partir del 20 esto es más acentuado. También te atraen personas de tipo mentor o religioso; el amor puede llegar cuando te presentan a alguien en tu lugar de culto o, si eres estudiante, en funciones de la universidad; los profesores universitarios te atraen románticamente. Marte continúa en tu casa del amor, así que ten cuidado con las luchas de poder; evítalas todo cuanto te sea posible.

Este mes es necesario que estés más atento a la salud, en especial después del 20; respondes de maravilla a los masajes en la cabeza, cara y cuero cabelludo. También es bueno el ejercicio físico para mantener el buen tono muscular.

El planeta del amor en el signo Tauro te hace más lento en el amor, lo cual es bueno; estás menos propenso a precipitarte a entablar una relación prematuramente; también te da más estabilidad.

Las finanzas son más complicadas después del 20. Saturno, tu planeta del dinero, recibe aspectos difíciles. Simplemente tienes que trabajar más para conseguir tus ingresos. A partir del 25, cuando la Luna está en fase creciente, el cónyuge, pareja o ser amado actual tiene más poder adquisitivo que de costumbre. En este periodo está más fuerte la libido también. El 25, día de Luna nueva, se ve especialmente bueno para las finanzas de tu pareja, ya que es una súper Luna nueva, pues está muy cerca de su perigeo, su posición más cercana a la Tierra.

Junio

Mejores días en general: 8, 9, 18, 19, 26, 27
Días menos favorables en general: 1, 2, 15, 16, 22, 23, 28, 29
Mejores días para el amor: 1, 2, 10, 11, 13, 14, 20, 21, 22, 23, 24, 28, 29
Mejores días para el dinero: 3, 4, 9, 10, 11, 12, 13, 14, 19, 22, 23, 27, 30
Mejores días para la profesión: 1, 2, 13, 14, 24, 28, 29

El amor sigue siendo el principal titular este mes. Hasta el 21 continúas en una cima amorosa y social anual. El amor es muy interesante, ya que en su búsqueda abandonas tu ambiente normal; tal vez conoces a una persona que no pertenece a tu círculo social y entablas una relación con ella. Mercurio está «fuera de límites» a partir del 18. La vida amorosa se ve feliz.

Del 2 al 5 hay un viaje al extranjero y mayores ingresos. Si estás soltero o soltera y sin compromiso, el 13 o el 14 se te presenta una oportunidad romántica. Si estás casado o casada o en una relación tienes felices invitaciones sociales estos días; la relación es más romántica.

Este mes el poder planetario pasa de la mitad inferior de tu carta a la superior, por primera vez en lo que va de año. Es el amanecer de tu año, el periodo para levantarte y centrar la atención en tu vida externa; es el periodo para actuar, tomar medidas objetivas, concretas, para adelantar en tu profesión. Hasta el 6 es importante la buena ética laboral; después tus conexiones sociales tienen un papel importante. Gran parte de tu vida social está relacionada con la profesión. Te conviene asistir a las fiestas y reuniones adecuadas. Conoces a personas que por su posición social pueden favorecer tu profesión.

La posición «fuera de límites» de Mercurio, a partir del 18, afecta a tu profesión; se te ocurren ideas nuevas, exploras terreno desconocido en tu camino profesional; eres poco convencional.

Hasta el 21 sigue siendo necesario estar atento a la salud; procura descansar lo suficiente, esto es lo más importante. Hasta el 6 fortalece la salud con masajes en la cabeza, cara y cuero cabelludo y ejercicios periódicos; después sigue las indicaciones de que hablamos en las previsiones para el año. Después del 6 tienes buena capacidad de recuperación; tu planeta de la salud, Venus, estará en su signo y casa y por lo tanto estará fuerte para tu bien.

El cónyuge, pareja o ser amado actual tiene un buen mes financiero; el 21 entra en una cima financiera anual; el 24, día de Luna nueva, es especialmente potente para sus finanzas; y no sólo es una súper Luna nueva, sino que además ocurre en su casa del dinero.

Julio

Mejores días en general: 5, 6, 15, 16, 23, 24
Días menos favorables en general: 13, 14, 19, 20, 25, 26
Mejores días para el amor: 4, 10, 16, 19, 20, 25, 26, 28, 29

Mejores días para el dinero: 1, 5, 6, 8, 9, 10, 11, 15, 16, 19, 20, 23, 24, 28, 29
Mejores días para la profesión: 4, 16, 25, 26

La salud y la energía son muy buenas y mejoran más aún después del 20; Venus, tu planeta de la salud, entra en tu séptima casa el 5, pero en el improbable caso de que te sitieras indispuesto, los masajes en los brazos y los hombros te estimularán la energía: a partir del 5 tienes buena conexión con los poderes curativos del elemento aire. Salir a tomar aire fresco y hacer inspiraciones profundas será un buen tónico. Si surgiera un problema de salud, que no es probable, revisa tu vida amorosa y restablece la armononía cuanto antes.

Sagitario es una persona expansiva, desea expandirse, expandirse, crecer, crecer. Pero en este periodo, desde el 21 del mes pasado, el asunto va de podar, de eliminar lo inútil, de eliminar las cosas que impiden la expansión. Es el momento de liberar, de «desembarazar» la vida. Después del 22 vendrá la expansión, así que ve preparando el terreno; revisa tus posesiones y haz inventario. ¿Te aferras a cosas que ya no usas ni necesitas? Líbrate de ellas. ¿Tienes muchas cuentas bancarias? ¿Muchas cuentas de inversiones? ¿Muchas tarjetas de crédito? Elimina el exceso. Hay un momento para espirar y un momento para inspirar; hasta el 22 estás en la fase de «espirar». En sentido figurado, vacía los pulmones para que la próxima inspiración sea completa y potente.

La octava casa va de morir y renacer; como es lógico, esto no hay que tomarlo literalmente; para dar a luz a la persona que deseamos ser, hemos de dejar morir a la persona vieja, o dejar morir a la persona que éramos. El nacimiento y la muerte son dos caras de la misma moneda. Nada nace sin que haya algún tipo de. muerte. Este es un mes en que profundizas tu comprensión en estos asuntos.

El 22 el Sol entra en tu novena casa, el terreno natural de Sagitario y es probable que lo sientas con antelación. En ese periodo eres un súper Sagitario; se refuerzan todas tus inclinaciones naturales. Hay viaje al extranjero, formación superior y progreso religioso y filosófico. Se ha escrito mucho sobre el gusto de Sagitario por los viajes, su gusto por la vida «jet set»; no se ha escrito tanto de su gusto por la teología y la filosofía. Si se hiciera una encuesta aleatoria sobre los componentes del clero, o pastores religiosos, apostaría que habría un desproporcionado porcentaje de nativos de Sagitario, o de personas con este signo fuerte. Bajo cada amante del estilo de vida «jet set» hay un sacerdote o pastor religioso en ciernes.

Las finanzas van bien en la primera parte del mes, no hay nada especial ni en un sentido ni en otro, pero después del 22 se vuelven francamente buenas. Hasta el 22 aprovecha el dinero que sobra para pagar deudas.

Agosto

Mejores días en general: 1, 2, 3, 11, 12, 20, 21, 29, 30
Días menos favorables en general: 9, 10, 16, 22, 23
Mejores días para el amor: 4, 5, 9, 10, 13, 14, 16, 18, 19, 22, 23, 28, 29, 31
Mejores días para el dinero: 2, 3, 6, 7, 8, 11, 12, 16, 20, 21, 24, 25, 29, 30
Mejores días para la profesión: 4, 5, 13, 14, 22, 23, 31

Este es otro mes sano y feliz, Sagitario. Haces las cosas que te gustan y para las que eres bueno. Viajas, o haces planes de viaje, aprendes y haces progreso en tus conocimientos religiosos y filosóficos. Aun cuando tu planeta del dinero continúa en movimiento retrógrado (el 25 retoma el movimiento directo), las finanzas van bien, aunque podría haber ciertos retrasos.

La salud es excelente, como hemos dicho. Pero después del 22 necesitas descansar y relajarte más. Hasta el 26 se ve importante la dieta. Este es un buen mes para bajar de peso, si lo necesitas.

Este mes tenemos dos eclipses, que trastornan las cosas en el mundo y en tu entorno, pero a ti te afectan relativamente poco. El eclipse solar del 21 es más fuerte en ti que el lunar del 7.

El eclipse lunar del 7 ocurre en tu tercera casa, la de la comunicación. Esto va a poner a prueba los coches y el equipo de comunicación, y es posible que tengas que hacer reparaciones o reemplazar alguno. Hermanos y figuras fraternas experimentan dramas de aquellos que cambian la vida, o tal vez experiencias de casi muerte. Tú también podrías tener un encuentro con el ángel negro (en realidad es un ángel de luz, pero lo imaginamos oscuro porque le tenemos miedo). Si sueñas con la muerte, lo que suele ocurrir, observa el sueño y compréndelo en lo que es, un afectuoso mensaje de lo alto en que se te insta a trabajar en aquello que es la verdadera finalidad de tu vida. El cónyuge, pareja o ser amado actual se ve obligado a hacer cambios importantes en sus finanzas. A veces, con este aspecto, hay dramas con compañías de seguros o con el pago de impuestos. Los hijos y figuras filiales deben estar protegidos de situaciones de riesgo o de peligro durante el periodo de este eclipse. También es aconsejable evitar las especulaciones.

El eclipse solar del 21 es más fuerte en ti, principalmente si naciste en la primera parte del signo, del 21 al 23 de noviembre. Este eclipse ocurre justo en la cúspide (límite) de tus casas novena y décima, y afecta a ambas casas. Por lo tanto debes evitar viajar al extranjero en este periodo; procura no estar en la carretera ni en el aire durante el periodo del eclipse; si tienes que viajar, programa el viaje antes o después. Si eres estudiante universitario podrías cambiar de facultad o de asignatura principal; tienes que cambiar tus planes de estudios. Hay trastornos o reorganización en tu lugar de culto y en la empresa y la industria en que trabajas.

Es posible que este eclipse te abra puertas en la profesión; a veces el Cosmos emplea medios drásticos para poner por obra sus planes. El 22 entras en una cima profesional anual, y haces mucho progreso.

Septiembre

Mejores días en general: 7, 8, 16, 17, 25, 26
Días menos favorables en general: 5, 6, 12, 13, 18, 19
Mejores días para el amor: 7, 8, 9, 12, 13, 16, 17, 18, 19, 28, 29
Mejores días para el dinero: 1, 3, 4, 7, 8, 12, 13, 16, 17, 20, 21, 26, 27, 28, 29, 30
Mejores días para la profesión: 8, 9, 18, 19, 28, 29

Continúas en tu cima y empuje profesionales del año. Los asuntos domésticos y familiares tendrán que esperar, pues ahora tu atención está en tu vida externa. Tu décima casa, la de la profesión, está llena de planetas; cuentas con mucho respaldo en tu profesión y tienes que aprovechar las oportunidades que se presentan.

El 5 Marte entra en tu décima casa y pasa el resto del mes en ella. Esto indica mucha actividad profesional, mucho ajetreo y frenesí; hay conflicto y agresividad; mantienes a raya a los competidores; las buenas cualidades militares son tan importantes como tu capacidad profesional. El 20 entra Venus en tu décima casa, y esto indica la necesidad de una buena ética laboral.

Es necesario estar más atento a la salud que el mes pasado; hay muchos planetas en aspecto desfavorable contigo; sin duda las exigencias de la profesión contribuyen al problema. Triunfa, faltaría más, pero programa más ratos de descanso; delega tareas siempre que sea posible. Hasta el 20 fortalece la salud con masajes en el pecho y más atención al corazón; después del 20 los masajes en el abdomoen serán potentes.

La vida amorosa se ve mejor que el mes pasado. Mercurio, tu planeta del amor y de la profesión, retoma el movimiento directo el 5, y el 10 entra en tu décima casa, que es su signo y casa y por lo tanto en ella es más poderoso en tu bien. Así pues, esto es bueno para la profesión y para el amor. Hasta el 10 las oportunidades amorosas y sociales se presentan en tu lugar de culto, en el colegio o en uno de tus viajes al extranjero; después del 10 encuentras el amor cuando estás trabajando en tus objetivos profesionales. La habilidad militar y la valentía son importantes en la profesión, pero también lo es tu buen talante social; necesitas ambas cosas. A veces manejas la espada y a veces ofreces la rosa. En el amor, a partir del 10 admiras a la persona que te puede ayudar en la profesión; te atraen el poder y la posición. Hay oportunidades románticas con jefes y con personas de categoría superior a la tuya; el peligro de esto es que podrías iniciar una relación por conveniencia y no por verdadero amor.

El 22 el Sol sale de tu décima casa, pero la profesión continúa muy poderosa; el Sol en tu casa once favorece la vida social, aunque no la de tipo romántico; va más de amistad y actividades de grupo. Esto ha sido un interés importante en lo que va de año y después del 22 lo es más aún. Entran nuevas amistades en el cuadro.

Octubre

Mejores días en general: 5, 6, 13, 14, 22, 23, 24
Días menos favorables en general: 3, 4, 9, 10, 15, 16, 30, 31
Mejores días para el amor: 1, 7, 8, 9, 10, 17, 18, 20, 27, 28, 30, 31
Mejores días para el dinero: 1, 5, 6, 10, 11, 13, 14, 20, 23, 24, 25, 26, 30
Mejores días para la profesión: 3, 4, 11, 12, 20, 21, 30, 31

Este es un mes feliz y con muchas novedades. La salud va mejorando día a día. El 22, cuando Marte sale de su aspecto desfavorable contigo, los planetas rápidos o te forman aspectos armoniosos o te dejan en paz. Hasta el 14 tu planeta de la salud continúa en Virgo, tu décima casa; los masajes en el abdomen serán potentes, en él hay puntos reflejos de los intestinos, una zona vulnerable en ese periodo. El 14 Venus entra en Libra, tu casa once; entonces fortalece la salud dando más atención a los riñones y las caderas; el masaje en las caderas y las nalgas es un buen tónico durante este periodo. Tu planeta de la salud en tu casa once te vuelve más experimental en los asuntos de salud, estás más receptivo a terapias nuevas no probadas.

Tu casa once, la de las amistades, ha estado poderosa todo el año; el 22 del mes pasado se hizo más poderosa, y este mes está más poderosa aún. Este es el principal titular del mes.

La casa once es social, pero por lo general nada romántica. Va de amistades de tipo platónico, amistades de la mente, con personas de intereses similares. Pero dado que tu planeta del amor está en ella hasta el 17, estos intereses podrían llevar a romance. Si estás soltero o soltera tienes más conexión con grupos y actividades de grupo. Tal vez alguien entre tus amistades te presenta a una persona por la que podrías sentir un interés romántico; o una persona a la que consideras simplemente amiga puede convertirse en algo más.

Este poder que hay en la casa once te traerá más conocimiento científico y astrológico. He visto muchos casos en que una persona a la que jamás le había interesado la astrología se hizo hacer la carta astral cuando su casa once estaba fuerte. Este es también un periodo fabuloso para aumentar y perfeccionar tus conocimientos en alta tecnología; es bueno para comprar equipo de alta tecnología (tu juicio será bueno) y para actividades *online*.

El otro titular importante, y muy importante, es el traslado de Júpiter, que sale de tu casa once y entra en la doce; esto ocurre el 11. El señor del horóscopo, que es Júpiter para ti, tiene una importancia igual a la del Sol y la Luna; es uno de los planetas más importantes en tu carta. Este tránsito indica un cambio importante para ti personalmente. Entras en un periodo de tu vida muy espiritual, que continuará hasta bien avanzado el próximo año. Si todavía no estás en un camino espiritual, entrarás en uno; si ya estás en un camino espiritual, verás muchísimo progreso, mucho crecimiento y desarrollo.

El 17 tu planeta del amor entra en tu casa doce, y el 23 entra el Sol en esta casa. Este es un mes espiritual, bueno para el estudio de las sagradas escrituras, la práctica espiritual, la meditación y las actividades benéficas o altruistas. Lleva bien la vida espiritual y te irán bien los asuntos amorosos, profesionales y personales.

Noviembre

Mejores días en general: 1, 2, 9, 10, 19, 20, 29, 30
Días menos favorables en general: 5, 6, 12, 13, 26, 27
Mejores días para el amor: 5, 6, 7, 9, 16, 17, 19, 20, 26, 27, 29, 30
Mejores días para el dinero: 2, 7, 8, 10, 16, 17, 20, 21, 22, 26, 27, 30
Mejores días para la profesión: 9, 12, 13, 19, 20, 29, 30

En septiembre el poder planetario pasó de tu sector occidental o social al sector oriental o independiente; el poder y la independencia personales van aumentando día a día; este mes y el próximo el poder poder planetario transita por su posición oriental máxima; el 70 por ciento de los planetas, y a veces el 80 por ciento, están en el sector oriental. El poder planetario avanza hacia ti, te respalda y apoya tus objetivos personales. Tienes el poder para crear las circunstancias de tu felicidad, para tener la vida a tu manera y según tus condiciones. Tu planeta del amor también está en el sector oriental (el 6 entra en tu signo), por lo tanto, los demás apoyarán tus actos. El Cosmos desea que seas feliz; da los pasos necesarios.

La salud y la energía son buenas este mes; si quieres fortalecerla más, hasta el 7 da más atención a los riñones y las caderas, y después al colon, la vejiga y los órganos sexuales; el masaje en el abdomen también va bien al colon; este mes, a partir del 7 la curación espiritual es un fuerte interés; respondes bien a ella. Y en el improbable caso de que te sientas indispuesto, acude a un terapeuta de orientación espiritual.

Pero si lo que buscas es trabajo, tienes una hermosa oportunidad entre el 12 y el 13; y si eres empleador tienes suerte al contratar empleados.

Hasta el 6, el amor está en ambientes espirituales, como el mes pasado; lo encontrarás en el seminario de meditación, la función benéfica o la reunión para hacer oración; cuando estás dedicado a tus intereses espirituales y tal vez con personas relacionadas con tu vida espiritual. Además, tu profesión se beneficia de tus intereses y práctica espirituales.

El 6 tu planeta del amor cruza tu ascendente y entra en tu primera casa. El amor te persigue, no podrás escapar de él. Si ya estás en una relación, la persona amada te mima y está muy dedicada a ti; te impones en el amor. Me parece que conoces a personas que no pertenecen a tu círculo normal; Mercurio está «fuera de límites» a partir del 11. Tu profesión también te lleva fuera de tu ámbito normal.

La entrada de Mercurio en tu signo trae felices oportunidades profesionales; trae el favor de jefes, mayores y las figuras de autoridad de tu vida; te tienen aprecio.

La entrada del Sol en tu signo el 22 trae felices oportunidades de viaje y de formación, y es probable que las aproveches; cualquier pretexto para viajar, hasta el más mínimo, te basta para ir a hacer las maletas.

Los hijos y figuras filiales tienen una vida social activa en este periodo; gozan de popularidad.

Diciembre

Mejores días en general: 7, 8, 16, 17, 26, 27
Días menos favorables en general: 3, 4, 9, 10, 24, 25, 30, 31
Mejores días para el amor: 3, 4, 7, 8, 16, 17, 26, 27, 28, 30, 31
Mejores días para el dinero: 5, 6, 8, 14, 15, 17, 18, 19, 20, 24, 25, 28
Mejores días para la profesión: 7, 8, 9, 10, 16, 17, 26, 27

Este es un mes feliz y próspero, Sagitario. Que lo disfrutes.

Cuando el Sol entró en tu primera casa el 22 del mes pasado, comenzaste uno de tus periodos anuales de placer personal, que continúa hasta el 21. Te das la buena vida; viajas, gozas de los placeres sensuales, comes buenos alimentos y bebes buenos vinos. La salud es buena también y eso se refleja en tu apariencia. En la apariencia es más importante la energía que la forma; ciertamente es más importante que montones de lociones y pociones. Una persona poco atractiva se ve hermosa si por ella fluye bien la energía cósmica; olvidamos la forma y vemos el resplandor. Así pues, en este periodo estás más magnético y atractivo. Si estás soltero o soltera y sin compromiso, atraes felices oportunidades romanticas. De todos modos, a pesar de esto, si estás en una relación el amor es más complicado; la persona amada te quiere, sin duda alguna; el problema es el movimiento retrógrado de Mercurio, que será del 3 al 23. Da la impresión de que el amor retrocede en lugar de avanzar; hay retrasos y contratiempos en la vida amorosa. Esto acaba el 23; después el amor será mucho más feliz.

Hay otro factor que favorece la apariencia personal y porte en general; el 21 Saturno sale de tu signo, en el que ha estado ya casi tres años. Aun cuando quizás has bajado de peso y puesto el cuerpo en buena forma, Saturno te daba un aire frío, a veces severo, intimidante. Ahora puedes ser tú mismo, el alegre Sagitario que eres por naturaleza, chispeante y travieso. La salida de Saturno de tu signo hará mucho por tu vida amorosa también. Verás una inmensa mejoría (la verás más el año que viene).

Este mes también es próspero. La entrada de Saturno en tu casa del dinero (que coincide con la entrada del Sol en esta casa) trae un juicio financiero más estable y conservador. Vas a ser menos especulador y más racional en tus finanzas. Adoptarás una perspectiva a largo plazo hacia la riqueza. Además, el ego se entrometerá menos y esto mejorará tu juicio. A partir del 21 estás en una cima financiera anual.

El poder planetario está ahora bajo el horizonte de tu carta. Has conseguido tus objetivos profesionales a corto plazo (y se te considera exitoso) y llega el periodo para centrar más la atención en el hogar, la familia y tu bienestar emocional. Es el periodo para reunir las fuerzas para tu siguiente impulso profesional el año que viene.

Capricornio

La Cabra

Nacidos entre el 21 de diciembre y el 19 de enero

Rasgos generales

CAPRICORNIO DE UN VISTAZO

Elemento: Tierra

Planeta regente: Saturno
  Planeta de la profesión: Venus
  Planeta del amor: la Luna
  Planeta del dinero: Urano
  Planeta de la salud y el trabajo: Mercurio
  Planeta del hogar y la vida familiar: Marte
  Planeta espiritual: Júpiter

Colores: Negro, índigo
  Colores que favorecen el amor, el romance y la armonía social: Castaño rojizo, plateado
  Color que favorece la capacidad de ganar dinero: Azul marino

Piedra: Ónice negro

Metal: Plomo

Aromas: Magnolia, pino, guisante de olor, aceite de gualteria

Modo: Cardinal (= actividad)

Cualidades más necesarias para el equilibrio: Simpatía, espontaneidad, sentido del humor y diversión

Virtudes más fuertes: Sentido del deber, organización, perseverancia, paciencia, capacidad de expectativas a largo plazo

Necesidad más profunda: Dirigir, responsabilizarse, administrar

Lo que hay que evitar: Pesimismo, depresión, materialismo y conservadurismo excesivos

Signos globalmente más compatibles: Tauro, Virgo

Signos globalmente más incompatibles: Aries, Cáncer, Libra

Signo que ofrece más apoyo laboral: Libra

Signo que ofrece más apoyo emocional: Aries

Signo que ofrece más apoyo económico: Acuario

Mejor signo para el matrimonio y/o asociaciones: Cáncer

Signo que más apoya en proyectos creativos: Tauro

Mejor signo para pasárselo bien: Tauro

Signos que más apoyan espiritualmente: Virgo, Sagitario

Mejor día de la semana: Sábado

La personalidad Capricornio

Debido a las cualidades de los nativos de Capricornio, siempre habrá personas a su favor y en su contra. Mucha gente los admira, y otros los detestan. ¿Por qué? Al parecer esto se debe a sus ansias de poder. Un Capricornio bien desarrollado tiene sus ojos puestos en las cimas del poder, el prestigio y la autoridad. En este signo la ambición no es un defecto fatal, sino su mayor virtud.

A los Capricornio no les asusta el resentimiento que a veces puede despertar su autoridad. En su mente fría, calculadora y organizada, todos los peligros son factores que ellos ya tienen en cuenta en la ecuación: la impopularidad, la animosidad, los malentendidos e incluso la vil calumnia; y siempre tienen un plan para afrontar estas cosas de la manera más eficaz. Situaciones que aterrarían a cualquier mente corriente, para Capricornio son meros problemas que hay que afrontar y solventar, baches en el camino hacia un poder, una eficacia y un prestigio siempre crecientes.

Algunas personas piensan que los Capricornio son pesimistas, pero esto es algo engañoso. Es verdad que les gusta tener en cuenta el lado negativo de las cosas; también es cierto que les gusta imaginar lo peor, los peores resultados posibles en todo lo que emprenden. A otras personas les pueden parecer deprimentes estos análisis, pero Capricornio sólo lo hace para poder formular una manera de salir de la situación, un camino de escape o un «paracaídas».

Los Capricornio discutirán el éxito, demostrarán que las cosas no se están haciendo tan bien como se piensa; esto lo hacen con ellos mismos y con los demás. No es su intención desanimar, sino más bien eliminar cualquier impedimento para un éxito mayor. Un jefe o director Capricornio piensa que por muy bueno que sea el rendimiento siempre se puede mejorar. Esto explica por qué es tan difícil tratar con los directores de este signo y por qué a veces son incluso irritantes. No obstante, sus actos suelen ser efectivos con bastante frecuencia: logran que sus subordinados mejoren y hagan mejor su trabajo.

Capricornio es un gerente y administrador nato. Leo es mejor para ser rey o reina, pero Capricornio es mejor para ser primer ministro, la persona que administra la monarquía, el gobierno o la empresa, la persona que realmente ejerce el poder.

A los Capricornio les interesan las virtudes que duran, las cosas que superan las pruebas del tiempo y circunstancias adversas. Las modas y novedades pasajeras significan muy poco para ellos; sólo las ven como cosas que se pueden utilizar para conseguir beneficios o poder. Aplican esta actitud a los negocios, al amor, a su manera de pensar e incluso a su filosofía y su religión.

Situación económica

Los nativos de Capricornio suelen conseguir riqueza y generalmente se la ganan. Están dispuestos a trabajar arduamente y durante mucho tiempo para alcanzar lo que desean. Son muy dados a renunciar a ganancias a corto plazo en favor de un beneficio a largo plazo. En materia económica entran en posesión de sus bienes tarde en la vida.

Sin embargo, si desean conseguir sus objetivos económicos, deben despojarse de parte de su conservadurismo. Este es tal vez el rasgo menos deseable de los Capricornio. Son capaces de oponer-se a cualquier cosa simplemente porque es algo nuevo y no ha sido puesto a prueba. Temen la experimentación. Es necesario que estén dispuestos a correr unos cuantos riesgos. Debería entu-siasmarlos más lanzar productos nuevos al mercado o explorar técnicas de dirección diferentes. De otro modo el progreso los de-jará atrás. Si es necesario, deben estar dispuestos a cambiar con los tiempos, a descartar métodos anticuados que ya no funcionan en las condiciones modernas.

Con mucha frecuencia, la experimentación va a significar que tengan que romper con la autoridad existente. Podrían incluso pensar en cambiar de trabajo o comenzar proyectos propios. Si lo hacen deberán disponerse a aceptar todos los riesgos y a conti-nuar adelante. Solamente entonces estarán en camino de obtener sus mayores ganancias económicas.

Profesión e imagen pública

La ambición y la búsqueda del poder son evidentes en Capricor-nio. Es tal vez el signo más ambicioso del zodiaco, y generalmen-te el más triunfador en sentido mundano. Sin embargo, necesita aprender ciertas lecciones para hacer realidad sus más elevadas aspiraciones.

La inteligencia, el trabajo arduo, la fría eficiencia y la organiza-ción los llevarán hasta un cierto punto, pero no hasta la misma cima. Los nativos de Capricornio han de cultivar la buena disposi-ción social, desarrollar un estilo social junto con el encanto y la capacidad de llevarse bien con la gente. Además de la eficiencia, necesitan poner belleza en su vida y cultivar los contactos sociales adecuados. Deben aprender a ejercer el poder y a ser queridos por ello, lo cual es un arte muy delicado. También necesitan aprender a unir a las personas para llevar a cabo ciertos objetivos. En resumen, les hacen falta las dotes sociales de Libra para llegar a la cima.

Una vez aprendidas estas cosas, los nativos de Capricornio tendrán éxito en su profesión. Son ambiciosos y muy trabajado-res; no tienen miedo de dedicar al trabajo todo el tiempo y los esfuerzos necesarios. Se toman su tiempo para hacer su trabajo, con el fin de hacerlo bien, y les gusta subir por los escalafones de la empresa, de un modo lento pero seguro. Al estar impulsados por el éxito, los Capricornio suelen caer bien a sus jefes, que los respetan y se fían de ellos.

Amor y relaciones

Tal como ocurre con Escorpio y Piscis, es difícil llegar a conocer a un Capricornio. Son personas profundas, introvertidas y reservadas. No les gusta revelar sus pensamientos más íntimos. Si estás enamorado o enamorada de una persona Capricornio, ten paciencia y tómate tu tiempo. Poco a poco llegarás a comprenderla.

Los Capricornio tienen una naturaleza profundamente romántica, pero no la demuestran a primera vista. Son fríos, flemáticos y no particularmente emotivos. Suelen expresar su amor de una manera práctica.

Hombre o mujer, a Capricornio le lleva tiempo enamorarse. No es del tipo de personas que se enamoran a primera vista. En una relación con una persona Capricornio, los tipos de Fuego, como Leo o Aries, se van a sentir absolutamente desconcertados; les va a parecer fría, insensible, poco afectuosa y nada espontánea. Evidentemente eso no es cierto; lo único que pasa es que a los Capricornio les gusta tomarse las cosas con tiempo, estar seguros del terreno que pisan antes de hacer demostraciones de amor o de comprometerse.

Incluso en los asuntos amorosos los Capricornio son pausados. Necesitan más tiempo que los otros signos para tomar decisiones, pero después son igualmente apasionados. Les gusta que una relación esté bien estructurada, regulada y definida, y que sea comprometida, previsible e incluso rutinaria. Prefieren tener una pareja que los cuide, ya que ellos a su vez la van a cuidar. Esa es su filosofía básica. Que una relación como esta les convenga es otro asunto. Su vida ya es bastante rutinaria, por lo que tal vez les iría mejor una relación un poco más estimulante, variable y fluctuante.

Hogar y vida familiar

La casa de una persona Capricornio, como la de una Virgo, va a estar muy limpia, ordenada y bien organizada. Los nativos de este signo tienden a dirigir a su familia tal como dirigen sus negocios. Suelen estar tan entregados a su profesión que les queda poco tiempo para la familia y el hogar. Deberían interesarse y participar más en la vida familiar y doméstica. Sin embargo, sí se toman muy en serio a sus hijos y son padres y madres muy orgullosos, en especial si sus hijos llegan a convertirse en miembros destacados de la sociedad.

Horóscopo para el año 2017[*]

Principales tendencias

La presencia de Saturno en tu espiritual casa doce los dos últimos años indica que estás llevando tus naturales dotes de organización y administración al dominio de la espiritualidad; llegarás lejos.

El 21 de diciembre Saturno cruza tu ascendente y entra en tu primera casa, tu signo; estará en ella los dos próximos años. Las percepciones espirituales que has acumulado las aplicarás de formas físicas, materiales.

Capricornio es siempre ambicioso y orientado a la profesión; este año lo eres especialmente. Júpiter entró en tu décima casa el 10 de septiembre del año pasado, y continuará en ella la mayor parte de este año, hasta el 10 de octubre. Este es un año profesional fabuloso; tienes muchísimo éxito. Este es el principal titular de este año. Volveremos sobre este tema.

El 11 de octubre Júpiter entra en tu casa once, la de las amistades. Haces nuevas e importantes amistades; participas mucho en actividades de grupo y en organizaciones profesionales, que parecen ser benéficas o espirituales.

Plutón está en tu signo desde 2008 y continuará en él muchos años más. Esto indica reinvención de tu imagen y personalidad, la atención centrada en la transformación personal. Vas a dar a luz a la persona que deseas ser, a tu yo ideal. Esto nunca ocurre de la noche a la mañana, es un proceso largo que continuará durante muchos años más.

Neptuno está en tu tercera casa desde 2012. Esto eleva y refina tu proceso intelectual, tus gustos en lectura también; sabes comunicarte de manera culta y elegante; esto también es un proceso de larga duración que continuará durante muchos años más.

Urano está en tu cuarta casa desde 2011. Esto ha generado grandes trastornos en la familia, y es muy probable que haya pro-

---

* Las previsiones de este libro se basan en el Horóscopo Solar y todos los signos que derivan de él; tu Signo Solar se convierte en el Ascendente, y las casas se numeran a partir de él. Tu horóscopo personal, el trazado concretamente para ti (según la fecha, hora y lugar exactos de tu nacimiento) podrían modificar lo que decimos aquí. Joseph Polansky

ducido muchas mudanzas o renovaciones. Todo el círculo familiar ha estado inestable; afortunadamente esto ya casi ha terminado; el año que viene Urano coqueteará con tu quinta casa y en 2019 ya estará instalado en ella por muchos años. Volveremos a tocar este tema.

Las facetas de mayor interés para ti este año son: el cuerpo y la imagen (y esta se hará más fuerte después del 21 de diciembre); la comunicación y las actividades intelectuales; el hogar y la familia; la profesión (hasta el 10 de octubre); las amistades, los grupos, las actividades de grupo y las actividades *online* (a partir del 11 de octubre); la espiritualidad (hasta el 21 de diciembre).

Los caminos de mayor satisfacción para ti este año son: la religión, la filosofía, la formación superior, los viajes al extranjero (hasta el 29 de abril); la sexualidad, la tranformación y la reinvención personales (a partir del 29 de abril); la profesión (hasta el 10 de octubre); las amistades, los grupos, las actividades de grupo y la alta tecnología (a partir del 11 de octubre).

Salud

(Ten en cuenta que esta es una perspectiva astrológica de la salud, no una médica. Antaño no había ninguna diferencia, ambas eran idénticas, pero en esta época podrían diferir muchísimo. Para una perspectiva médica, por favor, consulta a tu médico o a otro profesional de la salud.)

Este año yo calificaría tu salud de «pasable»; no espectacular, pero tampoco desastrosa; así así. En todo caso, está mucho mejor que en el periodo 2011-2014; entonces estuvo francamente peligrosa. Si pasaste bien ese periodo, pasarás bien este año.

Hay tres planetas lentos en alineación desfavorable contigo; uno de ellos sale de este aspecto el 11 de octubre y otro saldrá dentro de los próximos años. Por lo tanto, se produce una mejoría gradual.

Tu sexta casa vacía se considera positiva para la salud; no sientes la necesidad de estar muy atento a ella; normalmente esto quiere decir que nada va mal.

Como saben nuestros lectores, es mucho lo que se puede hacer para fortalecer la salud y prevenir problemas. Da especial atención a las siguientes zonas, que son las vulnerables en tu carta:

El corazón. Este órgano ha adquirido importancia en los últimos años; en 2019 ya no lo será tanto. Te irá bien trabajar los puntos reflejos. La persona Capricornio tiende a preocuparse mucho; le gusta imaginar la peor de las posibilidades. Evita esto todo lo posible; se dice que esto es la causa principal de los problemas cardiacos. Te irá bien hacer ejercicios de relajación.

La columna, las rodillas, la dentadura, los huesos, la piel y la alineación esquelética general. Estas zonas son siempre importantes para Capricornio. Los masajes periódicos en la espalda y las rodillas deberán formar parte de tu programa de salud; te irá bien hacer visitas periódicas a un quiropráctico u osteópata; te conviene asegurar que las vértebras y el esqueleto estén bien alineados. Haz revisiones dentales periódicas, son importantes. Protege bien las rodillas cuando hagas ejercicio. En el mercado hay sillones de masaje que hacen unos masajes fabulosos; yo tengo uno. Podría ser una buena inversión, y con el tiempo se amortiza solo.

Los pulmones, los brazos, los hombros y el sistema respiratorio, siempre son importantes para ti, Capricornio. Mercurio, que es quien rige estas zonas es tu planeta de la salud. Te irán bien sesiones de reflexología para trabajar los puntos reflejos. Te convienen masajes periódicos en los brazos y los hombros.

Mercurio, tu planeta de la salud, es de movimiento rápido; sólo la Luna avanza más rápido que él; y no sólo es rápido, es también ágil e irregular; a veces avanza rápido, a veces lento, a veces se queda estacionado, inmóvil, y a veces retrocede (este año, cuatro veces); esto le da la fama de «flexibilidad». La flexibilidad es algo que debes cultivar desde el punto de vista de la salud. Tu cuerpo podría volverse muy rígido y calcificado; debes hacerlo más flexible. Pero esto también indica que respondes bien a muchos tipos de terapia, según dónde esté Mercurio en un determinado momento. Tu salud necesita tender a ser fluida. De estas tendencias a corto plazo hablaremos en las previsiones mes a mes.

Hogar y vida familiar

Como hemos dicho, esta faceta ha sido inestable y difícil desde 2011. Tras esta inestabilidad hay un programa espiritual. La familia puede ser tanto un útero como una tumba; esto es sin duda un mecanismo de supervivencia, que si se lleva a un extremo, puede ser una tumba, que ahoga la independencia y la creatividad de la persona. Así pues, si la relación familiar se va asemejando demasiado a una tumba, viene Urano y hace explotar las cosas. Urano introduce más libertad en las relaciones familiares, a veces de maneras dramáticas o drásticas. Por lo tanto, es posible que haya habido rupturas o casi rupturas en la familia; ha habido todo tipo de presiones en la familia para que dé más libertad. Los familiares pasan por cambios de humor bruscos y extremos. Nunca sabes a qué atenerte con ellos de un momento a otro; las cosas pueden cambiar en un satiamén (y es muy probable que te culpen a ti de esto).

La relación con los hermanos y figuras fraternas ha sido particularmente difícil. Esto debería mejorar después del 21 de diciembre.

La casa es simplemente una obra evolutiva, un nunca acabar. Hay renovaciones y modernizaciones constantes. Al analizar esta carta se oyen los golpes de martillo y el chirrido de la sierra. Cada vez que piensas que tienes las cosas bien, se te ocurre una nueva idea y vuelves a empezar. Es posible que haya habido muchas mudanzas desde 2011. Y podría haber otra este año, repentina e inesperada.

Las personas Capricornio son tradicionales; aunque no se considere bien reconocerlo, en el fondo son partidarios de un orden jerárquico y se creen «nacidos» para estar al mando. Pero esta forma de pensar no sienta bien a los familiares en este periodo. Es necesario hacer funcionar la familia como un equipo, un equipo de iguales.

Urano es tu planeta del dinero. Su posición en tu cuarta casa nos da muchos mensajes. Gastas mucho en el hogar y la familia; se te ve extraordinariamente generoso con ellos. Es muy posible que trabajes más desde casa, que ganes dinero desde casa. La familia también te apoya económicamente, en especial un progenitor o figura parental. Los contactos y conexiones familiares son importantes en tu vida financiera.

Este aspecto también indicaría una oficina en casa o una empresa con sede en casa. Tal vez has instalado muchos aparatos de alta tecnología en casa, y es probable que este año instales más.

Las renovaciones pueden ocurrir en cualquier momento, pero si tienes libertad para elegir, del 28 de enero al 10 de marzo es un buen periodo. Si tienes planes para redecorar la casa (esto también podría ocurrir en cualquier momento), del 3 de febrero al 4 de abril, y del 19 de abril al 6 de junio serán buenos periodos.

Los padres o figuras parentales han tenido problemas en su matrimonio estos últimos años; un divorcio no sería una sorpresa; y si ya están separados, este año tienen buenas oportunidades sociales; no hay probabilidades de mudanza para ellos este año.

Los hermanos tienen un año familiar sin novedades ni cambios; tampoco hay probabilidades de mudanza, aunque no hay nada en contra.

Es probable que tu cónyuge, pareja o ser amado actual desee mudarse.

Los hijos y figuras filiales tienen un año familiar sin novedades ni cambios.

Profesión y situación económica

Este es un año mucho más profesional que financiero. Tu casa del dinero está esencialmente vacía, sólo transitan por ella los planetas rápidos, mientras que tu décima casa, la de la profesión, está prominente. Hay mucho éxito en la profesión; hay elevación, ascenso en la empresa en que trabajas, posición y prestigio. También recibes más reconocimiento este año, no sólo por tus consecuciones profesionales, sino también por tus obras benéficas y filantrópicas.

El éxito profesional conlleva ciertos sacrificios financieros de corta duración. A veces esto significa preferir la posición a los ingresos. Me pareces dispuesto a hacer estos sacrificios y esto lo encuentro prudente. La elevación profesional suele llevar a más ingresos a la larga.

Los problemas financieros, si los hay, podrían ser consecuencia de falta de atención, de que te has dejado ir. Tienes que obligarte a prestar más atención a tus finanzas. También podría ser que das demasiado a obras benéficas o dedicas demasiado tiempo a proyectos benéficos o idealistas (que normalmente no son remunerados), y entonces tienes dificultades financieras.

El eclipse lunar del 7 de agosto ocurre en tu casa del dinero; se producirán circunstancias que te obligarán a tomar ciertas medidas correctivas.

Las finanzas deberían mejorar después del 11 de octubre, cuando Júpiter sale de su aspecto desfavorable a Urano.

Muchas de las tendencias financieras que hemos explicado en años anteriores siguen muy en vigor. Esto se debe a que tu planeta del dinero, Urano, es de movimiento muy lento; está en Aries desde 2011. Así pues, te arriesgas mucho más que de costumbre; favoreces las empresas nuevas, recién comenzadas, que no las más antiguas y bien establecidas. Conservador por naturaleza, en este periodo eres rápido para tomar decisiones financieras y hacer compras importantes. Cuando los tránsitos son favorables, estas cosas resultan bien y cubres mucho terreno financiero con rapidez; pero cuando son desfavorables, te quemas.

Pronto cambiarán las finanzas y la actitud financiera. Urano se está preparando para salir de Aries; este año continúa ahí, pero el año que viene comenzará a coquetear con Tauro; el juicio financiero volverá a ser más conservador.

Por lo general Capricornio detesta «hacer dinero fácil», pero estos últimos años, desde 2011, te has dejado seducir por esto unas cuantas veces.

Tres eclipses afectan a los ingresos del cónyuge, pareja o ser amado actual, y a los socios de negocios. Esto es muy inusual. Dos serán eclipses solares y uno será lunar. Estos producen muchos trastornos y cambios en sus ingresos. Tendrán que hacer muchos cambios drásticos en sus finanzas, en sus planteamientos, estrategias y planificación.

Estos dos últimos años han sido un periodo muy espiritual para ti. Y Júpiter, tu planeta de la espiritualidad, está en tu décima casa, la de la profesión. El mensaje es muy fuerte; favoreces tu profesión con actividades benéficas y altruistas. Es posible que aceptes un puesto administrativo en una empresa no lucrativa o una fundación. Estas cosas te atraen. Con este aspecto a veces la persona Capricornio opta por una profesión de tipo espiritual, pastor religioso, por ejemplo, o hace de la práctica espiritual su verdadera profesión.

Amor y vida social

Este no es un año especialmente fuerte en lo romántico, Capricornio. Tu casa del amor, la séptima, está vacía, sólo transitan por ella los planetas rápidos. El amor no es un foco importante de atención. Si estás soltero o soltera sin duda tendrás tus citas y salidas, seguro que habrá fiestas y reuniones, pero nada especial. Es un año sin novedades ni cambios en lo romántico. Casado o casada, soltero o soltera, lo más probable es que continúes en ese estado. La séptima casa vacía indica que tienes mucha libertad en esta faceta; no hay nada que se oponga al romance, pero nada que lo apoye tampoco. Estás satisfecho con las cosas como están.

Tu planeta del amor, la Luna, es el planeta más rápido de todos. Mientras los otros planetas rápidos (el Sol, Mercurio y Venus) tardan un año en transitar por todos los sectores del horóscopo, la Luna lo hace en un mes. Así pues, el amor y las oportunidades amorosas cambian cada pocos días para ti, según dónde está la Luna y los aspectos que recibe. Estas tendencias a corto plazo es mejor tratarlas en las previsiones mes a mes.

En general, tu magnetismo social será más fuerte cuando la Luna esté en fase creciente que cuando esté en fase menguante. Estos periodos comienzan con la Luna nueva y culminan con la Luna llena.

La situación sin novedades ni cambios en el amor de que hemos hablado se aplica si estás con miras a un primer, segundo o cuarto matrimonio. Si estás pensando en un tercer matrimonio tienes oportunidades excelentes a partir del 11 de octubre. Estas oportunidades se presentan en ambientes de tipo espiritual: una charla, una reunión para hacer oración, un seminario de meditación, o funciones benéficas.

En el romance las cosas siguen como están, pero la vida social en general será buena, en especial a partir del 11 de octubre. Esto ya lo hemos dicho; es entonces cuando haces nuevas amistades, refuerzas las antiguas y participas más en actividades de grupo. Es posible que prefieras este tipo de relación a una romántica; hay libertad total y ningún compromiso.

Un progenitor o figura parental tiene un año social muy fuerte, muy activo, muy feliz. Si esta persona está soltera, podría haber boda; los encuentros ocurren en el lugar de culto, en otro país o en actos de tipo formativo.

Los hermanos y figuras fraternas tienen también una vida social activa, tal vez demasiado activa; tienen éxito en esto.

Los hijos y figuras filiales tienen una vida social muy activa a partir del 11 de octubre; si alguno está en edad, hay probabilidades de una relación amorosa seria, incluso de boda; pero sea cual sea su edad, hacen nuevas amistades.

Los nietos mayores, si los tienes, pasan por pruebas en su matrimonio o relación amorosa; esto ya lleva unos años; el eclipse solar del 26 de febrero traerá más pruebas al matrimonio o relación.

Progreso personal

Plutón, el planeta de la transformación, está en tu signo, y primera casa, desde 2008. La primera casa tiene que ver con el cuerpo y la imagen. Saturno, el señor de tu horóscopo, lleva dos años en tu casa doce, la de la espiritualidad. Como señor de tu horóscopo,

Saturno rige tu cuerpo y tu imagen. Así pues, tenemos un mensaje muy fuerte: en tu cuerpo ocurre una transformación espiritual. Tal vez ya estás entregado a este tipo de proyecto o trabajo, el de transformar y reinventar el cuerpo; es posible que hayas probado con algún tipo de cirugía plástica (y es posible que aún lo estés pensando). Otra posibilidad es recurrir a un régimen dietético para conseguirlo. O usar aparatos de alta tecnología. Todo esto con un éxito relativo.

Lo importante es comprender que, espiritualmente, está en tu poder y capacidad transformar total y absolutamente tu cuerpo. Es posible que ya lo sepas y hayas recibido la enseñanza. La persona delgada que no pasa de los 45 kilos puede volverse musculosa; la persona obesa puede volverse delgada y esbelta; el anciano puede recuperar la juventud. Tienes el poder para dar forma a tu cuerpo tal como quieres. El cuerpo no tiene voluntad propia; tiene apetitos, hábitos e impulsos, sin duda, pero no voluntad independiente. Tarde o temprano debe tomar la imagen que tú creas; no tiene opción en el asunto.

Tu trabajo consiste en retener la imagen apropiada, tu imagen de perfección. También conviene hacer afirmaciones positivas, declaraciones positivas acerca del cuerpo, según tus deseos. Si deseas, por ejemplo, tener el abdomen plano, lo visualizas plano y haces la afirmación apropiada, digamos: «tengo el abdomen plano»; repites esta afirmación diariamente, de preferencia varias veces al día. Cuando comienzas no tienes para qué preocuparte de cómo va a ocurrir; eso no es asunto tuyo; es asunto de una Inteligencia Superior que conoce íntimamente el cuerpo y sus necesidades. Continúas (y la perseverancia es un elemento muy importante) y te irán llegando los medios y las maneras, de una forma muy interesante. Tal vez comiences a hacer ejercicio; a veces cambia tu apetito por ciertos alimentos, de modo normal y natural; no sentirás que te privas de algo; simplemente desearás comer otro tipo de alimentos, más convenientes para la imagen que deseas manifestar. Si es necesaria una terapia o suplemento, esto también te llega de manera muy natural.

No esperes resultados de la noche a la mañana; esta es la trampa en la que caen muchas personas; al cabo de una semana más o menos, si no ocurre nada discernible, desisten diciendo «esto no resulta»; la verdad es que día a día no será mucho lo que notes, pero pasado un tiempo los resultados serán espectaculares. Se parece mucho a ver crecer una planta o un árbol. Día a día, parece que no ocurre nada, pero en el interior están ocurriendo muchas cosas; mira la planta a las tres semanas; mira el árbol a los tres meses y verás cambios importantes. Tómate tu tiempo; deja que las cosas ocurran poco a poco. Persevera. Pasado un tiempo, te sorprenderás. Pasado un año de trabajo perseverante no reconocerás tu cuerpo.

Un año no es mucho tiempo; piensa que para llegar al estado actual de tu cuerpo pasaron muchos años (y para el ser humano, miles de años). Un año de trabajo espiritual no es nada; es francamente milagroso.

Previsiones mes a mes

Enero

Mejores días en general: 7, 8, 15, 16, 25, 26
Días menos favorables en general: 5, 6, 11, 12, 17, 18, 19
Mejores días para el amor: 2, 7, 8, 11, 12, 16, 20, 21, 27, 28, 31
Mejores días para el dinero: 1, 5, 6, 10, 13, 14, 18, 19, 23, 24, 27, 28, 29
Mejores días para la profesión: 2, 12, 17, 18, 19, 20, 21, 31

Estás en un año profesional increíble, pero este mes, con la mayoría de los planetas bajo el horizonte de tu carta, es el periodo para reunir las fuerzas que necesitarás en tu próximo impulso profesional en verano. Este es un periodo para trabajar en tus objetivos profesionales con los métodos de la noche, los métodos interiores; con meditación, sueños diurnos controlados, entrando en el «estado de ánimo» de lo que deseas conseguir. Al hacer esto pones en movimiento las fuerzas que lo harán realidad más adelante.

Venus, tu planeta de la profesión, tiene su solsticio del 29 al 31. Esto indica una pausa en tu profesión y luego un cambio de rumbo; esta es una pausa que renueva, no tienes por qué alarmarte.

Este mes es feliz y próspero. El poder planetario está principalmente en el sector oriental o independiente de tu carta, en su posición oriental máxima del año. El poder planetario está de tu parte, respaldándote y apoyando tus objetivos. Así pues, si hubiera que hacer cambios, cambios que aumenten tu felicidad personal, este es el periodo para hacerlos; tienes el poder, la voluntad y los recursos.

La salud es buena este mes, te ves sano y te sientes sano; la buena salud hace más por la apariencia que montones de polvos y cosméticos. Hasta el 5 y después del 13, puedes fortalecer más la salud con masajes en la espalda, y del 5 al 13 con masajes en los muslos. Tu planeta de la salud está en movimiento retrógrado hasta el 8, y esto indica la necesidad de cautela si quieres hacer cambios drásticos en tu programa de salud.

El amor no es muy importante este mes; tu séptima casa está vacía, sólo la Luna transita por ella los días 11 y 12. En general, tienes más magnetismo social, y más entusiasmo por las actividades sociales, del 1 al 12 y después del 28, los periodos en que la Luna está en fase creciente. El tránsito de la Luna por tu signo los días 25 y 26 te trae oportunidades amorosas y sociales. Aunque el 10 los aspectos son algo opacos, tendría que ser un buen día para el amor, ya que la Luna estará en su perigeo, es decir, su posición más cercana a la Tierra.

Febrero

Mejores días en general: 3, 4, 12, 13, 21, 22
Días menos favorables en general: 1, 2, 7, 8, 14, 15, 28
Mejores días para el amor: 5, 6, 7, 8, 9, 10, 14, 15, 19, 20, 26, 27, 28
Mejores días para el dinero: 1, 2, 5, 6, 9, 10, 14, 15, 19, 20, 24, 25, 28
Mejores días para la profesión: 9, 10, 14, 15, 19, 20, 28

El Sol entró en tu casa del dinero el 19 del mes pasado y continúa en ella hasta el 18. Estás en una de tus cimas financieras anuales. Si tienes buenas ideas, este es un mes fabuloso para atraer inversores a tus proyectos; es bueno para pagar deudas, para hacer planes de seguros y pago de impuestos; si estás en la edad, también es bueno para hacer planes testamentarios. El cónyuge, pareja o ser amado actual te apoya en las finanzas. Puede llegar dinero de la devolución de Hacienda, y de pago de seguros. El 7 entra Mercurio en tu casa del dinero y continúa en ella hasta el 25. Esto indica ingresos provenientes del campo de la salud (y gastos en este campo también); sea cual sea tu trabajo, son importantes las ventas y la mercadotecnia.

Este mes tenemos dos eclipses, que afectan más al cónyuge, pareja o ser amado actual que a ti; pero, claro, también te afectarán algo.

El eclipse lunar del 11 ocurre en tu octava casa. Por lo tanto, tu pareja hace cambios importantes en sus finanzas (proceso que durará los seis próximos meses); es necesario que tome medidas correctivas y el eclipse le da el impulso. Todos los eclipses lunares ponen a prueba la relación amorosa, y este no es diferente; podrían aflorar viejos agravios que es necesario resolver. Dado que normalmente hay dos eclipses lunares al año, esto lo has experimentado muchas veces; ten más paciencia con el ser amado; deja que salgan a la luz los trapos sucios para ver qué se puede arreglar. Si la relación es buena, sobrevive a estas cosas. La conexión con la octava casa podría traer encuentros con la muerte (rara vez se produce una verdadera muerte, aunque a veces sí); la finalidad de esto es darte una comprensión más profunda de la muerte para que superes el miedo.

El eclipse solar del 26 trae más de lo mismo; el planeta eclipsado, el Sol, rige tu octava casa, así que nuevamente el cónyuge, pareja o ser amado actual ha de hacer cambios financieros importantes. Podría haber más encuentros con la muerte. Podrían producirse trastornos en tu compañía de seguros y en los asuntos de impuestos. Este eclipse ocurre en tu tercera casa, por lo tanto pasa por pruebas tu equipo de comunicación; quizá necesites repararlo o reemplazarlo. Hay drama en la vida de hermanos y figuras fraternas, y trastornos u obras de reparación o construcción en tu barrio.

Marzo

Mejores días en general: 2, 3, 11, 12, 21, 22, 30
Días menos favorables en general: 1, 6, 7, 13, 14, 28
Mejores días para el amor: 1, 6, 7, 9, 16, 18, 27, 28
Mejores días para el dinero: 1, 5, 6, 10, 13, 14, 19, 20, 23, 24, 28
Mejores días para la profesión: 1, 9, 13, 14, 18, 27

Tu tercera casa se hizo poderosa el 18 del mes pasado y continúa poderosa hasta el 20 de este mes. Si necesitas un coche o un equipo de comunicación, este es un buen periodo para comprar estas cosas. Es un mes fabuloso para aprender y/o enseñar a otros. Es bueno para ponerte al día en tus lecturas y para escribir esas cartas y e-mails que están a la espera. Si eres estudiante aún no universitario tendría que irte bien en el colegio (el eclipse solar del mes pasado trajo cambios en tus planes de estudios).

El 20 el Sol entra en tu cuarta casa, la del hogar y la familia, y tú entras en la medianoche de tu año; la atención debe estar en actividades internas, en poner en orden la vida doméstica y familiar, en sanar los viejos traumas del pasado. Si estás haciendo psicoterapia, deberías tener un buen progreso. En un plano más profundo, durante este periodo construyes la infraestructura interior, los cimientos psíquicos para el futuro éxito profesional.

A partir del 20 es necesario que estés más atento a la salud; hay muchos planetas en alineación desfavorable contigo; el efecto suele ser sutil: cosas que estás acostumbrado a hacer con facilidad, de repente te resultan difíciles, como, por ejemplo, siempre hacías diez abdominales sin ningún problema y de pronto sólo puedes hacer cinco; o en un tramo de escalera que siempre subías con facilidad, ahora llegas arriba sin aliento. No tienes la energía habitual; está débil la protección natural del aura normalmente fuerte, por lo tanto, estás más vulnerable a los microbios y otros invasores oportunistas. Puedes fortalecer la salud de las maneras indicadas en las previsiones para el año; después del 20 da más atención a la cabeza, cara y el cuero cabelludo; los masajes en la cara y el cuero cabelludo serán potentes, pues no sólo fortalecen esas zonas, sino también todo el cuerpo. También es aconsejable el ejercicio físico, adaptado a tu edad y fase en la vida; es importante mantener el buen tono muscular.

Aunque la energía general no es la que debiera, la vida financiera resplandece a partir del 20; podríamos decir que este periodo es otra cima financiera. Tu planeta del dinero, Urano, recibe mucha estimulación positiva; es más poderoso en beneficio tuyo.

Tu planeta de la profesión, Venus, inicia movimiento retrógrado el 4; otro motivo para pasar a un segundo plano la profesión. Durante este periodo retrógrado, que dura hasta el 15 del próximo mes, no te formes juicios respecto a lo que ocurre en tu profesión; es muy probable que esos juicios sean erróneos; las cosas no son lo que parecen. Centra la atención en el hogar, la familia y tu bienestar emocional. Los asuntos profesionales se aclararán el próximo mes.

Abril

Mejores días en general: 7, 8, 17, 18, 26, 27
Días menos favorables en general: 3, 4, 10, 11, 24, 25, 30
Mejores días para el amor: 3, 4, 5, 6, 12, 13, 15, 16, 23, 26, 27, 30

Mejores días para el dinero: 1, 5, 6, 10, 11, 15, 16, 19, 20, 21, 24, 25, 28, 29

Mejores días para la profesión: 4, 10, 11, 12, 13, 23

Este es un mes activo, ajetreado, con muchos cambios y novedades. Tal vez eres demasiado activo. La salud sigue delicada, pero mejora después del 19. Tu planeta de la salud, Mercurio, inicia movimiento retrógrado el 9; hasta el próximo mes evita hacer cambios drásticos en tu programa de salud. Si debes hacerlos (parece que la dieta es importante después del 20), analiza y estudia más las cosas. Fortalece la salud con masajes en el cuello y la garganta; también es buena la terapia sacro-craneal. Después del 20, cuando Mercurio vuelve a entrar en Aries en movimiento retrógrado, da más atención a la cabeza, la cara y el cuero cabelludo; te irán bien masajes en estas zonas; también es importante el ejercicio en este periodo. El 21 Marte entra en tu sexta casa, la de la salud, y esto refuerza lo que acabamos de decir.

En el caso de que busques trabajo, a partir del 9 debes analizar muy detenidamente las ofertas, no aceptes una a ciegas; resuelve tus dudas, haz preguntas. No tienes por qué precipitarte a aceptar nada, aun cuando sentirás la tentación.

Sí, hay ajetreo, pero prosperas. Tu planeta del dinero, Urano, recibe aspectos positivos este mes. El 13 y el 14 se ven buenos días en las finanzas, tanto para ti como para tu pareja; hay buena colaboración financiera entre vosotros.

Venus, tu planeta de la profesión, continúa en movimiento retrógrado hasta el 15; también lo está Júpiter, el ocupante de tu décima casa. Por lo tanto, los asuntos profesionales están más o mensos en suspenso en este periodo. Continúa prestando atención al hogar, la familia y a tu bienestar físico y emocional. Tu planeta de la profesión estaba en tu cuarta casa el mes pasado y este mes estará unos días en ella, el 1 y después del 28. El hogar y la familia son tu verdadera profesión en este periodo. También es importante que estés presente para tus hermanos y vecinos, en especial del 2 al 28.

El amor no es un centro importante de atención este mes, lo que podemos considerar positivo; indica satisfacción con las cosas como están. Tu magnetismo social será más fuerte del 1 al 11 y después del 26. La Luna nueva del 26, súper Luna nueva, es un día excelente para el amor y la vida social; la libido está muy fuerte; este es también un buen día financiero para el cónyuge, pareja o ser amado actual.

Mayo

Mejores días en general: 4, 5, 14, 15, 23, 24
Días menos favorables en general: 1, 7, 8, 21, 22, 27, 28
Mejores días para el amor: 1, 2, 3, 12, 13, 21, 22, 27, 28
Mejores días para el dinero: 3, 7, 8, 13, 17, 18, 22, 25, 26, 30
Mejores días para la profesión: 2, 3, 7, 8, 12, 13, 21, 22

El 28 del mes pasado el poder planetario pasó de tu sector oriental o independiente al sector occidental o social. Ahora el poder planetario se aleja de ti y avanza hacia los demás; la atención está en los demás y sus necesidades. Cede ante los demás a no ser que esto sea destructivo. Tu autoestima y confianza en ti mismo no están en su mejor periodo; y tu manera podría no ser la mejor. Lo que te trae éxito es tu capacidad para llevarte bien con los demás, de ganarte su colaboración y buena voluntad.

El poder planetario continúa principalmente bajo el horizonte de tu carta, en la mitad inferior; incluso tu planeta de la profesión pasa todo el mes en tu cuarta casa; el hogar y la familia son tu profesión en este periodo; son tu misión. Ahora Venus está en movimiento directo y se aclaran los asuntos profesionales, pero continúas construyendo los cimientos psíquicos para tu próximo empuje profesional, que comenzará muy pronto.

La salud va mucho mejor este mes; si has tenido algún trastorno o enfermedad, mejora o desaparece. Marte en tu sexta casa indica la importancia del ejercicio físico y del masaje en el cuero cabelludo, cara y cabeza; esto es importante todo el mes; después del 6 vuelve a ser potente el masaje en el cuello y la garganta. A partir del 6 la alegría fortalecerá enormemente la salud; si te sientes indispuesto, haz cosas que te diviertan.

Del 1 al 11, periodo excepcionalmente largo, Mercurio viaja con Urano, tu planeta del dinero; este es buen periodo para las finanzas; indica incremento, buenas ideas financieras. Tal vez gastas más en la salud, pero puedes obtener ganancias de esto también. Hay buena comunicación con las personas adineradas de tu vida. Tu planeta de la familia, Marte, forma muy buenos aspectos a Júpiter del 10 al 14, lo que indica buen apoyo familiar, la prosperidad de un progenitor o figura parental y suerte en las especulaciones para esta persona.

El 20 el Sol entra en tu sexta casa, haciéndola casa de poder el resto del mes; este aspecto es fabuloso en el caso de que busques trabajo; tu planeta del trabajo, Mercurio, retoma el movimiento directo el 3, así que ya hay más claridad.

La vida social en general es más fuerte a partir del 20; hay más participación en grupos y actividades de grupo. El cónyuge, pareja o ser amado actual tiene buena intuición financiera; la orientación le llega en sueños o a través de videntes, canalizadores espirituales o personas espirituales.

Junio

Mejores días en general: 1, 2, 10, 11, 12, 20, 21, 28, 29
Días menos favorables en general: 3, 4, 18, 19, 24, 25, 30
Mejores días para el amor: 3, 4, 10, 11, 13, 14, 20, 21, 24, 25, 28, 29
Mejores días para el dinero: 3, 4, 9, 13, 14, 19, 22, 23, 27, 30
Mejores días para la profesión: 3, 4, 10, 11, 20, 21, 28, 29, 30

La salud es buena hasta el 21; después necesita más atención, pues estará más delicada. Tu planeta de la salud, Mercurio, estará «fuera de límites» buena parte del mes, a partir del 18, lo que indica que sales de tu esfera normal en busca de terapias: las que existen en tu ámbito no bastan y debes buscar en otra parte. Además, Mercurio avanza raudo este mes, así que las necesidades en la salud van cambiando muy rápido. Hasta el 6 fortalece la salud con masajes en el cuello y la garganta; del 6 al 21 te irán bien masajes en los brazos y los hombros; el aire fresco será beneficioso en este periodo; sal a tomarlo y haz respiraciones profundas. Después del 21 es importante la dieta; es importante mantener positivo y constructivo el estado anímico; también son importantes las buenas relaciones familiares.

Un progenitor o figura parental también sale de sus límites normales este mes; se aventura por «terreno desconocido».

El amor es el principal titular este mes; hasta ahora no ha sido un factor importante en tu vida, pero esto cambia el 4; este día entra Marte en tu séptima casa; el 21 entran Mercurio y el Sol; estás en una cima amorosa y social del año. Si estás soltero o soltera conoces a personas ricas, de éxito, ambiciosas y mundanas. Si estás en una relación, tu pareja prospera y se le presentan felices oportunidades profesionales. El 24 hay otra súper Luna nueva, es un día potente en el amor y la vida social, y un fabuloso día financiero para el ser amado. La Luna esclarecerá los asuntos amorosos a medida que avance, hasta la próxima Luna nueva el mes que viene. Tu magnetismo social es especialmente fuerte del 1 al 9 y después del 24, cuando tu planeta del amor está en fase creciente.

El cónyuge, pareja o ser amado actual tiene un buen mes financiero a partir del 21, como hemos dicho; pero entre el 2 y el 5 también tiene un bonito día de paga. Del 2 al 4 Venus viaja con tu planeta del dinero y esto trae incremento financiero y una repentina oportunidad profesional.

Julio

Mejores días en general: 8, 9, 17, 18, 23, 24
Días menos favorables en general: 1, 15, 16, 21, 22, 28, 29
Mejores días para el amor: 3, 4, 10, 13, 14, 19, 20, 21, 22, 23, 24, 28, 29
Mejores días para el dinero: 1, 6, 10, 11, 16, 19, 20, 24, 28, 29
Mejores días para la profesión: 1, 10, 19, 20, 28, 29

Ahora el poder planetario está en la mitad superior de tu carta; Júpiter en tu décima casa retomó el movimiento directo el 9 del mes pasado. Es, pues, el periodo para darle impulso a la profesión; para avanzar con actos y gestiones en el mundo exterior; ha terminado el periodo para el trabajo interior y ahora pones por obra tus sueños. La energía profesional será más fuerte el próximo mes; hay mucho éxito.

A partir del 5 tu planeta de la profesión, Venus, pasa casi todo el mes en tu sexta casa, la de la salud y el trabajo. Siempre tienes buena ética laboral, y ahora la tienes más aún; esta buena ética laboral te favorece en la profesión; también te favorece la buena comunicación, las buenas relaciones públicas y la publicidad. No hace falta decir que sin buena salud no hay profesión, así que es necesario que estés atento a tu salud, y parece que lo estás. Podríamos decir que mantenerte sano es tu verdadera profesión este mes, a partir del 5.

El amor es el otro titular importante del mes; continúas en una cima amorosa y social anual; siguen en vigor muchas de las tendencias de que hablamos el mes pasado. Los familiares se ven muy interesados en tu vida amorosa (es posible que se entrometan mucho, pero tienen buena intención). Si estás soltero o soltera te atraen personas adineradas y es importante el magnetismo sexual.

El cónyuge, pareja o ser amado actual continúa en un mes financiero fabuloso, que áun será más fuerte después del 22; esta persona será más generosa contigo, sobre todo después del 22.

En general tu magnetismo social es más fuerte del 1 al 9 y después del 23, cuando tu planeta del amor, la Luna, está en fase creciente. El 21 se ve un día especialmente bueno para el amor; la Luna tiene más poder ese día, pues está en su perigeo (su posición más cercana a la Tierra). Normalmente los días de Luna llena son buenos para el amor, pero la Luna llena de este mes no será tan fuerte, pues ocurre cuando está en su apogeo (su posición más distante de la Tierra). Estos fenómenos explican todos los diversos matices que experimentas en el amor.

Hasta el 22 es necesario estar atento a la salud, como hemos dicho; lo más importante es descansar lo suficiente. Hasta el 6 fortalece la salud cuidando la dieta; irá bien un régimen de desintoxicación, y es probable que sea lo que necesitas; del 6 al 16 da más atención al corazón (evita la preocupación); después del 16 serán buenos los masajes en el abdomen.

Agosto

Mejores días en general: 4, 5, 13, 14, 22, 23, 31
Días menos favorables en general: 11, 12, 18, 24, 25
Mejores días para el amor: 1, 2, 3, 9, 10, 11, 12, 18, 19, 20, 21, 28, 29, 31
Mejores días para el dinero: 2, 3, 6, 7, 8, 11, 12, 16, 20, 24, 25, 29, 30
Mejores días para la profesión: 9, 10, 18, 19, 24, 25, 28, 29

Tu octava casa se hizo poderosa el 22 del mes pasado y este més está más poderosa; es un importante foco de atención. El 21 hay un eclipse solar en ella que la hace aún más importante.

Cuando está fuerte la octava casa nos interesamos por la muerte, no sólo por la muerte física, sino también por la muerte de viejas condiciones y circunstancias. El Cosmos nos incita a eliminar todo lo que nos impide el progreso, y esto adopta muchas formas. Podría haber mucho desorden o confusión en nuestra vida; tenemos la casa llena de objetos que no necesitamos. Esto ocurre también en el cuerpo físico y en la vida emocional; debemos librarnos de las sustancias o pautas emocionales que ya no son necesarias: tal vez en otro tiempo lo fueron, no son cosas malas, pero ahora ya son solamente «desorden, atasco».

Este mes tenemos dos eclipses que lo hacen tumultuoso, pero parece que a ti no te afecta excesivamente, comparado con otros signos. De todos modos, no te hará ningún daño reducir las actividades durante esos periodos.

El eclipse lunar del 7 ocurre en tu casa del dinero, así que te ves obligado a hacer importantes cambios financieros (tus finanzas van bien, por cierto, y es muy probable que tu estrategia o planteamiento sea muy pesimista). Todos los eclipses lunares ponen a prueba la vida amorosa y la relación actual; ya pasaste por esto en febrero; ten más paciencia con el ser amado y procura no empeorar las cosas. Los agravios y dramas que afloran podrían ser el trampolín para llegar a una relación mejor. También pasan por pruebas las sociedades de negocio. Este eclipse hace impacto en Marte, tu planeta de la familia, por lo tanto hay trastornos en la casa, tal vez es necesario hacer reparaciones. Hay drama en la vida de un progenitor o figura parental. Las emociones están exaltadas en la familia.

El eclipse solar del 21 ocurre justo en la cúspide (límite) de tus casas octava y novena, y afecta a ambas casas. Hay cambios drásticos en las finanzas del cónyuge, pareja o ser amado actual; como ves esto no te ocurre sólo a ti. También pasa por pruebas una sociedad de negocios, en la parte financiera. La novena casa tiene que ver con la formación superior, así que si eres estudiante universitario haces más cambios en tus planes de estudios, como ocurrió en febrero. Hay más trastornos en tu lugar de culto. También como en febrero, hay encuentros con la muerte; esto no es un castigo (los planetas nunca castigan), sino un amable recordatorio para que te ocupes de las cosas verdaderamente importantes de tu vida, el motivo de que nacieras.

Septiembre

Mejores días en general: 1, 10, 18, 19, 28, 29
Días menos favorables en general: 7, 8, 14, 15, 20, 21
Mejores días para el amor: 1, 7, 8, 10, 14, 15, 16, 17, 19, 28, 30
Mejores días para el dinero: 3, 4, 8, 12, 13, 17, 20, 21, 27, 30
Mejores días para la profesión: 7, 8, 16, 17, 20, 21, 28

El poder planetario sigue principalmente en el sector occidental o social de tu carta, y Saturno, el señor de tu horóscopo, recibe aspectos desfavorables. La salud es buena, pero la autestima y tu seguridad en ti mismo podrían estar mejor. Esto no importa, la seguridad en ti mismo no es muy importante en este periodo; continúan siendo importantes tus dotes sociales. No hace ninguna falta que te hagas valer, deja que se impongan los demás mientras esto no sea destructivo. Tu debilidad permite que intervengan otras fuerzas.

Tu novena casa se hizo fuerte el 22 del mes pasado y este mes está más fuerte aún. Este es, pues, un mes para viajar y para ensanchar tus horizontes. Es excelente si eres estudiante universitario, pues estás muy aplicado a tus estudios y eso lleva al éxito. Estás en un periodo espiritual desde hace dos años, y el poder que hay ahora en tu novena casa lo refuerza. Aumenta tu interés por las «leyes superiores», por la religión y la filosofía. La filosofía es más importante que la psicología; la filosofía de la persona da forma a su psicología. Este es un periodo para ahondar en estas cosas; si te interesa harás mucho progreso filosófico.

La salud es buena, como hemos dicho, en especial hasta el 22. Cualquier duda que tengas al respecto se resuelve después del 5, cuando Mercurio retoma el movimiento directo. Si viajas es mejor que lo hagas después del 5 también. Hasta el 10 puedes mejorar más la salud con un régimen de desintoxicación; también es importante la salud del corazón. Después del 10 serán potentes los masajes en el abdomen; en el abdomen hay puntos reflejos del intestino delgado, zona que es necesario trabajar en este periodo. Pasado el 22 procura descansar lo suficiente; come alimentos que sean fáciles de digerir.

La profesión es otro titular importante este mes. Júpiter está en tu décima casa, donde ha estado lo que va de año; el poder planetario está en la mitad superior de tu carta, avanzando hacia la profesión y alejándose del hogar. El 22 el Sol entra en tu décima casa y tú entras en una cima profesional anual; esta podría ser una cima de toda la vida, depende mucho de tu edad. Los planetas apoyan tus ambiciones en el mundo exterior. No temas, sigue adelante y triunfa.

El amor no es muy importante este mes; tu séptima casa está esencialmente vacía, sólo transita por ella la Luna los días 14 y 15. En los meses anteriores has conseguido tus objetivos en el amor y no tienes por qué prestarle mucha atención. En general, tu magnetismo social es más fuerte del 1 al 6 y después del 20, cuando la Luna está en fase creciente. Aunque los aspectos son algo opacos, el 13 debería ser un buen día para el amor, pues la Luna está en su perigeo (su posición más cercana a la Tierra).

Octubre

Mejores días en general: 7, 8, 15, 16, 25, 26
Días menos favorables en general: 5, 6, 11, 12, 18, 19
Mejores días para el amor: 1, 7, 8, 9, 10, 11, 12, 17, 18, 19, 27, 28, 30
Mejores días para el dinero: 1, 6, 10, 11, 14, 20, 23, 24, 27, 28, 29, 30
Mejores días para la profesión: 7, 8, 17, 18, 19, 27, 28

La profesión es el principal titular del mes; es activa, frenética y competitiva, pero exitosa; el 60 por ciento de los planetas o están en tu décima casa o transitan por ella este mes. Hay una conspiración cósmica para darte éxito, para elevarte; nada lo puede impedir. Haz las cosas lógicas que es necesario hacer y deja que la oleada cósmica te lleve a tus objetivos.

A fin de mes comienza a menguar la oleada profesional; la profesión será importante, pero no tanto como en la primera parte del mes. Esto lo interpreto como la consecución de los objetivos a corto plazo y un buen avance hacia los de a largo plazo.

Hay éxito en la profesión pero tal vez no veas enseguida las compensaciones financieras. Dale tiempo, que llegarán, muy probablemente el mes que viene. Tu planeta del dinero, Urano, está en movimiento retrógrado y recibe aspectos desfavorables; las finanzas son más difíciles que de costumbre. Continúa centrando la atención en la profesión y finalmente llegará el dinero.

La salud parece algo delicada este mes; después del 23 verás mejoría, pero este es un mes difícil en lo que se refiere a la salud. Es muy posible que trabajes en exceso; procura programar más ratos de descanso. Hasta el 17 fortalécela dando más atención a las caderas y los riñones; serán potentes los masajes en las caderas y nalgas (con este masaje no sólo fortaleces los riñones y las caderas, sino también la parte inferior de la espalda). Después del 17 te irá bien un régimen de desintoxicación; un enema con infusión de hierbas podría ser justo lo que necesitas si te sientes indispuesto. También son importantes la moderación sexual y el sexo seguro.

El 11 Júpiter hace un traslado importante, sale de tu décima casa y entra en tu casa once; estará en ella hasta bien avanzado el próximo año; es un tránsito largo. Esto activará tu vida social y hará entrar nuevas amistades en el cuadro. Comienzas a cosechar las recompensas de tu éxito, entrando en un nuevo círculo social de amistades. Los hijos y figuras filiales de tu vida tienen una excelente vida social este mes y hasta bien entrado el año que viene; si alguno está en edad casadera, podría haber boda.

La vida social de la casa once es diferente de la de la séptima casa. La séptima casa (que este mes está vacía) va de relaciones del corazón; es una vida social más romántica; la vida social de la casa once va de relaciones de tipo platónico, relaciones de la mente, con personas que tienen intereses similares a los tuyos. Por lo tanto, este mes y gran parte del próximo año llegan amistades, relaciones de amistad, pero sin compromiso.

Noviembre

Mejores días en general: 3, 4, 12, 13, 21, 22
Días menos favorables en general: 1, 2, 7, 8, 14, 15, 29, 30
Mejores días para el amor: 6, 7, 8, 16, 17, 18, 26, 27, 28, 29
Mejores días para el dinero: 2, 7, 8, 10, 16, 17, 20, 24, 25, 26, 27, 30
Mejores días para la profesión: 6, 7, 14, 15, 16, 17, 26, 27

Hasta el 22 continúa fuerte tu casa once. Además de nuevas amistades y actividades sociales trae una mayor comprensión de la alta tecnología, las ciencias, la astrología y la astronomía. Es muy probable que te compres un nuevo equipo de alta tecnología; este periodo es bueno para comprar esas cosas, pues tu juicio será bueno. Cuando está poderosa la casa once muchas personas se hacen hacer su horóscopo personal, y también muchas se embarcan en un estudio serio de la astrología.

Júpiter es tu planeta de la espiritualidad; su posición en tu casa once indica que gran parte de tus estudios espirituales son confirmados por las ciencias; también indica una actitud más científica hacia la espiritualidad (esta la tienes siempre, es algo innato en ti, pero ahora lo es más).

Los días 29 y 30 Júpiter forma aspectos hermosos con Neptuno; es muy posible que esto lo sientas antes de estos días; estos aspectos podrían traerte un coche o un equipo de comunicación nuevo. También indicaría ingresos provenientes de compraventa. Los hermanos y figuras fraternas tienen un buen periodo financiero y éxito en sus profesiones.

Un hijo, hija o figura filial parece estar en una relación romántica, con una persona rica, adinerada; esta persona se ve generosa, especialmente los días 12 y 13. Estos días son excelentes también para que los hijos y las figuras filiales paguen sus deudas.

El amor no es muy importante este mes. Tu séptima casa, la del amor, está prácticamente vacía, sólo la Luna transita por ella los días 7 y 8. En general, tu magnetismo social es más fuerte del 1 al 4 y a partir del 18. El 4, día de una súper Luna llena, debería ser especialmente bueno en lo social y lo romántico; ocurre cuando la Luna está cerca de su perigeo (su posición más cercana a la Tierra).

La salud es mucho mejor este mes, y el mes que viene mejorará más aún. Puedes fortalecerla dando más atención al colon, la vejiga y los órganos sexuales hasta el 6, y después a los muslos y al hígado; el masaje en los muslos fortalece el hígado, y también la parte inferior de la espalda. Después del 6 son potentes las técnicas de curación espiritual; si te sientes indispuesto, un terapeuta de orientación espiritual podría ser justo lo que necesitas.

Diciembre

Mejores días en general: 1, 2, 9, 10, 18, 19, 20
Días menos favorables en general: 5, 6, 11, 12, 26, 27
Mejores días para el amor: 5, 6, 7, 8, 16, 17, 28
Mejores días para el dinero: 5, 6, 8, 14, 15, 17, 18, 21, 22, 24, 25, 27
Mejores días para la profesión: 7, 8, 11, 12, 16, 17, 28

Este es un mes muy espiritual, un mes espiritual en un periodo de dos años que ha sido espiritual. Esto va a cambiar muy pronto. Saturno, el señor de tu horóscopo y planeta muy importante en tu carta, sale de tu casa doce el 21 y entra en tu primera casa, tu signo. También el 21 el Sol cruza tu ascendente y entra en tu primera casa. Esto indica que has conseguido tus objetivos espirituales de los dos últimos años; has tenido el esclarecimiento en lo que fuera que necesitabas esclarecer. El 21 se inicia el periodo para poner estas cosas en práctica, para manifestar tu comprensión en el mundo y en tu cuerpo.

La entrada de Saturno en tu signo es tal vez el principal titular del mes. Saturno cambia de signo cada dos años y medio más o menos; este tránsito te fortalecerá; serás más Capricornio de lo que ya eres. Tus capacidades organizativas y administrativas naturales son más fuertes que nunca; la única pega es que podrías exagerar las cosas, volverte una persona demasiado fría, seria, reservada; esto haría menos agradable tu vida amorosa y social, sin duda.

Este es un mes feliz. El poder planetario está en su posición oriental máxima (el mes que viene también). Tu poder e independencia personales están en su punto máximo; puedes y debes tener la vida a tu manera; tu manera es la mejor. El poder planetario te apoya a ti, no a los demás. Así pues, haz las gestiones y cambios que necesites hacer para crear tu felicidad.

Por lo general, Saturno en el propio signo no es indicador de buena salud, pero para ti está bien. Te sientes a gusto bajo los rayos de Saturno; la salud será buena. Puedes fortalecerla más dando atención especial a los muslos y al hígado, como el mes pasado, y con técnicas de curación espiritual.

Tu planeta del dinero continúa retrógrado, pero hasta el 21 recibe aspectos hermosos. Hay prosperidad aunque tal vez llega con más lentitud y con retrasos. Este mes es temporada de compras y es posible que el movimiento retrógrado de tu planeta del dinero sea causa de que gastes en exceso; estudia detenidamente cada compra.

El amor no es muy importante este mes; la Luna es el único planeta que transita por tu séptima casa, los días 5 y 6. Esto lo podemos considerar bueno: satisfacción con las cosas como están; no tienes necesidad de prestar mucha atención a esta faceta. En general, tu magnetismo social es más fuerte del 1 al 4 y después del 18. El 4, día de una súper Luna llena, tendría que ser excepcionalmente fuerte en el amor y en lo social, pues la Luna está en su perigeo, es decir, su posición más cercana a la Tierra.

Acuario

El Aguador

Nacidos entre el 20 de enero y el 18 de febrero

Rasgos generales

ACUARIO DE UN VISTAZO

Elemento: Aire

Planeta regente: Urano
   Planeta de la profesión: Plutón
   Planeta de la salud: la Luna
   Planeta del amor: el Sol
   Planeta del dinero: Neptuno
   Planeta del hogar y la vida familiar: Venus

Colores: Azul eléctrico, gris, azul marino
   Colores que favorecen el amor, el romance y la armonía social:
   Dorado, naranja
   Color que favorece la capacidad de ganar dinero: Verde mar

Piedras: Perla negra, obsidiana, ópalo, zafiro

Metal: Plomo

Aromas: Azalea, gardenia

Modo: Fijo (= estabilidad)

Cualidades más necesarias para el equilibrio: Calidez, sentimiento
y emoción

Virtudes más fuertes: Gran poder intelectual, capacidad de comunicación y de formar y comprender conceptos abstractos, amor por lo nuevo y vanguardista

Necesidad más profunda: Conocer e introducir lo nuevo

Lo que hay que evitar: Frialdad, rebelión porque sí, ideas fijas

Signos globalmente más compatibles: Géminis, Libra

Signos globalmente más incompatibles: Tauro, Leo, Escorpio

Signo que ofrece más apoyo laboral: Escorpio

Signo que ofrece más apoyo emocional: Tauro

Signo que ofrece más apoyo económico: Piscis

Mejor signo para el matrimonio y/o las asociaciones: Leo

Signo que más apoya en proyectos creativos: Géminis

Mejor signo para pasárselo bien: Géminis

Signos que más apoyan espiritualmente: Libra, Capricornio

Mejor día de la semana: Sábado

La personalidad Acuario

En los nativos de Acuario las facultades intelectuales están tal vez más desarrolladas que en cualquier otro signo del zodiaco. Los Acuario son pensadores claros y científicos; tienen capacidad para la abstracción y para formular leyes, teorías y conceptos claros a partir de multitud de hechos observados. Géminis es bueno para reunir información, pero Acuario lleva esto un paso más adelante, destacando en la interpretación de la información reunida.

Las personas prácticas, hombres y mujeres de mundo, erróneamente consideran poco práctico el pensamiento abstracto. Es cierto que el dominio del pensamiento abstracto nos saca del mundo físico, pero los descubrimientos que se hacen en ese dominio normalmente acaban teniendo enormes consecuencias prácticas. Todos los verdaderos inventos y descubrimientos científicos proceden de este dominio abstracto.

Los Acuario, más abstractos que la mayoría, son idóneos para explorar estas dimensiones. Los que lo han hecho saben que allí hay poco sentimiento o emoción. De hecho, las emociones son un estorbo para funcionar en esas dimensiones; por eso los Acuario a veces parecen fríos e insensibles. No es que no tengan sentimientos ni profundas emociones, sino que un exceso de sentimiento les nublaría la capacidad de pensar e inventar. Los demás signos no pueden tolerar y ni siquiera comprender el concepto de «un exceso de sentimientos». Sin embargo, esta objetividad acuariana es ideal para la ciencia, la comunicación y la amistad.

Los nativos de Acuario son personas amistosas, pero no alardean de ello. Hacen lo que conviene a sus amigos aunque a veces lo hagan sin pasión ni emoción.

Sienten una profunda pasión por la claridad de pensamiento. En segundo lugar, pero relacionada con ella, está su pasión por romper con el sistema establecido y la autoridad tradicional. A los Acuario les encanta esto, porque para ellos la rebelión es como un juego o un desafío fabuloso. Muy a menudo se rebelan simplemente por el placer de hacerlo, independientemente de que la autoridad a la que desafían tenga razón o esté equivocada. Lo correcto y lo equivocado tienen muy poco que ver con sus actos de rebeldía, porque para un verdadero Acuario la autoridad y el poder han de desafiarse por principio.

Allí donde un Capricornio o un Tauro van a pecar por el lado de la tradición y el conservadurismo, un Acuario va a pecar por el lado de lo nuevo. Sin esta virtud es muy dudoso que pudiera hacerse algún progreso en el mundo. Los de mentalidad conservadora lo obstruirían. La originalidad y la invención suponen la capacidad de romper barreras; cada nuevo descubrimiento representa el derribo de un obstáculo o impedimento para el pensamiento. A los Acuario les interesa mucho romper barreras y derribar murallas, científica, social y políticamente. Otros signos del zodiaco, como Capricornio por ejemplo, también tienen talento científico, pero los nativos de Acuario destacan particularmente en las ciencias sociales y humanidades.

Situación económica

En materia económica, los nativos de Acuario tienden a ser idealistas y humanitarios, hasta el extremo del sacrificio. Normalmente son generosos contribuyentes de causas sociales y políticas. Su modo de contribuir difiere del de un Capricornio o un Tauro. Estos esperarán algún favor o algo a cambio; un Acuario contribuye desinteresadamente.

Los Acuario tienden a ser tan fríos y racionales con el dinero como lo son respecto a la mayoría de las cosas de la vida. El dinero es algo que necesitan y se disponen científicamente a adquirirlo. Nada de alborotos; lo hacen con los métodos más racionales y científicos disponibles.

Para ellos el dinero es particularmente agradable por lo que puede hacer, no por la posición que pueda implicar (como en el caso de otros signos). Los Acuario no son ni grandes gastadores ni tacaños; usan su dinero de manera práctica, por ejemplo para facilitar su propio progreso, el de sus familiares e incluso el de desconocidos.

No obstante, si desean realizar al máximo su potencial financiero, tendrán que explorar su naturaleza intuitiva. Si sólo siguen sus teorías económicas, o lo que creen teóricamente correcto, pueden sufrir algunas pérdidas y decepciones. Deberían más bien recurrir a su intuición, sin pensar demasiado. Para ellos, la intuición es el atajo hacia el éxito económico.

Profesión e imagen pública

A los Acuario les gusta que se los considere no sólo derribadores de barreras, sino también los transformadores de la sociedad y del mundo. Anhelan ser contemplados bajo esa luz y tener ese papel. También admiran y respetan a las personas que están en esa posición e incluso esperan que sus superiores actúen de esa manera.

Prefieren trabajos que supongan un cierto idealismo, profesiones con base filosófica. Necesitan ser creativos en el trabajo, tener acceso a nuevas técnicas y métodos. Les gusta mantenerse ocupados y disfrutan emprendiendo inmediatamente una tarea, sin pérdida de tiempo. Suelen ser los trabajadores más rápidos y generalmente aportan sugerencias en beneficio de su empresa. También son muy colaboradores con sus compañeros de trabajo y asumen con gusto responsabilidades, prefiriendo esto a recibir órdenes de otros.

Si los nativos de Acuario desean alcanzar sus más elevados objetivos profesionales, han de desarrollar más sensibilidad emocional, sentimientos más profundos y pasión. Han de aprender a reducir el enfoque para fijarlo en lo esencial y a concentrarse más en su tarea. Necesitan «fuego en las venas», una pasión y un deseo arrolladores, para elevarse a la cima. Cuando sientan esta pasión, triunfarán fácilmente en lo que sea que emprendan.

Amor y relaciones

Los Acuario son buenos amigos, pero algo flojos cuando se trata de amor. Evidentemente se enamoran, pero la persona amada tiene la impresión de que es más la mejor amiga que la amante.

Como los Capricornio, los nativos de Acuario son fríos. No son propensos a hacer exhibiciones de pasión ni demostraciones externas de su afecto. De hecho, se sienten incómodos al recibir abrazos o demasiadas caricias de su pareja. Esto no significa que no la amen. La aman, pero lo demuestran de otras maneras. Curiosamente, en sus relaciones suelen atraer justamente lo que les produce incomodidad. Atraen a personas ardientes, apasionadas, románticas y que demuestran sus sentimientos. Tal vez instintivamente saben que esas personas tienen cualidades de las que ellos carecen, y las buscan. En todo caso, al parecer estas relaciones funcionan; la frialdad de Acuario calma a su apasionada pareja, mientras que el fuego de la pasión de esta calienta la sangre fría de Acuario.

Las cualidades que los Acuario necesitan desarrollar en su vida amorosa son la ternura, la generosidad, la pasión y la diversión. Les gustan las relaciones mentales. En eso son excelentes. Si falta el factor intelectual en la relación, se aburrirán o se sentirán insatisfechos muy pronto.

Hogar y vida familiar

En los asuntos familiares y domésticos los Acuario pueden tener la tendencia a ser demasiado inconformistas, inconstantes e inestables. Están tan dispuestos a derribar las barreras de las restricciones familiares como las de otros aspectos de la vida.

Incluso así, son personas muy sociables. Les gusta tener un hogar agradable donde poder recibir y atender a familiares y amigos. Su casa suele estar decorada con muebles modernos y llena de las últimas novedades en aparatos y artilugios, ambiente absolutamente necesario para ellos.

Si su vida de hogar es sana y satisfactoria, los Acuario necesitan inyectarle una dosis de estabilidad, incluso un cierto conservadurismo. Necesitan que por lo menos un sector de su vida sea sólido y estable; este sector suele ser el del hogar y la vida familiar.

Venus, el planeta del amor, rige la cuarta casa solar de Acuario, la del hogar y la familia, lo cual significa que cuando se trata de la familia y de criar a los hijos, no siempre son suficientes las teorías, el pensamiento frío ni el intelecto. Los Acuario necesitan introducir el amor en la ecuación para tener una fabulosa vida doméstica.

Horóscopo para el año 2017*

Principales tendencias

Saturno lleva dos años en tu casa once, desde la Navidad de 2014, y continuará en ella este año. Se reordena la vida social; te vuelves más selectivo en la amistad y tus actividades *online*. Esto es bueno. Saturno es tu planeta de la espiritualidad, por lo tanto haces amistades de tipo espiritual y participas en grupos y actividades de grupo espirituales.

El 21 de diciembre Saturno entra en tu casa doce, donde se reúne con Plutón. Esto significa que la casa doce será la más fuerte de las casas durante bastante tiempo. La espiritualidad ha sido importante desde hace muchos años; Plutón está en tu casa doce desde 2008, pero llegado el 21 de diciembre la espiritualidad se hace más prominente aún, y lo será los dos próximos años. Volveremos sobre este tema.

Plutón es tu planeta de la profesión; su posición en tu casa doce indica la necesidad de una profesión idealista, espiritualmente correcta; para ti no es suficiente tener éxito y hacer dinero. Hablaremos más de esto.

Neptuno está en tu casa del dinero desde 2012. Esta es una buena posición para las finanzas; está en su signo y casa y es poderoso por ti. En este periodo estás profundizando en la comprensión de la «economía espiritual». Volveremos sobre este tema.

---

* Las previsiones de este libro se basan en el Horóscopo Solar y todos los signos que derivan de él; tu Signo Solar se convierte en el Ascendente, y las casas se numeran a partir de él. Tu horóscopo personal, el trazado concretamente para ti (según la fecha, hora y lugar exactos de tu nacimiento) podrían modificar lo que decimos aquí. Joseph Polansky

Júpiter entró en tu novena casa el 10 de septiembre del año pasado y continuará en ella hasta el 10 de octubre de este año; este tránsito es excelente si eres estudiante universitario; indica éxito en los estudios. También es fabuloso si tienes que solicitar ser admitido en la universidad. Habrá buena suerte, las mejores posibilidades. Si no eres estudiante, vas a viajar más este año.

El 11 de octubre Júpiter cruza tu medio cielo y entra en tu décima casa. Esto indica éxito profesional, elevación, ascenso, y tal vez honores y reconocimiento. La mayor parte del año es una simple preparación para eso. Más adelante trataremos el tema con más detalle.

Las facetas de mayor interés para ti este año son: las finanzas; la comunicación y las actividades intelectuales; la religión, la filosofía, la formación superior y los viajes al extranjero (hasta el 10 de octubre); la profesión (a partir del 11 de octubre); las amistades, los grupos, las actividades de grupo y las actividades *online*; la espiritualidad.

Los caminos de mayor satisfacción para ti este año son: la sexualidad, la transformación y la reinvención personales, los estudios ocultos o herméticos (hasta el 29 de abril); el amor, el romance y las actividades sociales (a partir del 29 de abril); la religión, la filosofía, la formación superior y los viajes al extranjero (hasta el 10 de octubre); la profesión (a partir del 11 de octubre).

Salud

(Ten en cuenta que esta es una perspectiva astrológica de la salud, no una médica. Antaño no había ninguna diferencia, ambas eran idénticas, pero en esta época podrían diferir muchísimo. Para una perspectiva médica, por favor, consulta a tu médico o a otro profesional de la salud.)

La salud se ve buena este año, Acuario, ¡disfrútala! Durante la mayor parte del año no hay ningún planeta lento en aspecto desfavorable contigo. El 11 de octubre, cuando Júpiter entra en Escorpio, sólo habrá un planeta lento en aspecto desfavorable, y este planeta es Júpiter, cuyas presiones son moderadas.

La salud es otra forma de riqueza. Teniendo elevada la energía apenas hay nada que no se pueda conseguir; se abren todo tipo de posibilidades. Cosas que parecían imposibles cuando la energía estaba baja, ahora son eminentemente posibles.

Tu sexta casa, la de la salud, está esencialmente vacía. Más o menos das por descontada la buena salud y no le prestas mucha atención.

Sin duda durante el año habrá periodos en que la energía no esté a la altura de lo habitual; son bajones temporales, causados por los tránsitos de los planetas rápidos; no son tendencias para el año.

No es mucho lo que necesitas hacer para fortalecer la salud este año, pero si quieres puedes dar más atención a las siguientes zonas:

El estómago, y si eres mujer a los pechos también. El estómago es siempre importante para Acuario. Comer bien es siempre importante para la salud (no tanto para algunas persona, pero para ti sí). Los alimentos que tomes debes consultarlos con un profesional (aun cuando no hay consenso entre ellos acerca de la dieta). Cómo comes es tal vez igual de importante; procura comer lentamente, en estado tranquilo y relajado, masticando bien, y disfruta de lo que comes; pon una música de fondo agradable y tranquilizadora; da las gracias por los alimentos y bendícelos con tus propias palabras, antes y después de comer. Estas prácticas elevan las vibraciones de los alimentos, del cuerpo y del sistema digestivo; el alimento se digiere mejor y sólo recibes sus energías superiores.

Los tobillos y las pantorrillas. También estas zonas son siempre importantes para ti; masajes periódicos en ellas deberían formar parte de tu programa de salud; protege bien los tobillos cuando hagas ejercicio.

Los periodos más vulnerables para la salud este año son: del 20 de abril al 20 de mayo; del 23 de julio al 23 de agosto, y del 23 de octubre al 21 de noviembre. En estos periodos no se produce nada grave, pero te irá bien descansar y relajarte más.

Tu planeta de la salud es la Luna, que es el más rápido y cambiante de los planetas; mientras los demás planetas rápidos hacen un circuito por el horóscopo a lo largo del año, la Luna lo hace en un mes. Por lo tanto, te beneficias de una gran variedad de terapias y cambian tus necesidades; todo depende de dónde está la Luna en un determinado momento; así pues, una terapia que te va bien dos días, cuando la Luna está en un signo, podría no irte bien cuando está en otro. Por eso te conviene arrojar todos los libros de reglas y ver qué te da buen resultado a ti; por este motivo es muy importante tu intuición del momento. Estas tendencias a corto plazo es mejor tratarlas en las previsiones mes a mes.

En general, la salud y la energía estarán mejor cuando la Luna esté en fase creciente que cuando esté en fase menguante. Y los regímenes de desintoxicación te irán mejor cuando la Luna esté en fase menguante.

Hogar y vida familiar

Tu cuarta casa, la del hogar y la familia, no está fuerte desde hace unos años, y no lo estará este. El Cosmos te da mucha libertad en los asuntos domésticos y familiares, puedes organizarlos como quieras; el único problema es la falta de interés, por lo que las cosas tienden a seguir como están.

Deberías disfrutar de este descanso, saborearlo. A veces es hermoso aburrirse. El año que viene y los siguientes habrá cambios interminables y trastornos en el círculo familiar. Es posible, si eres muy sensible, que ya comiences a sentir los acontecimientos venideros.

Venus es tu planeta de la familia. Es, como saben nuestros lectores, un planeta de movimiento rápido; a lo largo del año transita por todos los signos y casas del horóscopo; está sujeto a todo tipo de aspectos, algunos armoniosos, algunos discordantes. Estas tendencias a corto plazo es mejor explicarlas en las previsiones mes a mes.

Este año Venus hace uno de sus movimientos retrógrados (que ocurren cada dos años) del 4 de marzo al 15 de abril. Este no es un periodo para tomar decisiones importantes en asuntos domésticos o familiares ni para comprar artículos caros para la casa; podrías sentir la tentación, pero no caigas en ella. Este es un periodo para hacer revisión, para ver qué mejoras se pueden hacer; para adquirir claridad acerca de la verdadera situación, que podría no ser la que crees. Cuando Venus retome el movimiento directo estarás en posición para continuar adelante con seguridad y confianza.

Los padres o figuras parentales llevan unos años de tipo espiritual; hay mucho crecimiento interior. Uno de ellos prospera a partir del 11 de octubre; bien podría mudarse o no, pero va a viajar más de lo habitual. El otro progenitor o figura parental tiene un año social excelente; si esta persona está soltera podría haber romance; no hay probabilidades de mudanza, aunque ocurren diversas crisis familiares.

Los hermanos y figuras fraternas se ven inquietos y es probable que vivan en diversos lugares durante largos periodos, pero no hay probabilidades de mudanza formal.

Los hijos y figuras filiales tienen un año familiar sin novedades ni cambios. Los nietos, si los tienes, podrían mudarse después del 11 de octubre; también podría ocurrir que ampliaran el espacio en su habitación o su casa.

Si tienes planes para obras importantes de reparación o renovación, del 10 de marzo al 21 de abril es buen periodo. Si quieres redecorar o embellecer la casa, los mejores periodos son del 19 de abril al 20 de mayo y del 6 de junio al 4 de julio.

Profesión y situación económica

Es bueno que tu casa del dinero esté fuerte. Teniendo a Saturno en aspecto desfavorable con tu planeta del dinero, hace falta prestar muchísima atención a las finanzas. Sencillamente no puedes dar por descontados los ingresos. Si estás atento, y parece que lo estarás, el año debería ser próspero. Sí, trabajarás más arduo para conseguir tus objetivos, pero los conseguirás.

Este año hay muchas novedades buenas en las finanzas; tendría que haber más prosperidad que el año pasado. Comenzarás a sentir el cambio a partir del 29 de abril, cuando el nodo sur de la Luna sale de tu casa del dinero. El nodo sur genera la sensación de «carencia», de insuficiencia; por mucho que tenga la persona, sigue sintiendo que no tiene suficiente. La prosperidad aumenta más aún después del 11 de octubre, ya que Júpiter comienza a formar aspectos hermosos a Neptuno, tu planeta del dinero. Después, a fin de año, Saturno sale de su aspecto desfavorable. Vemos una mejoría uniforme a medida que avanza el año. La prosperidad continúa hasta bien avanzado el próximo año.

Saturno es tu planeta de la espiritualidad y Neptuno es el planeta genérico; estos dos planetas espirituales están en conflicto (y esto lleva dos años). Por lo tanto, dos actitudes espirituales, las dos buenas en sí, inhiben los ingresos. Una actitud es «práctica», en un sentido idealista: hay que ser formal en lo que se da; hay que ser sistemático, ordenado. La otra actitud se inclina más a la perspectiva trascendente, que aconseja seguir las reglas del espíritu y no las terrenales: vende todo lo que tienes y dalo a los pobres. Este tipo de conflicto suele manifestarse a través de personas; dos respetados líderes espirituales de tu vida están en desacuerdo acerca del papel del dinero, y tú te quedas atrapado en medio.

Has sido caritativo y filantrópico desde hace unos años, y más aún en los últimos. Es posible que hagas donaciones excesivas, a modo de «ofrenda sacrificial», y parece que esto produce dificultades financieras. Las donaciones deben ser «proporcionales» a los ingresos.

Neptuno, por ser tu planeta del dinero, indica afinidad con industrias relacionadas con el agua: empresas de servicio de agua, embotelladoras de agua, purificadoras, la industria pesquera, la de transporte marítimo y construcción naval. También favorecería las inversiones en la industria del petróleo, gas natural, residencias para ancianos, hospicios y laboratorios que producen antidepresivos o ansiolíticos y anestésicos. Esto lleva pasando unos años y continuará en vigor muchos años más: Neptuno es un planeta de movimiento muy lento; sólo Plutón es más lento que él.

El eclipse solar del 26 de febrero ocurre en tu casa del dinero, y te obligará a hacer cambios drásticos, que darán resultado a la larga, pero mientras ocurren pueden ser molestos, hay mucha inseguridad al respecto.

La profesión también será súper este año, como hemos dicho. Júpiter cruza tu medio cielo el 11 de octubre y entra en tu décima casa. Se te eleva en tu profesión o en la empresa en que trabajas; hay probabilidades de ascenso y aumento de sueldo. Las amistades también prosperan y te ayudan, te abren puertas. Tu habilidad tecnológica se ve muy importante en la profesión.

Tu planeta de la profesión, Plutón, está en tu casa doce desde 2008, lleva muchos años en ella. Así pues, sea cual sea tu profesión, tu participación en actividades benéficas la favorecerá. Estas cosas son buenas en sí, pero también tienen consecuencias prácticas: haces conexiones importantes que de otro modo no harías nunca.

Amor y vida social

Hay mucho cambio y drama en el amor este año, pero el resultado final tendría que ser feliz.

Estos cambios y dramas los causan tres eclipses que afectan a la vida amorosa; es inmensa la energía de los eclipses. Todos los eclipses solares ponen a prueba el amor, dado que el Sol, el planeta eclipsado, es tu planeta del amor. Pero el efecto del eclipse solar del 21 de agosto es extraordinariamente fuerte, ocurre en tu séptima casa, la del amor; el otro eclipse solar, el 26 de febrero, también afecta al amor además de a las finanzas. El eclipse lunar del 11 de febrero también pone a prueba el amor (normalmente no lo hace), pues ocurre en tu séptima casa.

Si tu relación amorosa actual es buena, tendría que sobrevivir a estos golpes; saldrán a la luz los agravios ocultos o reprimidos y entre tú y el ser amado tomaréis las medidas correctivas; pero si la relación es tibia, así así, está en peligro.

Los eclipses en la séptima casa no siempre son «malos»; indican un cambio en la relación o cambio de estado. A veces mejora la relación y la pareja se casa; a veces la persona soltera decide casarse; tal vez la boda no se realiza de inmediato, pero la decisión interior ya está tomada.

El 29 de abril el nodo norte de la Luna entra en tu séptima casa, la del amor; esto se considera bueno; indica satisfacción en el amor; muchas veces indica «exceso»; esto podría significar una vida social hiperactiva, o en el caso de personas solteras, un exceso de oportunidades amorosas. El exceso puede ser un problema, pero es mejor que la falta o insuficiencia.

El Sol, tu planeta del amor, es de movimiento rápido; a lo largo del año transita por todo el horóscopo. No sólo está cada mes en un sector diferente de tu carta, sino que además en su recorrido recibe todo tipo de aspectos. Hay, pues, muchas tendencias a corto plazo según dónde está el Sol en un determinado periodo y los aspectos que recibe. Estas tendencias es mejor tratarlas en las previsiones mes a mes.

Por naturaleza a Acuario le gustan las amistades y las actividades de grupo; nadie mejor que él para esto. Este año, como hemos dicho, eres más selectivo en la amistad; en este periodo (que ya lleva algunos años) se separa el trigo de la paja, las amistades verdaderas de las tibias. Vale más tener pocos amigos buenos que muchos tibios. Esta es la opinión en este periodo.

Tu planeta de la espiritualidad, Saturno, está en tu casa once; por lo tanto haces amistad con personas espirituales; participas más en actividades de grupo espirituales y altruistas que en otras. La compatibilidad espiritual es un factor importante en la amistad en este periodo. Sientes la necesidad de amistades que apoyen tu camino y tus ideales espirituales.

Progreso personal

La espiritualidad está en toda tu carta este año; miremos donde miremos, la vemos. Está fuerte tu casa doce, la de la espiritualidad y a fin de año se hará más fuerte aún. Júpiter, el planeta genérico de la religión, pasa la mayor parte del año en tu novena casa, la de la religión. Neptuno, el más espiritual de los planetas, está en su signo (lo que realza su poder e influencia), que es tu casa del dinero. Tu planeta de la espiritualidad, Saturno, pasa casi todo el año en tu casa de la amistad. La espiritualidad domina la profesión (Plutón en tu casa doce), las finanzas (Neptuno, tu planeta del dinero, en tu casa del dinero) y buena parte de tu vida social (Saturno en tu casa once, la de las amistades). Todos los caminos llevan a Roma.

El mensaje básico es: «Pon en orden la vida espiritual y todo lo demás se ordenará»; tu comprensión espiritual y tu orientación interior te llevarán al éxito en todas estas facetas.

Este año son ultra prácticas la vida espiritual y la orientación interior; suele dar la impresión de que son cosas «del otro mundo» y «abstractas», pero las consecuencias son prácticas. Lo notarás en tu profesión, en tus finanzas y en tu vida social.

Si necesitas orientación financiera o profesional, videntes, astrólogos, lectores de tarot, pastores religiosos y canalizadores espirituales tienen importantes conocimientos que comunicarte; y deberías consultar a alguno (a uno bueno, lógicamente). También te llegará orientación en sueños y en relámpagos intuitivos; debes estar receptivo a ellos.

Tal vez la revelación más importante sea que lo Divino se preocupa de tu bienestar mundano: tus finanzas, profesión y vida social. Sí, estas cosas aparentemente triviales y sin importancia (desde una perspectiva grandiosa) están a su cuidado: «No cae una hoja sin que el Padre Celestial lo sepa».

La oración resolverá muchos problemas, pero la meditación (oración que se prolonga) hará más aún por ti; no sólo resolverá los problemas, sino que también eliminará los asuntos que causaron los problemas.

La meditación diaria, tal vez de media hora a una hora, es un «deber». Si pasas por alguna crisis podrías necesitar aumentar tus periodos de meditación.

Siendo tan prominente la espiritualidad, este es un año para milagros y experiencias sobrenaturales. Eso es muy placentero.

Tu planeta de la espiritualidad pasa casi todo el año en Sagitario, el signo de la religión; esto indicaría una afinidad con los caminos místicos de la religión con que naciste, sea la que sea. Todas las religiones tienen su lado místico. No hace ninguna falta ir a otros países a adquirir espiritualidad; profundiza en lo que ya tienes.

Previsiones mes a mes

Enero

Mejores días en general: 1, 9, 10, 17, 18, 19, 27, 28
Días menos favorables en general: 7, 8, 13, 14, 20, 21
Mejores días para el amor: 2, 7, 8, 12, 13, 14, 16, 20, 21, 27, 28, 31
Mejores días para el dinero: 1, 2, 3, 10, 11, 18, 19, 20, 28, 29, 30, 31
Mejores días para la profesión: 7, 8, 15, 16, 20, 21, 25, 26

Al comenzar el año está abrumadoramente dominante el sector oriental o independiente de tu carta. Del 1 al 6 y del 21 en adelante el 90 por ciento de los planetas están en el sector oriental; los demás días, el 80 por ciento. No sólo eso, sino que te encuentras en tu periodo de poder e independencia máximos; tu autoestima y seguridad en ti mismo son muy fuertes; si las diriges bien es posible casi cualquier cosa. Este mes y el próximo no van de complacer a los demás (aunque siempre los respetas); los demás te complacen a ti; te enteras de que el Cosmos desea que seas feliz y apoya tu legítimo interés propio. No es egoísmo buscar tu interés propio, mientras esto no sea dañino para los demás. Tienes el poder y el respaldo para crear tu nirvana personal, así que bien podrías hacerlo.

Hasta el 19 estás en un periodo espiritual; el progreso espiritual siempre precede al progreso personal. Tienen que ocurrir cosas a través de ti para que te ocurran a ti. Las batallas de la vida se ganan lejos del campo de batalla, se ganan en las cámaras del corazón y la meditación. Todo lo demás son sólo efectos secundarios.

Si estás soltero o soltera y sin compromiso, hasta el 19 el amor se presenta en ambientes espirituales, en la sala de yoga, en la charla o el seminario espirituales, en funciones benéficas y en reuniones para hacer oración. Si lo buscas en otra parte pierdes el tiempo. El amor te persigue a partir del 19, cuando tu planeta del amor, el Sol, cruza tu ascendente y entra en tu primera casa; no tienes necesidad de buscarlo ni de hacer nada especial; no escaparás. Si estás en una relación, verás que la persona amada te mima, está pendiente de ti, antepone tus intereses a los suyos. El amor es feliz este mes.

Este va a ser un año muy fuerte en la profesión; en este periodo te estás preparando; hay éxito profesional este mes, pero esto no es nada comparado con lo que vendrá más adelante. Cuentas con el apoyo del cónyuge, pareja o ser amado actual, y de tus amistades. Las funciones benéficas, o las de naturaleza social, favorecen la profesión.

Las finanzas son buenas también; tu casa del dinero está fuerte. Hay buen apoyo familiar. Hasta el 28 tus dotes de comunicación son como dinero en el banco; continúa fiándote de tu intuición financiera.

La salud es buena este mes; no hay ningún planeta en alineación desfavorable contigo; en general, tu salud y energía están mejor cuando tu planeta de la salud, la Luna, está en fase creciente. Este mes estos periodos son del 1 al 12 y después del 28. Los días de Luna nueva y Luna llena siempre son de mucha energía para ti. El 10 me parece un día de energía especialmente elevada, pues la Luna está en su perigeo (su posición más cercana a la Tierra).

Febrero

Mejores días en general: 5, 6, 14, 15, 24, 25
Días menos favorables en general: 3, 4, 9, 10, 16, 17, 18
Mejores días para el amor: 5, 6, 9, 10, 14, 15, 19, 20, 26, 27, 28
Mejores días para el dinero: 5, 6, 7, 8, 14, 15, 16, 17, 24, 25, 26, 27
Mejores días para la profesión: 3, 4, 12, 13, 16, 17, 18, 21, 22

Cuando el Sol entró en tu signo el 19 del mes pasado entraste en una cima anual de placer personal, y también en una cima amorosa y social (tendrás otras más en el año). Este es, pues, un periodo en el que gozas de los deleites sensuales: buena comida, buen vino, buenos restaurantes y ropa buena. También es bueno para poner en forma el cuerpo y la imagen. El 7 entra en tu primera casa Mercurio, el señor de tu quinta casa, la de la diversión. Esto refuerza la felicidad personal.

Tu apariencia resplandece en este periodo, y el sexo opuesto lo nota.

Este mes tenemos dos eclipses. El eclipse lunar del 11 (el 10 en América) ocurre en tu séptima casa, la del amor, y es fuerte en ti, así que reduce tus actividades esos días. Este eclipse pone a prueba la relación amorosa actual; no produce ruptura necesariamente, pero sí pone dificultades; salen a la luz los trapos sucios, para que se limpien. Si la relación es buena, estas cosas la pueden mejorar; una vez que se asiente el polvo del eclipse se pueden hacer correcciones que mejorará la situación; si hay defectos importantes en la relación, esta podría disolverse. También pasan por pruebas las amistades del corazón; por lo general las dificultades se deben a dramas que experimentan las personas amigas. Todos los eclipses lunares causan trastornos o reorganización en el lugar de trabajo; podría haber cambio de trabajo o cambios en las condiciones laborales. También podría haber un susto relativo a la salud, pero dado que tu salud es buena sólo será eso, un susto. El cónyuge, pareja o ser amado actual pasa por ciertos cambios en su vida espiritual; podría cambiar de enseñanza o de maestro.

El eclipse solar del 26 produce más de lo mismo; pone a prueba la vida amorosa y la relación actual; las cosas que no se resolvieron con el eclipse lunar se resuelven ahora; estos efectos suelen durar seis meses, hasta los próximos dos eclipses. Este eclipse ocurre en tu casa del dinero y te obliga a tomar medidas correctivas en tus finanzas; tal vez tus planteamientos y estrategias no son los correctos y los incidentes provocados por el eclipse te lo demuestran. Los cambios que te veas obligado a hacer serán buenos, y esta es la finalidad del eclipse.

La salud sigue buena; la autoestima y la seguridad en ti mismo siguen elevadas; puedes hacer los cambios que necesitas hacer para tu felicidad. En general, la salud y la energía están más fuertes del 1 al 11 y después del 26, los periodos en que la Luna está en fase creciente.

Marzo

Mejores días en general: 4, 5, 13, 14, 23, 24
Días menos favorables en general: 2, 3, 9, 10, 16, 17, 30
Mejores días para el amor: 1, 7, 9, 10, 16, 18, 27, 28
Mejores días para el dinero: 5, 6, 7, 13, 14, 15, 16, 23, 24, 25, 26
Mejores días para la profesión: 2, 3, 11, 12, 16, 17, 21, 22, 31

El 18 del mes pasado iniciaste una cima financiera anual que continúa hasta el 20. Los ingresos son fuertes. El cónyuge, pareja o ser amado actual te apoya financieramente, es muy activo en tus finanzas. Hay posibilidades de formar una sociedad de negocios o una empresa conjunta, en especial los días 1 y 2. Si eres inversor aumentan tus dividendos u otros ingresos de inversiones. Mercurio en tu casa del dinero hasta el 13 indica dinero feliz, suerte en las especulaciones y el favor de hijos y figuras filiales en tus finanzas; te ayudan.

Este mes la actitud en el amor es más «materialista», especialmente hasta el 20; la riqueza te seduce. Si estás soltero o soltera y sin compromiso te inclinas hacia la persona buena proveedora, la persona que te hace regalos materiales. El 20 tu planeta del amor entra en tu tercera casa y entonces te atrae la persona buena comunicadora, la persona con el don de labia. A partir del 13 la buena comunicación es una forma de juego preliminar en el amor. El amor se ve feliz este mes; se presenta en el barrio o tal vez con personas vecinas; no hace falta viajar muy lejos; también se presenta el amor en ambientes de formación, en charlas, seminarios o en el colegio.

El 7 del mes pasado el poder planetario pasó de la mitad superior de tu carta a la inferior. Ahora estás en el periodo para situar en a un segundo plano la profesión (no te desentenderás del todo de ella) y dar más atención al hogar y la familia. También es muy importante que encuentres tu zona de agrado emocional para funcionar a partir de ella. Es fantástico tener éxito, pero el bienestar emocional prepara el camino, pone buenos cimientos.

Venus, tu planeta de la familia, inicia movimiento retrógrado el 4; esto quiere decir que los asuntos familiares no son lo que parecen. Tómate tu tiempo para aclarar las cosas antes de actuar. Tampoco sería un buen periodo para cerrar la compra o la venta de una casa; no hay ninguna prisa; después del 15 del mes que viene será un periodo mejor.

La salud continúa buena; sólo tienes un planeta en alineación desfavorable contigo: Marte, a partir del 10. Por lo demás, el 90 por ciento de los planetas o están en aspectos armoniosos o te dejan en paz. Como siempre, la salud y la energía son más fuertes durante los periodos en que la Luna está en fase creciente, del 1 al 12 y después del 28. Los días 3 y 30 los aspectos son desfavorables, pero tienes la energía para arreglártelas: tu planeta de la salud está en su perigeo, muy cerca de la Tierra.

Marte en tu cuarta casa es maravilloso para hacer obras importantes de construcción o reparación en ella. De todos modos, estando Venus en movimiento retrógrado, es mejor que esperes hasta el próximo mes para hacerlas. Mientras tanto puedes informarte acerca del presupuesto y el tiempo que tardarían.

Abril

Mejores días en general: 1, 10, 11, 19, 20, 21, 28, 29
Días menos favorables en general: 5, 6, 12, 13, 26, 27
Mejores días para el amor: 4, 5, 6, 12, 13, 15, 16, 23, 26, 27
Mejores días para el dinero: 1, 3, 4, 10, 11, 12, 13, 19, 20, 21, 22, 23, 28, 29, 30
Mejores días para la profesión: 7, 8, 12, 13, 17, 18, 26, 27

Estás muy cerca de la mágica hora de medianoche de tu año. El 19 ya estarás en ella. Hay éxito profesional, casi como efecto secundario, pero la profesión no es el principal centro de atención; la atención está en el hogar, la familia y tu bienestar emocional. Necesitas sentirte bien acerca de las cosas, encontrarte en buen estado anímico, estar en armonía emocional. Todo lo demás se deriva de eso. Cuando la entrevistaron después de ganar en Wimbledon, Serena Williams dijo: «El partido se gana o se pierde en la mente, antes de entrar en la pista». Esto es una profunda verdad espiritual. Consigue tus objetivos profesionales en la mente y los sentimientos ahora y el resto ocurrirá de forma natural. Esta es la preparación psíquica para el éxito futuro.

Después del 19 es necesario que des más atención a la salud; no ocurre nada grave, los planetas lentos están o en armonía contigo o te dejan en paz; esto es un problema de corta duración; la energía general no está a la altura habitual; procura descansar lo suficiente. Tu periodo más vulnerable este mes es del 19 al 26: tu planeta de la salud está en fase menguante y los planetas rápidos están en alineación desfavorable contigo.

Este no es un mes para hacer viajes largos, hasta el 15 en todo caso. Están retrógrados los dos planetas que rigen este aspecto: Venus, el planeta regente en tu carta, y Júpiter, el regente genérico. Un viaje irá mejor después del 15 que antes.

Este mes tienes una mini cima amorosa y social. Hasta el 19 tu planeta del amor viaja con el señor de tu horóscopo. Si estás soltero o soltera esto significa encuentros románticos; si estás casado o casada o en una relación, hay más intimidad, más unión con la persona amada. El amor es feliz.

El 19 tu planeta del amor, el Sol, entra en tu cuarta casa y nuevamente cambian las necesidades en el amor. El don de la comunicación es siempre importante para Acuario, pero ahora deseas más intimidad emocional; te atrae la persona con la que te sientes a gusto emocionalmente, con la que puedes hablar de sentimientos, buenos y malos. Es importante que la persona amada valore la familia, la relación familiar.

Con este aspecto se da la tendencia a recrear el pasado: la persona vive comparando su relación actual con las anteriores, y entonces se pierde la inmediatez del momento. Otras veces vienen a la memoria experiencas amorosas del pasado, para resolverlas y sanarlas; o reaparece un viejo amor en el cuadro, o conoces a una persona que te recuerda un viejo amor, lo que podría o no llevar a algo, pero el verdadero motivo es sanar el pasado.

Mayo

Mejores días en general: 7, 8, 17, 18, 25, 26
Días menos favorables en general: 2, 3, 9, 10, 23, 24, 29, 30
Mejores días para el amor: 2, 3, 4, 5, 12, 13, 14, 15, 21, 22, 25, 26, 29, 30
Mejores días para el dinero: 1, 7, 8, 9, 10, 17, 18, 19, 20, 25, 26, 27, 28
Mejores días para la profesión: 4, 5, 9, 10, 14, 15, 23, 24

Este mes el amor continúa cerca de casa. Hay más reuniones sociales en la casa y con familiares. Las oportunidades amorosas se presentan a través de familiares o conexiones familiares. Hasta el 20 es un periodo en que una velada romántica en casa es más placentera que una salida de juerga. Esto cambia después del 20. Desde el punto de vista terapéutico es un buen periodo para recordar viejas experiencias amorosas y revisarlas a la luz del presente. Hay mucha curación, y se resuelven muchas obstrucciones psíquicas.

El 20 tu planeta del amor entra en tu quinta casa. Entonces cambia tu actitud; ahora deseas diversión (por cierto, entras en una cima anual de placer personal); te atrae la persona que sepa hacerte pasar un buen rato. El amor, piensas, debe ser diversión; no te interesan las responsabilidades ni las cargas, tal vez de modo abstracto sí, pero no emocionalmente. El amor es mucho más feliz y hay más armonía con el ser amado.

Este mes Mercurio está en conjunción con Urano un tiempo excepcionalmente largo, del 1 al 11 (Mercurio termina su movimiento retrógrado y avanza muy lento), lo que indica un creciente deseo de más diversión en la vida (y este deseo florece después del

20); indica buena suerte en tu proyecto de transformación personal; hay más atractivo sexual en tu imagen. Llegan oportunidades sexuales que chisporrotean. Sea cual sea tu edad o fase en la vida, la libido estará más fuerte en ese periodo.

Del 10 al 14 Marte forma aspectos hermosos con Júpiter, lo que indica buena suerte si eres estudiantes aún no universitario; o si eres escritor, vendes tu obra; si trabajas en ventas o mercadotecnia haces más ventas.

La salud mejora muchísimo después del 20; te recorren el cuerpo sensaciones y sentimientos positivos. Puedes fortalecer aún más la salud de las maneras indicadas en las previsiones para el año. En general, la salud y la energía estarán mejor a partir del 25; la Luna nueva del 25 hace de este un día especialmente bueno para la salud, ya que está muy cerca de su perigeo, su posición más cercana a la Tierra; esta es una súper Luna nueva, más fuerte que una Luna nueva normal.

Si bien este no es un mes fuerte en la profesión, pues el hogar y la familia son más importantes, hay éxito profesional, aunque salpicado con retrasos o dilaciones.

Junio

Mejores días en general: 3, 4, 13, 14, 22, 23, 30
Días menos favorables en general: 5, 6, 7, 20, 21, 26, 27
Mejores días para el amor: 3, 4, 10, 11, 13, 14, 20, 21, 24, 26, 27, 28, 29
Mejores días para el dinero: 3, 4, 5, 6, 13, 14, 15, 16, 22, 23, 24, 25, 30
Mejores días para la profesión: 1, 2, 5, 6, 7, 10, 11, 20, 21, 28, 29

Continúas en una de tus cimas anuales de placer personal, el periodo para gozar de la vida y en especial de tu relación amorosa. Este es un periodo para hacer cosas juntos. Dado que tu planeta del amor está en Géminis hasta el 21, el don de labia sigue formando parte del atractivo; amor equivale a buena comunicación y compatibilidad intelectual. Si estás soltero o soltera y sin compromiso, las oportunidades amorosas se presentan en funciones del colegio, charlas o seminarios, como también en los lugares normales, clubes, balnearios y lugares de diversión.

El 6, cuando Venus entra en tu cuarta casa, el poder planetario pasa de tu sector oriental al occidental. Esto significa que el poder planetario se aleja de ti y avanza hacia los demás, y esto es lo que debes hacer tú. Es el periodo en que olvidas el yo y el interés propio (aunque no hay nada malo en esto) para centrar la atención en los demás. Esta es la energía cósmica del periodo. Así pues, tómate unas vacaciones de ti por un tiempo; muévete con el Universo; cultiva tus dotes sociales; deja que los demás se impongan, mientras esto no sea destructivo; tu manera no es la mejor en este periodo. En los próximos meses te resultará más difícil hacer cambios en las condiciones y circunstancias; adáptate lo mejor posible a lo que hay; dentro de cuatro a cinco meses, cuando los planetas vuelvan a trasladarse, llegará el periodo en que estos cambios te resultarán más fáciles.

Mercurio está «fuera de límites» buena parte del mes, a partir del 18. Esto indica que intelectualmente adoptas ideas no convencionales, ajenas a la corriente dominante de pensamiento; además, tu gusto por la diversión te lleva fuera de tu círculo normal. Los hijos y figuras filiales están rebeldes por un tiempo.

Esta situación «fuera de límites» intelectual la vemos de otra manera también: Marte, tu planeta de la comunicación y los intereses intelectuales, pasa «fuera de límites» casi todo el mes, del 1 al 29; la mente no obtiene lo que necesita en las ideas convencionales y debe buscarlo en otra parte.

La salud es excelente este mes; después del 6 sólo hay un planeta en aspecto desfavorable para ti, Venus, y normalmente no causa muchos problemas. El 21 se hace prominente tu sexta casa, la de la salud, y la atención se centra en estos asuntos; es de esperar que no le dediques tanta atención que te imagines problemas donde no hay ninguno. Marte en tu sexta casa sugiere la necesidad de más ejercicio físico.

Si buscas trabajo tienes un buen mes a partir del 21; hay muchas oportunidades, muchas opciones.

Julio

Mejores días en general: 1, 10, 11, 19, 20, 28, 29
Días menos favorables en general: 3, 4, 17, 18, 23, 24, 30, 31
Mejores días para el amor: 3, 4, 10, 13, 14, 19, 20, 23, 24, 28, 29
Mejores días para el dinero: 1, 3, 4, 10, 11, 13, 14, 19, 20, 21, 22, 28, 29, 30, 31
Mejores días para la profesión: 3, 4, 8, 9, 17, 18, 25, 26, 30, 31

El 21 del mes pasado volvieron a cambiar la actitud y las necesidades en el amor. Vuelve a ser importante la intimidad emocional; necesitas a una persona con la que te resulte fácil, y no sea arriesgado, expresar tus sentimientos; el amor tiene que tener un valor terapéutico. Te atraen profesionales de la salud y personas relacionadas con tu salud. Te atrae la persona capaz de aliviarte la tensión o malestar emocional. El amor se demuestra con apoyo emocional y servicios prácticos. Así es como demuestras el amor y como te sientes amado. Si amas a una persona haces algo por ella.

El 22 hay otro cambio en la actitud hacia el amor, ya que el Sol, tu planeta del amor, entra en tu séptima casa, que es Leo. Nuevamente el amor va de diversión; te seduce la parte alegre, de dicha; también el amor es más romántico; son importantes los detallitos románticos, el ramo de flores, los paseos por la playa, los susurros de dulces naderías al oído.

El 22 entras en una cima amorosa y social anual. La vida social es hiperactiva; cuatro planetas están en tu séptima casa o transitan por ella este mes. Es con mucho la casa más fuerte y el interés más intenso. Así pues, hay más fiestas y reuniones, más invitaciones sociales, más bodas y más fiestas para felicitar y llevar regalos a la novia. El amor se ve muy feliz. Si estás soltero o soltera y sin compromiso tienes muchas oportunidades románticas.

Si estás en una relación, la pareja o ser amado actual prospera este mes; el mes que viene habrá más prosperidad aún.

Tus finanzas son excelentes hasta el 22, pero dado que tu planeta del dinero está en movimiento retrógrado, podría haber retrasos y contratiempos.

A partir del 20 es necesario estar más atento a la salud; conduce con más precaución durante ese periodo. No hay nada grave, pero por un tiempo tu energía general no está a la altura habitual, y eso podría hacerte vulnerable; por lo tanto, descansa más. Fortalece la salud de las maneras indicadas en las previsiones para el año.

Este mes y el próximo la energía planetaria está en su posición más occidental; los planetas están muy lejos de ti, muy distantes; la autoestima y la seguridad en ti mismo no están a la altura acostumbrada; pero también las necesitas menos. Este periodo no es para hacerte valer o imponer tu voluntad. Cultiva tus dotes sociales y antepón a los demás; así tu bien te llegará naturalmente.

Agosto

Mejores días en general: 6, 7, 8, 16, 24, 25
Días menos favorables en general: 13, 14, 20, 21, 26, 27
Mejores días para el amor: 1, 2, 3, 9, 10, 11, 12, 18, 19, 20, 21, 28, 29, 31
Mejores días para el dinero: 6, 7, 9, 10, 16, 18, 24, 25, 26, 27
Mejores días para la profesión: 4, 5, 13, 14, 22, 23, 26, 27, 31

Este mes la actividad retrógrada está en su punto máximo del año. Del 13 al 25 están retrógrados el 50 por ciento de los planetas. Las cosas se enlentecen en el mundo y en tu vida personal. El señor de tu horóscopo, Urano, también estará retrógrado a partir del 3. Puede que las cosas vayan lentas, pero no serán aburridas; dos eclipses, los dos fuertes en ti, animan las cosas. De todos modos te conviene reducir tus actividades hasta el 22, pero en especial durante los periodos de los eclipses.

El eclipse lunar del 7 ocurre en tu signo, por lo tanto afecta a tu cuerpo e imagen; te ves obligado a revaluarte, a redefinirte, a cambiar tu forma de considerarte. Siempre es bueno hacer esto, pero es mejor cuando se hace voluntariamente; ahora el eclipse te obliga a hacerlo. Dentro de unos meses vas a presentar una nueva imagen, una nueva apariencia, al mundo; muchas veces esto significa cambio en la manera de vestir, en el corte o color del pelo, cosas de esa naturaleza. Dado que la Luna es tu planeta de la salud, podría haber un susto con ella (y tal vez sólo será eso) y harás cambios importantes en tu programa de salud; si no has tenido cuidado en los asuntos dietéticos podría producirse una desintoxicación del cuerpo. También podría haber cambios laborales. Dado que el eclipse hace impacto en Marte, si eres estudiante aun no universitario haces cambios drásticos en tus planes de estudios, o tal vez cambias de colegio. Hay drama en la vida de hermanos y figuras fraternas. Conduce con más precaución durante el periodo de este eclipse.

El eclipse solar del 21 también es fuerte en ti, en especial si naciste del 16 al 18 de febrero. Ocurre en la cúspide (límite) de tus casas séptima y octava, así que afecta a los asuntos de ambas casas. Pasa por pruebas la relación actual, y parece que estas pruebas son fuertes; experimentas estas cosas dos veces al año, pero esta vez es más fuerte de lo habitual. Ten más paciencia con el ser amado; esta persona podría estar pasando por un drama personal y eso, lógicamente, afecta a la relación. En muchos sentidos este eclipse es repetición del eclipse solar de febrero. Lo bueno es que los problemas de la relación se irán aclarando en los próximos treinta días, hasta la Luna nueva del mes que viene. Tu pareja o ser amado actual está con dificultades financieras y esto podría formar parte del problema; deberá hacer cambios importantes en sus finanzas. Podría haber encuentros con la muerte, una escapada por un pelo, una situación de peligro, ya sea en sueños o en la realidad; la finalidad de esto es ayudarte a comprender la muerte y perderle el miedo. Si eres muy sensible tal vez sientas el comienzo del eclipse semanas antes de que ocurra; de todos modos vas a recibir el «anuncio personal» de cuándo vas a estar en el periodo del eclipse; ocurrirá algo extraño o te enterarás de algún incidente o acontecimiento raro. Este es el mensaje cósmico para que comiences a tomarte las cosas con calma.

Septiembre

Mejores días en general: 3, 4, 12, 13, 20, 21, 30
Días menos favorables en general: 10, 16, 17, 23, 24
Mejores días para el amor: 1, 7, 8, 10, 16, 17, 19, 28, 30
Mejores días para el dinero: 3, 4, 5, 6, 12, 13, 14, 15, 20, 21, 23, 24, 30
Mejores días para la profesión: 1, 10, 18, 19, 23, 24, 28, 29

El mes pasado, además de los dos eclipses, hubo un traslado planetario desde la mitad inferior de tu carta a la superior; Venus pasó a la mitad superior el 26. Ahora está dominante la mitad superior de tu carta. El poder planetario se aleja del lado «interno» de tu vida y se acerca al lado «externo». Se hacen, pues, importantes los asuntos externos, tu profesión. Este es un periodo para actuar, para adelantar en la profesión dando los pasos necesarios; tu bienestar emocional vendrá de conseguir tus objetivos externos.

Tu séptima casa, la del amor, continúa fuerte este mes, pero su poder irá menguando; has conseguido tus objetivos sociales a corto plazo y ya no necesitas darle mucha atención a esta faceta. Venus en la séptima casa es un indicador clásico de romance; también indica que la familia hace mucha vida social y que hay más reuniones familiares a las que asistir. Marte sale de tu séptima casa el 5, y esto es bueno, porque suele provocar conflictos sociales y luchas de poder. Tu planeta del amor está en tu octava casa hasta el 22; esto indica que hasta esa fecha el magnetismo sexual es el principal atractivo romántico (esto cambia más avanzado el mes); también indica atracción por personas adineradas (y tu pareja o ser amado actual prospera en este periodo).

Tus finanzas se ven difíciles este mes, en especial hasta el 22; tu planeta del dinero, Neptuno, continúa en movimiento retrógrado y recibe aspectos desfavorables; parece que hay desacuerdos financieros entre tú y tu pareja; también hay conflictos financieros con hermanos y figuras fraternas. Llegan ingresos, pero tienes que trabajar más arduo por ellos.

El 22 tu planeta del amor entra en Libra, tu novena casa; esto indica atracción por personas extranjeras o muy cultas o de orientación religiosa; este aspecto es de un tipo de energía más romántica, no solamente sexual. Si estás en una relación, el único problema es que hay distanciamiento entre tú y el ser amado; veis las cosas de maneras opuestas; normalmente el distanciamiento se refiere a «distancia psíquica», no física. Tu reto será resolver las diferencias; es difícil pero posible.

La salud y la energía van mejorando día a día; el 20 ya no habrá ningún planeta en aspecto desfavorable contigo; te sentirás revitalizado.

La octava casa, que está poderosa desde el 22 del mes pasado, va de «eliminar» de la vida las cosas a las que no les corresponde estar, que están de sobra; no va de añadir cosas, eso viene después. Podría convenirte leer *The life changing magic of tidying up*,[*] de Marie Kondö; es un muy buen libro tipo octava casa. Estos proyectos irán bien.

Octubre

Mejores días en general: 1, 9, 10, 18, 19, 27, 28, 29
Días menos favorables en general: 1, 7, 8, 13, 14, 20, 21
Mejores días para el amor: 1, 7, 8, 9, 10, 13, 14, 17, 18, 19, 27, 28, 30
Mejores días para el dinero: 1, 3, 4, 10, 11, 12, 20, 21, 30, 31
Mejores días para la profesión: 7, 8, 15, 16, 20, 21, 25, 26

---

[*] Hay traducción al catalán: *La màgia de l'ordre*, Ara Llibres, Barcelona, 2015.

Tenemos un mes agitado pero, en último término, exitoso; hay mucho ajetreo. En la primera parte del mes hay mucho trastorno y mucha tensión en la profesión; tal vez hay un cambio en la dirección o cambios de normas. Un progenitor o figura parental se ve agobiado. Pero todos estos aparentes problemas preparan el camino para tu bien. No juzgues las cosas por lo que ocurre en la primera parte del mes; la profesión es ultra exitosa.

El 11 Júpiter cruza tu medio cielo y entra en tu décima casa, la de la profesión, señal clásica de expansión y buena suerte. El 23 entra el Sol en tu décima casa, y comienzas una cima profesional anual. Según la edad que tengas y la fase en que estés en la vida, esta podría ser una cima para siempre. Si eres mayor podría ser la «última cima profesional» de tu vida. El éxito profesional continúa hasta bien avanzado el año que viene.

Tienes amistades en las altas esferas que te abren puertas. Un factor importante es tus conocimientos y habilidad en alta tecnología (siendo Acuario eres naturalmente bueno para esto); otro factor importante es tu capacidad para formar una red de contactos, que es un don natural acuariano. El cónyuge, pareja o ser amado actual también tiene éxito y apoya tus objetivos profesionales. Después del 23 alternas con personas poderosas de elevado nivel social.

El otro titular importante este mes es el poder que hay en tu novena casa; es con mucho la casa más poderosa del horóscopo este mes. Este es un periodo feliz y expansivo; hay viajes, hay optimismo y ensanchamiento de los horizontes. Es un periodo especialmente bueno si eres estudiante universitario o de posgrado; tienes éxito en tus estudios. Aumenta enormemente tu comprensión de la religión, la filosofía y la metafísica. Aun en el caso de que no seas estudiante, tienes felices oportunidades de formarte.

Cuando está fuerte la novena casa, una charla o discusión teológica o filosófica tiene más atractivo que una salida nocturna de juerga.

Mientras la octava casa va de «librarse» de cosas, la novena va de adquirir cosas. En este caso indica más amistades, tal vez más mobiliario, más aparatos de alta tecnología.

Si estás soltero o soltera y sin compromiso, el amor se presenta en ambientes religiosos o de formación; en el servicio religioso de tu lugar de culto o en funciones o eventos en la universidad; también hay oportunidades románticas con personas extranjeras o en el extranjero; los días 26 y 27 se ven especialmente buenos para el amor.

La salud necesita más atención a partir del 23; el éxito profesional tiene su precio; gastas más energía con él.

Noviembre

Mejores días en general: 5, 6, 14, 15, 24, 25
Días menos favorables en general: 3, 4, 9, 10, 16, 17
Mejores días para el amor: 6, 7, 8, 9, 10, 16, 17, 18, 26, 27, 28, 29
Mejores días para el dinero: 7, 8, 16, 17, 26, 27
Mejores días para la profesión: 3, 4, 12, 13, 16, 17, 21, 22

Las finanzas y la profesión son los principales titulares este mes; las dos facetas van bien. Hasta el 22 continúas en una cima profesional anual; cuentas con mucho apoyo en la profesión, y después del 7 hay mucho apoyo familiar; además, la familia en su conjunto tiene más éxito. Tu profesión es casi un «proyecto familiar». El ser amado y tus contactos sociales en general favorecen tu profesión; tienes amistades en las altas esferas y esto te es muy útil.

La entrada de Júpiter en Escorpio el mes pasado presagia un año próspero. Tu planeta del dinero, Neptuno, recibe aspectos hermosos, en especial los días 29 y 30; lo mejor de todo es que el 22 Neptuno retoma el movimiento directo después de muchos meses de movimiento retrógrado. Llega la claridad en las finanzas y la vida financiera comienza a avanzar nuevamente. El éxito en la profesión produce éxito financiero.

Cuando el Sol entre en Sagitario el 22 podría haber ciertas dificultades financieras, pero este es un problema de corta duración; el pronóstico general es de prosperidad.

El 7 el poder planetario pasa al sector oriental o independiente de tu carta; entonces los planetas avanzan hacia ti, apoyándote, dándote energía. Los demás son siempre importantes, pero ya no dependes de ellos. Ahora importan tu iniciativa y tus capacidades. El poder y la independencia son más fuertes día a día. Este es el periodo para hacer los cambios que es necesario hacer; asume la responsabilidad de tu felicidad.

Hasta el 22 sigue siendo necesario estar atento a la salud; como siempre cuando es elevada la presión planetaria, procura descansar lo suficiente; mantén elevada la energía, mantén fuerte el aura. Fortalece la salud de las maneras explicadas en las previsiones para el año.

Hasta el 22 gran parte de tu actividad social está relacionada con la profesión, y esto es bueno; estas cosas la favorecen. Como el mes pasado, te atraen el poder y la autoridad. Si estás soltero o soltera, esto indica oportunidades románticas con jefes u otras figuras de autoridad. Después del 22 el amor es más feliz, va más de amistad. La persona amada es también tu mejor amiga. Las oportunidades románticas se presentan cuando estás en grupo o en actividades de grupo. Las actividades y el mundo *online* podrían conducir al romance. Las amistades podrían hacer de casamenteras.

Diciembre

Mejores días en general: 3, 4, 11, 12, 21, 22, 30, 31
Días menos favorables en general: 1, 2, 7, 8, 14, 15, 28, 29
Mejores días para el amor: 7, 8, 16, 17, 28
Mejores días para el dinero: 5, 6, 14, 15, 24, 25
Mejores días para la profesión: 1, 2, 9, 10, 14, 15, 19, 20, 28, 29

Este es otro mes novedoso. En octubre Júpiter hizo un traslado importante; este mes Saturno hace un traslado que tendrá importantes consecuencias; el 21 sale de tu casa once y entra en la doce, la casa de la espiritualidad, y su tránsito por ella durará de dos a dos años y medio. Esto quiere decir que durante dos años y medio tendrás a dos planetas lentos en tu casa doce, lo que hace que la vida y las actividades espirituales se vuelvan importantísimas; estas cosas no se ven, pero son muy reales. Es un periodo de crecimiento interior. Tendrás que equilibrar tus ideales y práctica espirituales con tu vida externa, con una profesión exitosa. Esto podría ser difícil, ya que los valores del mundo son muy diferentes a los espirituales. Tendrás que casar estas dos facetas de la vida. Cada persona encuentra su propia solución a esto; no hay ninguna regla.

La salida de Saturno de Sagitario y su entrada en Capricornio mejorarán la vida financiera; durante más de dos años Saturno ha formado aspectos desfavorables con tu planeta del dinero. Hasta el 21 siguen difíciles los ingresos, pero después habrá una inmensa mejoría. En general, estás en un periodo de prosperidad; este mes trabajas un poco más, pero hay prosperidad.

La vida amorosa es feliz este mes; hasta el 21 tu planeta del amor está en tu casa once; como el mes pasado, lo que indica oportunidades románticas cuando estás en grupo o en actividudes de grupo; el poder y la posición son menos importantes; tiene que haber amistad con la persona amada, tiene que ser una relación entre iguales. Siempre te gusta la experimentación, y este mes más aún; te atrae una relación experimental, que no siga las normas; parece que disfrutas de esto porque el amor se ve feliz. Una persona a la que consideras solamente amiga podría convertirse en algo más.

El 21 tu planeta del amor entra en tu espiritual casa doce. Nuevamente cambian las necesidades en el amor; adquiere importancia la compatibilidad espiritual, la intimidad espiritual. Tienes que poder comunicar tus ideales y anhelos espirituales al ser amado, y esto debe ser recíproco. Las oportunidades románticas se presentan en ambientes espirituales, una charla espiritual, un seminario de meditación o una función benéfica. El altruismo es un estimulante romántico. Del 20 al 23 tu planeta del amor viaja con Saturno, y es probable que esto introduzca a esa persona especial en el cuadro.

Hay éxito en la profesión este mes, y se ve muy ajetreada; Marte entra en tu décima casa el 9 y transita por ella todo el mes. Necesitas osadía e intrepidez en tu profesión; te defiendes de competidores; las habilidades marciales son tan importantes como tus habilidades profesionales.

La salud es buena.

Piscis

Los Peces
Nacidos entre el 19 de febrero y el 20 de marzo

Rasgos generales

PISCIS DE UN VISTAZO

Elemento: Agua

Planeta regente: Neptuno
  Planeta de la profesión: Júpiter
  Planeta del amor: Mercurio
  Planeta del dinero: Marte
  Planeta del hogar y la vida familiar: Mercurio

Colores: Verde mar, azul verdoso
  Colores que favorecen el amor, el romance y la armonía social:
    Tonos ocres, amarillo, amarillo anaranjado
  Colores que favorecen la capacidad de ganar dinero: Rojo, escarlata

Piedra: Diamante blanco

Metal: Estaño

Aroma: Loto

Modo: Mutable (= flexibilidad)

Cualidad más necesaria para el equilibrio: Estructura y capacidad para manejar la forma

Virtudes más fuertes: Poder psíquico, sensibilidad, abnegación, altruismo

Necesidades más profundas: Iluminación espiritual, liberación

Lo que hay que evitar: Escapismo, permanecer con malas compañías, estados de ánimo negativos

Signos globalmente más compatibles: Cáncer, Escorpio

Signos globalmente más incompatibles: Géminis, Virgo, Sagitario

Signo que ofrece más apoyo laboral: Sagitario

Signo que ofrece más apoyo emocional: Géminis

Signo que ofrece más apoyo económico: Aries

Mejor signo para el matrimonio y/o las asociaciones: Virgo

Signo que más apoya en proyectos creativos: Cáncer

Mejor signo para pasárselo bien: Cáncer

Signos que más apoyan espiritualmente: Escorpio, Acuario

Mejor día de la semana: Jueves

La personalidad Piscis

Si los nativos de Piscis tienen una cualidad sobresaliente, esta es su creencia en el lado invisible, espiritual y psíquico de las cosas. Este aspecto de las cosas es tan real para ellos como la dura tierra que pisan, tan real, en efecto, que muchas veces van a pasar por alto los aspectos visibles y tangibles de la realidad para centrarse en los invisibles y supuestamente intangibles.

De todos los signos del zodiaco, Piscis es el que tiene más desarrolladas las cualidades intuitivas y emocionales. Están entregados a vivir mediante su intuición, y a veces eso puede enfurecer a otras personas, sobre todo a las que tienen una orientación material, científica o técnica. Si piensas que el dinero, la posición social o el éxito mundano son los únicos objetivos en la vida, jamás comprenderás a los Piscis.

Los nativos de Piscis son como los peces en un océano infinito de pensamiento y sentimiento. Este océano tiene muchas profundidades, corrientes y subcorrientes. Piscis anhela las aguas más puras, donde sus habitantes son buenos, leales y hermosos, pero a veces se ve empujado hacia profundidades más turbias y malas. Los Piscis saben que ellos no generan pensamientos sino que sólo sintonizan con pensamientos ya existentes; por eso buscan las aguas más puras. Esta capacidad para sintonizar con pensamientos más elevados los inspira artística y musicalmente.

Dado que están tan orientados hacia el espíritu, aunque es posible que muchos de los que forman parte del mundo empresarial lo oculten, vamos a tratar este aspecto con más detalle, porque de otra manera va a ser difícil entender la verdadera personalidad Piscis.

Hay cuatro actitudes básicas del espíritu. Una es el franco escepticismo, que es la actitud de los humanistas seculares. La segunda es una creencia intelectual o emocional por la cual se venera a una figura de Dios muy lejana; esta es la actitud de la mayoría de las personas que van a la iglesia actualmente. La tercera no solamente es una creencia, sino una experiencia espiritual personal; esta es la actitud de algunas personas religiosas que han «vuelto a nacer». La cuarta es una unión real con la divinidad, una participación en el mundo espiritual; esta es la actitud del yoga. Esta cuarta actitud es el deseo más profundo de Piscis, y justamente este signo está especialmente cualificado para hacerlo.

Consciente o inconscientemente, los Piscis buscan esta unión con el mundo espiritual. Su creencia en una realidad superior los hace muy tolerantes y comprensivos con los demás, tal vez demasiado. Hay circunstancias en su vida en que deberían decir «basta, hasta aquí hemos llegado», y estar dispuestos a defender su posición y presentar batalla. Sin embargo, debido a su carácter, cuesta muchísimo que tomen esa actitud.

Básicamente los Piscis desean y aspiran a ser «santos». Lo hacen a su manera y según sus propias reglas. Nadie habrá de tratar de imponer a una persona Piscis su concepto de santidad, porque esta siempre intentará descubrirlo por sí misma.

Situación económica

El dinero generalmente no es muy importante para los Piscis. Desde luego lo necesitan tanto como cualquiera, y muchos consiguen amasar una gran fortuna. Pero el dinero no suele ser su objetivo principal. Hacer las cosas bien, sentirse bien consigo mismos, tener paz mental, aliviar el dolor y el sufrimiento, todo eso es lo que más les importa.

Ganan dinero intuitiva e instintivamente. Siguen sus corazonadas más que su lógica. Tienden a ser generosos y tal vez excesivamente caritativos. Cualquier tipo de desgracia va a mover a un Piscis a dar. Aunque esa es una de sus mayores virtudes, deberían prestar más atención a sus asuntos económicos, y tratar de ser más selectivos con las personas a las que prestan dinero, para que no se aprovechen de ellos. Si dan dinero a instituciones de beneficencia, deberían preocuparse de comprobar que se haga un buen uso de su contribución. Incluso cuando no son ricos gastan dinero en ayudar a los demás. En ese caso habrán de tener cuidado: deben aprender a decir que no a veces y ayudarse a sí mismos primero.

Tal vez el mayor obstáculo para los Piscis en materia económica es su actitud pasiva, de dejar hacer. En general les gusta seguir la corriente de los acontecimientos. En relación a los asuntos económicos, sobre todo, necesitan más agresividad. Es necesario que hagan que las cosas sucedan, que creen su propia riqueza. Una actitud pasiva sólo causa pérdidas de dinero y de oportunidades. Preocuparse por la seguridad económica no genera esa seguridad. Es necesario que los Piscis vayan con tenacidad tras lo que desean.

Profesión e imagen pública

A los nativos de Piscis les gusta que se los considere personas de riqueza espiritual o material, generosas y filántropas, porque ellos admiran lo mismo en los demás. También admiran a las personas dedicadas a empresas a gran escala y les gustaría llegar a dirigir ellos mismos esas grandes empresas. En resumen, les gusta estar conectados con potentes organizaciones que hacen las cosas a lo grande.

Si desean convertir en realidad todo su potencial profesional, tendrán que viajar más, formarse más y aprender más sobre el mundo real. En otras palabras, para llegar a la cima necesitan algo del incansable optimismo de Sagitario.

Debido a su generosidad y su dedicación a los demás, suelen elegir profesiones que les permitan ayudar e influir en la vida de otras personas. Por eso muchos Piscis se hacen médicos, enfermeros, asistentes sociales o educadores. A veces tardan un tiempo en saber lo que realmente desean hacer en su vida profesional, pero una vez que encuentran una profesión que les permite manifestar sus intereses y cualidades, sobresalen en ella.

Amor y relaciones

No es de extrañar que una persona tan espiritual como Piscis desee tener una pareja práctica y terrenal. Los nativos de Piscis prefieren una pareja que sea excelente con los detalles de la vida, porque a ellos esos detalles les disgustan. Buscan esta cualidad tanto en su pareja como en sus colaboradores. Más que nada esto les da la sensación de tener los pies en la tierra.

Como es de suponer, este tipo de relaciones, si bien necesarias, ciertamente van a tener muchos altibajos. Va a haber malentendidos, ya que las dos actitudes son como polos opuestos. Si estás enamorado o enamorada de una persona Piscis, vas a experimentar esas oscilaciones y necesitarás mucha paciencia para ver las cosas estabilizadas. Los Piscis son de humor variable y difíciles de entender. Sólo con el tiempo y la actitud apropiada se podrán conocer sus más íntimos secretos. Sin embargo, descubrirás que vale la pena cabalgar sobre esas olas, porque los Piscis son personas buenas y sensibles que necesitan y les gusta dar afecto y amor.

Cuando están enamorados, les encanta fantasear. Para ellos, la fantasía es el 90 por ciento de la diversión en la relación. Tienden a idealizar a su pareja, lo cual puede ser bueno y malo al mismo tiempo. Es malo en el sentido de que para cualquiera que esté enamorado de una persona Piscis será difícil estar a la altura de sus elevados ideales.

Hogar y vida familiar

En su familia y su vida doméstica, los nativos de Piscis han de resistir la tendencia a relacionarse únicamente movidos por sus sentimientos o estados de ánimo. No es realista esperar que la pareja o los demás familiares sean igualmente intuitivos. Es necesario que haya más comunicación verbal entre Piscis y su familia. Un intercambio de ideas y opiniones tranquilo y sin dejarse llevar por las emociones va a beneficiar a todos.

A algunos Piscis suele gustarles la movilidad y el cambio. Un exceso de estabilidad les parece una limitación de su libertad. Detestan estar encerrados en un mismo lugar para siempre.

El signo de Géminis está en la cuarta casa solar de Piscis, la del hogar y la familia. Esto indica que los Piscis desean y necesitan un ambiente hogareño que favorezca sus intereses intelectuales y mentales. Tienden a tratar a sus vecinos como a su propia familia, o como a parientes. Es posible que algunos tengan una actitud doble hacia el hogar y la familia; por una parte desean contar con el apoyo emocional de su familia, pero por otra, no les gustan las obligaciones, restricciones y deberes que esto supone. Para los Piscis, encontrar el equilibrio es la clave de una vida familiar feliz.

Horóscopo para el año 2017*

Principales tendencias

Desde hace unos años videntes y canalizadores espirituales han hablado de un cambio, de una «afluencia» espiritual que se produce en el planeta. Desde el punto de vista astrológico, esta se corresponde con la entrada de Neptuno en tu signo en 2012. Todo el mundo siente este cambio, pero nadie más que tú. Tu cuerpo se está refinando; notas que este no es esa cosa «sólida» que siempre te has imaginado, sino que es extraordinariamente maleable a la energía espiritual. Está bien que tengas la cabeza en las nubes en este periodo, pero mantén los dos pies bien firmes en el suelo; sigues viviendo en la Tierra (te han asignado vivir aquí).

Sales de un periodo amoroso y social muy fuerte. Es posible que durante los dos años anteriores te hayas casado o entablado una relación seria. Este año el amor no es muy importante. Júpiter pasa la mayor parte del año en tu octava casa; hay éxito en los proyectos de transformación y reinvención personales.

El 11 de octubre Júpiter entra en Escorpio, tu novena casa; esto indica viajes al extranjero, en gran parte relacionados con tu profesión. Si eres estudiante universitario tienes más éxito en los estudios. Si solicitas admisión en una universidad tienes buenas noticias a partir del 11 de octubre.

Saturno lleva dos años en tu casa de la profesión, y continuará en ella casi todo este año. La profesión ha sido exigente; has tenido que disciplinarte; es posible que el jefe haya sido exigente, es-

---

* Las previsiones de este libro se basan en el Horóscopo Solar y todos los signos que derivan de él; tu Signo Solar se convierte en el Ascendente, y las casas se numeran a partir de él. Tu horóscopo personal, el trazado concretamente para ti (según la fecha, hora y lugar exactos de tu nacimiento) podrían modificar lo que decimos aquí. Joseph Polansky

tricto, tal vez en exceso. Pero te has ganado el éxito de manera ardua. Gran parte de estas pruebas ya casi han acabado; a fin de año la profesión será menos exigente. Volveremos sobre este tema.

Plutón lleva muchos años en tu casa once, está en ella desde 2008. Se está produciendo una desintoxicación cósmica en tus amistades, y es un proceso largo, muy largo. Cuando Plutón haya acabado su trabajo contigo estarás en un círculo social totalmente diferente. Hablaremos más de esto.

Urano está en tu casa del dinero desde 2011 y continuará en ella este año. Esto ha hecho interesante la vida financiera, con plenitud de cambios repentinos e inesperados, pero también muy inestable. Tal vez en estos años ya has aprendido a arreglártelas con la inestabilidad y los cambios en las finanzas. Y esto continúa; no hay ni un solo momento aburrido en la vida financiera en este periodo. Volveremos sobre este tema.

Las facetas de mayor interés para ti este año son: el cuerpo y la imagen; las finanzas; la sexualidad, la transformación y la reinvención personales, los estudios ocultos o herméticos (hasta el 10 de octubre); la religión, la metafísica, la filosofía, la formación superior y los viajes al extranjero (a partir del 11 de octubre); la profesión (hasta el 21 de diciembre); las amistades, los grupos, las actividades de grupo y las actividades *online*.

Los caminos de mayor satisfacción para ti este año son: la salud y el trabajo (a partir del 29 de abril); el amor y el romance (hasta el 29 de abril); la sexualidad, la transformación y la reinvención personales, los estudios ocultos (hasta el 10 de octubre); la religión, la filosofía, la metafísica, la formación superior y los viajes al extranjero (a partir del 11 de octubre).

Salud

(Ten en cuenta que esta es una perspectiva astrológica de la salud, no una médica. Antaño no había ninguna diferencia, ambas eran idénticas, pero en esta época podrían diferir muchísimo. Para una perspectiva médica, por favor, consulta a tu médico o a otro profesional de la salud.)

La salud se ve buena este año, Piscis, mucho mejor que el año pasado; sólo un planeta lento, Saturno, está en alineación desfavorable contigo; los demás planetas lentos o bien están en armonía contigo o te dejan en paz. Aunque la salud es buena, mejorará más después del 11 de octubre, cuando Júpiter entra en un aspecto armonioso para ti; y mejorará más aún después del 21 de diciembre, cuando Saturno sale de su aspecto difícil.

Si tienes algún problema de salud deberías tener buenas noticias; la enfermedad o bien ha remitido o está inactiva, no te causa molestias. Es posible que una pastilla, un suplemento o una terapia se lleve el mérito, pero la realidad es que el poder planetario ha cambiado a tu favor.

Por buena que sea tu salud siempre puedes fortalecerla más. Da más atención a las siguientes zonas, que son las vulnerables en tu carta:

El corazón. Este órgano es siempre importante para Piscis ya que lo rige el Sol, tu planeta de la salud. Te irá bien trabajar los puntos reflejos. Como saben nuestros lectores, lo importante para la salud del corazón es evitar la preocupación y la ansiedad, las dos emociones que lo sobrecargan de trabajo. Cuando la persona está presa de una de estas emociones se acelera el ritmo cardiaco y quema energía que es necesaria para otras cosas; se eleva la tensión arterial; se agobia todo el sistema circulatorio. Reemplaza la preocupación por la fe. Practica la «relajación»; te hará bien hacer ejercicios de relajación.

Los pies. También los pies son siempre importantes para ti. Sesiones periódicas de masaje en los pies y de reflexología podal deberían formar parte de tu programa de salud; con esto no sólo fortaleces los pies, sino además todo el cuerpo. En el mercado hay artilugios que dan masajes en los pies automáticamente, y no son caros. También los hay para el baño de pies con hidromasaje. Ambos serían una buena inversión para ti (podrían resultar bastante caras las sesiones periódicas con un reflexólogo). Usa zapatos que te calcen bien y no te hagan perder el equilibrio; la comodidad es más importante que la moda; si se pueden tener ambas cosas, tanto mejor.

Tu planeta de la salud, el Sol, es de movimiento rápido; cambia de signo y casa cada mes; a lo largo del año transita por todos los signos y casas del horóscopo. Hay, pues, muchas tendencias a corto plazo en la salud, que dependen de dónde está el Sol y de los aspectos que recibe. Estas tendencias es mejor tratarlas en las previsiones mes a mes.

Tu salud es buena, pero este año vemos muchos cambios en tu programa de salud y en tu actitud hacia la salud; tres eclipses te afectan en este sentido, dos solares, el 26 de febrero y el 21 de agosto, y uno lunar el 11 de febrero, que ocurre en tu sexta casa. Estos podrían producir «sustos» respecto a la salud, y es muy pro-

bable que sólo sean eso, sustos, pues, como hemos dicho, tu salud
es buena. Pero estos eclipses van a producir cambios necesarios.

Neptuno lleva unos años en tu signo. Tu cuerpo físico está mucho más sensible en este periodo; debes evitar las drogas y el alcohol, pues pueden producirte reacciones excesivas. No todos los
dolores o molestias que sientas son enfermedades; es posible incluso que muchas veces la molestia no sea tuya; tu cuerpo sensi-
bilizado podría captar vibraciones de otras personas y parecerte
que te ocurre a ti. Comprender esto te ahorrará muchas preocupaciones o exasperación.

Hogar y vida familiar

Desde hace unos años no está prominente tu cuarta casa, la del
hogar y la familia, por lo tanto esta faceta no ha sido un centro
importante de atención. Por lo general, esto indica satisfacción
con las cosas como están; la tendencia es a dejarlas así. La cuarta
casa vacía (a excepción de los periodos en que transitan por ella
los planetas rápidos) no se opone a mudanza ni a mejoras en la
casa, pero tampoco las apoya. Tienes más libertad en esta faceta,
pero te falta interés.

Si surgiera algún problema familiar, es probable que se deba a
falta de atención.

Tu planeta de la familia, Mercurio, es de movimiento rápido;
sólo la Luna avanza más rápido que él. Hay, por lo tanto, muchas
tendencias a corto plazo en el hogar y la familia, que dependen de
dónde está Mercurio y de los aspectos que recibe. Es mejor tratar
estas tendencias en las previsiones mes a mes.

Mercurio es tu planeta de la familia y del amor; cumple un doble deber en tu carta. Esto indicaría a una persona que le gusta
invitar a su casa y hacer vida social con familiares y tener conexiones familiares; una persona que tal vez considera el matrimonio
una forma de crear una familia, no sólo algo romántico.

Un progenitor o figura parental (el padre si eres hombre, la madre si eres mujer) lleva unos años en dificultades; podría haber
pasado por una invervención quirúrgica o una experiencia de casi
muerte; este año prospera (como en los años anteriores), pero se le
ve demasiado dominante, algo déspota; hay desacuerdo financiero
entre tú y este progenitor (lo que mejorará a fin de año). Esta persona podría mudarse después del 11 de octubre, tendrá buenas
oportunidades.

El otro progenitor o figura parental está pasando por dificultades en su vida conyugal y social; es posible que se haya divorciado en estos dos últimos años. Este año hay menos probabilidades de mudanza para esta persona que en los dos últimos años.

Los hermanos y figuras fraternas tienen fabulosas oportunidades laborales este año, y prosperan. Después del 11 de octubre tienen buenos aspectos en el amor, y es posible que haya boda; hacen reparaciones importantes en la casa (tal vez unas cuantas), pero no hay probabilidades de mudanza para ellos.

Los hijos o figuras filiales podrían mudarse este año, y la mudanza se ve feliz; si alguno está casado o casada, su matrimonio pasa por pruebas; estas pruebas serán más severas después del 21 de diciembre.

Los nietos, si los tienes, prosperan este año, pero no se ven probabilidades de mudanza para ellos.

Si tienes planes para hacer obras importantes de reparación o renovación en la casa, del 21 de abril al 4 de junio es un buen periodo. Si tienes planes para redecorarla o embellecerla de otro modo, del 20 de mayo al 21 de junio y del 4 al 31 de julio son buenos periodos.

Profesión y situación económica

Como hemos dicho, tu casa del dinero está fuerte desde hace muchos años; tu décima casa, la de la profesión, ha estado fuerte estos dos últimos años. Este es, pues, un año fuerte en las facetas finanzas y profesión. Claro que trabajas arduo y te ganas el éxito, pero lo hay.

Urano en tu casa del dinero indica, como hemos dicho, mucha inestabilidad en las finanzas; los ingresos pueden elevarse tan alto que no quepan en tu imaginación y luego caer muy bajo; las alturas son extraordinariamente elevadas y las bajuras extraordinariamente bajas; como en una montaña rusa. Tu reto en este periodo, que lleva ya muchos años, es nivelar tus ingresos y ahorrar en los periodos de bonanza para cubrir las necesidades en tiempos de vacas flacas.

Siendo Marte tu planeta del dinero, tiendes a correr riesgos en las finanzas; esto tiene su explicación: has venido al mundo a desarrollar valentía e intrepidez financieras. Por lo tanto, aun en el caso de que los riesgos no den el resultado esperado (lo que suele ocurrir), si has derrotado tus miedos, has vencido. Y en este periodo te veo mucho más arriesgado; tal vez te precipitas a hacer una compra o una inversión. Es necesario que aminores la marcha, que consultes con la almohada, que calcules las consecuencias de la compra o la inversión. Me parece que para invertir favoreces en especial las empresas nuevas de alta tecnología.

Te atrae la alta tecnología en general. Y aunque no seas inversor, tus conocimientos de alta tecnología son importantes en lo que sea que hagas. Gastas también en estas cosas, pero antes de comprar infórmate bien.

Las finanzas van bien la mayor parte del año, y cuando Júpiter entre en Escorpio el 11 de octubre y comience a formarte aspectos hermosos, habrá mucha mejoría.

Marte, tu planeta del dinero, es de movimiento relativamente rápido; cambia de casa más o menos cada 45 días. Hay, pues, muchas tendencias a corto plazo en las finanzas, según dónde esté Marte en un determinado periodo y de los aspectos que reciba, pero es mejor tratarlas en las previsiones para el año.

La profesión ha sido difícil, como hemos dicho. Saturno en tu décima casa indica mucha disciplina y trabajo arduo; no puedes dejar de esforzarte; cada día tienes que dar lo mejor de ti, y tal vez un poco más. Si aceptas el reto, verás mucho éxito y este éxito será más duradero. Saturno es el señor de tu casa once, la de la tecnología, por lo tanto la tecnología no sólo es importante en las finanzas, sino también en la profesión. Y cuentas con amistades prósperas que apoyan tus objetivos profesionales.

Tu planeta de la profesión pasa la mayor parte del año en Libra; esto también indica una dimensión social en la profesión; los contactos sociales y tu simpatía tienen un importante papel en ella. Es conveniente tener buenos contactos sociales, pero estando Saturno en tu décima casa eso no bastará; tienes que rendir. Libra es tu octava casa, lo que indicaría que se produce una «desintoxicación» en tu profesión, en tu actitud, enfoque y planes; tienen que eliminarse las impurezas en estas cosas (y de buena te libras, sólo te bloquean). Es posible que ocurran todo tipo de dramas y tal vez asuntos de muerte en la empresa o industria en que estás por tu profesión, lo que podría ocurrirle a jefes y figuras de autoridad también.

La entrada de Júpiter en Escorpio el 11 de octubre no sólo es bueno para las finanzas; también te trae elevación en la profesión y oportunidades felices, que podrían presentársete en la empresa en que trabajas o provenir de otras. Tu disposición a viajar es un factor importante.

Los dos años pasados, y gran parte de este, han ido y van de «cumplir lo debido, rendir» para tener el éxito que deseas; cuando Saturno salga de tu décima casa el 21 de diciembre, ya habrás cumplido. El año que viene será fuerte y de éxito en la profesión, incluso más que este.

Amor y vida social

Como hemos dicho, sales de dos años de aspectos maravillosos en lo social y romántico. Este año el amor continúa feliz, pero ya no es un foco importante de atención, lo que indica satisfacción con las cosas como están; no hay ninguna necesidad que te obligue a hacer cambios drásticos ni en un sentido ni en otro, aunque tienes la libertad para hacerlos. Sea cual sea tu situación, casado o casada, soltero o soltera, lo más probable es que continúes como estás.

Este año es sexualmente más activo de lo habitual. Sea cual sea tu edad o fase en la vida, la libido está más fuerte. Aunque la relación sexual y el amor son cosas diferentes, indica que si estás soltero o soltera tienes más citas, y si estás casado o casada, más relaciones sexuales.

El año pasado veíamos mucha actividad social relacionada con el trabajo, los negocios o la profesión, y este año volvemos a verla. Saturno, el señor de tu casa once, la de las amistades, está en tu medio cielo. Y Júpiter, tu planeta de la profesión, está en Libra, el signo social, la mayor parte del año.

Como hemos dicho, Mercurio, tu planeta del amor, es de movimiento muy rápido; en un año recorre todos los sectores del horóscopo; en un mes podría transitar por dos casas (y a veces por tres). Así pues, eres una persona cambiante en el amor; tus necesidades cambian constantemente; cambian tus maneras de demostrar el amor. Tu cónyuge o pareja podría llamarte voluble, pero lo que ocurre es que simplemente sigues a Mercurio. Mercurio es además irregular en su movimiento; mientras la mayoría de los planetas avanzan de modo uniforme, con pocas variaciones, Mercurio a veces avanza extraordinariamente veloz, otra veces lento, a veces se queda estacionado y a veces retrocede (este año retrocede cuatro veces). Así eres tú en el amor, y tiendes a atraer a personas que también son así: la persona relacionada románticamente con un/a Piscis debe entender esto. Estas tendencias a corto plazo es mejor tratarlas en las previsiones mes a mes.

Mercurio es tu planeta del amor y de la familia; esto indica que te inclinas hacia personas intelectuales (tu cuarta casa es Géminis); te atraen la mente y las dotes de comunicación; te atraen personas con las que es fácil conversar. Pero la mente es sólo una parte de la ecuación; te gusta la intimidad emocional tanto como la intelectual (la cuarta casa rige los estados de ánimo y las emociones); te gusta conversar acerca de ideas, pero también de sentimientos.

Hasta el 29 de abril estará en tu séptima casa el nodo norte de la Luna (que no es un planeta sino un punto abstracto, aunque los hindúes lo consideran planeta). Este es otro indicador de felicidad en el amor. Dado que el nodo norte (Rahu para los hindúes) indica «exceso», tu problema podría ser demasiado amor; no es malo tener este problema. A veces este «exceso» indica amor obsesivo. La relación en que hay un amor obsesivo tiende a no acabar bien, pero disfruta de ella mientras dure.

Este año Mercurio hace movimiento retrógado cuatro veces, como el año pasado (normalmente son tres veces). Durante estos periodos la relación amorosa parece retroceder. Estos son periodos para que la pareja haga revisión de las cosas y vea qué mejoras se pueden hacer. No es bueno tomar decisiones importantes en el amor en estos periodos, aunque sentirás la tentación. Las cosas no son lo que parecen, nada es ni bueno ni malo. Tómate tu tiempo para adquirir claridad. Los movimientos retrógrados de Mercurio serán: del 1 al 8 de enero; del 9 de abril al 3 de mayo; del 11 de agosto al 5 de septiembre, y del 3 al 23 de diciembre.

Progreso personal

Neptuno, el señor de tu horóscopo, está en tu signo desde 2012, como hemos dicho. Ahí está en su signo y casa, y es ultra poderoso. Estás, pues, bajo energías espirituales intensas en este periodo. Más importante aún, hay revelaciones espirituales acerca del cuerpo; el cuerpo no es un «bulto» sólido, duro, inalterable; es algo dinámico, al que se le puede dar forma o moldear con facilidad, si se conocen las reglas para hacerlo. Ahora estás en un ciclo (que continúa muchos años más) en que puedes transformar tu cuerpo, si quieres y haces el trabajo espiritual necesario; estás descubriendo, o descubrirás pronto, las leyes espirituales que respaldan esto; el resto es simplemente aplicación.

Teóricamente el cuerpo se puede transformar sea cual sea la edad de la persona y su estado de salud, pero en la práctica, a una persona mayor o con una enfermedad terminal podría resultarle difícil hacerlo, ya que hay que superar impulsos kármicos más fuertes (hábitos, apetitos, actitudes negativas). De todos modos se pueden lograr importantes mejorías si se adopta el método «gradual».

El poder espiritual que invocas está impaciente por entrar a limpiar las cosas y restablecer el orden, pero debes permitirle que actúe a su manera en tu cuerpo. Habrá que «desaprender» muchas cosas de los pensamientos y opiniones humanos.

El cuerpo, te vas a enterar, no tiene voluntad propia; está bajo el dominio total de la mente (sé que esto es controvertido, pero esta es la enseñanza espiritual). Está controlado por la mente no en un 50 ni un 60 por ciento, sino en un ciento por ciento. Se suponía que la mente fue diseñada para ser controlada por lo Divino; si fuera así, la enfermedad, el envejecimiento y las imperfecciones serían imposibles. Lamentablemente no es así. Los seres humanos tenemos libre voluntad, y el abuso de esta libertad ha generado las semillas de la enfermedad. Una nueva voluntad libre puede, con el tiempo, derrotar a la vieja voluntad libre y entonces, poco a poco, la mente se alinearía mejor con el espíritu. El cuerpo físico va a reflejar esto naturalmente; habrá orientación intuitiva: come esto, no comas aquello, no necesitas una segunda ración de patatas; come la mitad del postre. Y mucho, mucho más.

Si hace falta ejercicio, se te orientará hacia los adecuados; si necesitas ciertas terapias o terapeutas, estos te llegarán de una manera normal y natural.

Esto no es un método de libro para dar nueva forma al cuerpo, sino uno intuitivo. La persona deja de lado todo el pensamiento humano y se deja enseñar por el «espíritu de la salud y la belleza», permite que este actúe a su manera en el cuerpo.

La presencia de Júpiter en tu octava casa la mayor parte del año, indica éxito en estos proyectos, y también felicidad.

Previsiones mes a mes

Enero

Mejores días en general: 2, 3, 11, 12, 20, 21, 30, 31
Días menos favorables en general: 9, 10, 15, 16, 22, 23, 24
Mejores días para el amor: 2, 6, 12, 15, 16, 20, 21, 25, 26, 31

Mejores días para el dinero: 1, 3, 4, 5, 6, 10, 11, 12, 18, 19, 20, 21, 28, 29
Mejores días para la profesión: 1, 10, 18, 19, 22, 23, 24, 28, 29

Es fantástico tener amistades y felices relaciones sociales, pero este mes, con tantos planetas en el sector oriental de tu carta, va más de ti y de tus intereses. Tienes mucho poder e independencia este mes y el próximo; tienes el poder y los medios para hacer los cambios necesarios para tu felicidad. No tienes que consultar a nadie ni pedir la aprobación de nadie; puedes actuar de modo independiente. Por lo tanto, si hay condiciones que te fastidian, cámbialas, hazlas más armoniosas. El mundo se adaptará a ti, que no a la inversa.

Este mes la salud es excelente; desde el 13 sólo hay un planeta en alineación desfavorable contigo, y ya lleva dos años en este aspecto. Hasta el 19 puedes fortalecer tu salud ya buena con masajes en la espalda y las rodillas y después con masajes en las pantorrillas y los tobillos. Si haces ejercicios, hasta el 19 protege más las rodillas, y después los tobillos.

Este mes es muy próspero; tu planeta del dinero, Marte, está en tu signo hasta el 28; esto indica que se te presentan muchas oportunidades financieras; es como si el dinero te persiguiera, y no que lo busques tú. Las personas adineradas de tu vida te son firmemente leales y están impacientes por ayudarte. Gastas en ti y te vistes con ropa cara; tiendes a alardear de tu prosperidad y buena suerte. La apariencia personal es un importante factor en los ingresos; este mes es excelente la intuición financiera, tal vez lo más importante en las finanzas.

Si bien Marte en tu signo trae prosperidad y energía, tiene también un lado negativo; podría volverte muy impaciente, con la tendencia a precipitarte, a hacer las cosas a toda prisa. A veces la persona acelera por la carretera sin darse cuenta; esta tendencia a precipitarte puede llevar a accidente y lesiones, por lo tanto, como decían los antiguos, «apresúrate lentamente». Marte en tu signo también podría hacerte más combativo que de costumbre; pequeños desaires a los que en otras circunstancias no harías caso ahora pueden producirte una reacción exagerada. Controla tu mal genio.

Venus entra en tu signo el 3, un tránsito feliz. Da belleza a la imagen, da el sentido de elegancia. Caminas con más donaire. Si eres mujer, aumenta tu belleza y atractivo sexual; si eres hombre, atrae a chicas jóvenes a tu vida.

El amor no es muy importante este mes; tu séptima casa está vacía, sólo transita por ella la Luna los días 15 y 16. Tu planeta del amor, Mercurio, está en movimiento retrógrado hasta el 8, y después avanza lentamente. Atraes al sexo opuesto, pero una relación amorosa es otra historia.

Febrero

Mejores días en general: 7, 8, 16, 17, 18, 26, 27
Días menos favorables en general: 5, 6, 12, 13, 19, 20
Mejores días para el amor: 3, 4, 9, 10, 12, 13, 14, 15, 19, 20, 25, 26, 28
Mejores días para el dinero: 1, 2, 5, 6, 9, 10, 14, 15, 19, 20, 24, 25, 28
Mejores días para la profesión: 5, 6, 14, 15, 19, 20, 24, 25

A partir del 18 el poder planetario estará en su posición oriental máxima. Repasa lo que hablamos el mes pasado al respecto; parece que haces los cambios necesarios, pues el 26 hay un eclipse solar en tu signo, y muy cerca de Neptuno, el señor de tu horóscopo. La salud es excelente, pero reduce tus actividades en el periodo de ese eclipse.

Este mes tenemos dos eclipses, así que no habrá ni un solo momento aburrido; los eclipses producen los cambios necesarios para hacer realidad un plan cósmico superior.

El eclipse lunar del 11 ocurre en tu sexta casa, la de la salud y el trabajo, por lo tanto hay cambio de trabajo, o cambios en las condiciones laborales; el cambio de trabajo podría ser a otro puesto en la misma empresa o un cambio a otra empresa. También habrá cambios drásticos, importantes, en tu programa de salud. A veces este tipo de eclipse produce sustos relativos a la salud, pero tu salud es buena, así que es probable que sólo sea eso, un susto. Si eres empleador podría haber cambios en tu personal; hay drama en la vida de empleados y de personas relacionadas con tu salud. Todos los eclipses lunares afectan a los hijos y figuras filiales de tu vida, así que deberían protegerse de situaciones de riesgo o peligro durante el periodo de este eclipse, unos cuantos días antes y otros tantos después. Los hijos y figuras filiales se redefinen en este periodo, cambian su modo de considerarse a sí mismos y el modo como desean que los vean los demás; esto es saludable; dos veces al año tienen que hacerlo.

El eclipse solar del 26 también afecta a la salud y al trabajo; este mes tienes una doble dosis de esto; el planeta eclipsado, el Sol, es tu planeta de la salud y el trabajo, así que, en esencia, repite los fenómenos del eclipse lunar. Dado que ocurre en tu signo indica que tú también te vas a redefinir, a cambiar tu modo de considerarte y el modo como deseas que te vean los demás. Como hemos dicho, este es un ejercicio saludable, pero es mejor cuando se hace voluntariamente; ahora te ves obligado a hacerlo.

La vida amorosa va mucho mejor este mes; tu planeta del amor, Mercurio, está en movimiento directo y avanza muy rápido. Si estás soltero o soltera tienes más citas y cubres mucho terreno. El veloz movimiento de Mercurio indica confianza social, pero también indica una cierta volubilidad o inconstancia en el amor; las necesidades en el amor cambian muy rápido, lo que te desconcierta a ti a las personas con las que te relacionas. El 25 Mercurio entra en tu signo; comienzas una cima amorosa y social anual; tendrás otra del 23 de agosto al 22 de septiembre. Ahora el amor te persigue, no puedes escapar de él.

Marzo

Mejores días en general: 6, 7, 16, 17, 25, 26
Días menos favorables en general: 4, 5, 11, 12, 18, 19
Mejores días para el amor: 1, 7, 8, 9, 11, 12, 18, 19, 27, 28, 29
Mejores días para el dinero: 1, 5, 6, 10, 13, 14, 20, 21, 23, 24, 28, 30
Mejores días para la profesión: 5, 6, 13, 14, 18, 19, 23, 24

Cuando el Sol entró en tu signo el 18 del mes pasado entraste en una de tus cimas de placer personal del año, que continúa hasta el 20 de este mes. Esto te trae placeres físicos, buena comida, buen vino, buena ropa y accesorios. Mimas al cuerpo y este se siente bien. Tu apariencia resplandece con la luz del Sol, como una estrella. Sea cual sea tu edad y fase en la vida, la luz del Sol te da belleza y resplandor en el plano energético.

La entrada del Sol en tu signo el mes pasado también ha traído felices oportunidades de trabajo, en el caso de que lo busques; lo hermoso de esto es que no es mucho lo que necesitas hacer; las oportunidades te buscan; puedes aceptarlas o rechazarlas, pero las ofertas se presentan.

Tu planeta del amor, Mercurio, continúa en tu signo hasta el 13; el amor sigue muy feliz y no es mucho lo que tienes que hacer para tenerlo; está ahí. Si estás en una relación, el ser amado te mima y está por ti, antepone tus intereses a los suyos; el amor continúa según tus condiciones, no necesitas «complacer» a nadie, sino simplemente ser tú mismo.

El 20 el Sol entra en tu casa del dinero y comienzas una cima financiera anual. La intuición financiera sigue muy potente (lo ha sido desde hace varios meses). El dinero proviene de tu trabajo, como es normal, y a través de contactos sociales y familiares. Podría presentarse una oferta para formar una sociedad de negocios o empresa conjunta.

En tu carta Venus es el planeta de la comunicación; rige tu tercera casa; este año le toca hacer movimiento retrógrado, el que realiza cada dos años, y lo inicia el 4 de este mes. Por lo tanto, pon más atención y cuidado en tus comunicaciones; revisa los e-mails y los sobres de las cartas para comprobar que has puesto bien la dirección; cuando hablas pon cuidado en decir lo que quieres decir y comprueba que la otra persona lo ha comprendido; no temas hacer preguntas para resolver todas tus dudas. Esto te ahorrará muchos dolores de cabeza más adelante. Este no es el periodo para comprar un coche o equipos de comunicación; espera hasta el 15 del próximo mes; mientras tanto puedes informarte y estudiar qué coche o equipo de comunicación te conviene comprar.

Me parece que el movimiento retrógrado de Venus también tiene consecuencias financieras; el 10 entra tu planeta del dinero, Marte, en tu tercera casa, la de la comunicación; podría haber retrasos en contratos o ventas, o dar la impresión de que retroceden; pon especial cuidado en la comunicación financiera; pon atención a todos los detalles de forma que todo sea perfecto. El movimiento retrógrado de Venus no impide tu prosperidad, pero sí enlentece un poco las cosas.

La salud es buena este mes. Puedes fortalecerla más con masajes en los pies (siempre importantes para ti) hasta el 20, y después con masajes en la cabeza, cara y cuero cabelludo; también es beneficioso el ejercicio después del 20.

Abril

Mejores días en general: 3, 4, 12, 13, 22, 23, 30
Días menos favorables en general: 1, 7, 8, 14, 15, 16, 28, 29

Mejores días para el amor: 4, 7, 8, 12, 13, 18, 23, 24, 25
Mejores días para el dinero: 1, 7, 8, 10, 11, 18, 19, 20, 21, 24, 25, 28, 29
Mejores días para la profesión: 1, 10, 11, 14, 15, 16, 19, 20, 21, 28, 29

El 2 vuelve a entrar Venus en tu signo, en movimiento retrógrado, y pasa casi todo el mes en él, hasta el 28; este es un tránsito feliz; favorece tu apariencia y le da elegancia y encanto a tu porte, a tu andar y manera de moverte. Este es otro buen periodo, en especial del 15 al 28, para comprar ropa o accesorios personales; es bueno para hacer las cosas que mejoran la imagen.

Hasta el 19 sigues en una cima financiera anual, así que hay prosperidad; tendrás que contender con ciertas obligaciones, pues podría haber retrasos (Venus está en movimiento retrógrado hasta el 15), pero todo se andará.

El 19 el Sol entra en tu tercera casa, la de la comunicación y los intereses intelectuales. Tu planeta de la comunicación, Venus, ya estará en movimiento directo. Así pues, este es un periodo excelente si eres estudiante aún no universitario; te aplicas a tus estudios y esto lleva al éxito. También es un buen periodo si eres escritor, profesor, periodista o trabajas en ventas o mercadotecnia; estás en la cumbre en tu oficio.

Tu planeta del dinero, Marte, entra en tu cuarta casa el 21; esto indica más gastos en la casa y la familia (tal vez haces obras importantes de renovación o reparación), pero también indica ingresos provenientes de esta faceta; el apoyo familiar debería ser bueno; las conexiones familiares son importantes en las finanzas.

Marte en tu cuarta casa indica que este es un buen periodo para hacer revisión de tu pasado financiero; es bueno para reexaminar viejos traumas en esta faceta (que es posible que surjan de todos modos) y contemplarlos desde tu estado actual; esto producirá curación. Muchas veces los problemas financieros tienen su causa en experiencias de la infancia. Te conviene resolver estas cosas en este periodo.

El amor no es muy importante este mes; tu séptima casa está prácticamente vacía, sólo la Luna transita por ella los días 7 y 8. Tu planeta del amor, Mercurio, inicia movimiento retrógrado el 9. Por lo tanto, este no es un periodo fabuloso para las relaciones amorosas serias, aunque, si estás soltero o soltera, sin duda vas a tener citas y vida social.

Desde el 25 de febrero el poder planetario ha estado principalmente en la mitad inferior de tu carta, y muy pronto esto va a llegar a su punto máximo. La profesión sigue siendo importante, pero en este periodo son más importantes el hogar, la familia y tu bienestar emocional. Estás preparando el terreno psíquico para tu próximo empuje profesional, que será dentro de unos meses; estos periodos de preparación son tan importantes como los actos o gestiones que vas a hacer.

La salud continúa buena.

Mayo

Mejores días en general: 1, 9, 10, 19, 20, 27, 28
Días menos favorables en general: 4, 5, 12, 13, 25, 26
Mejores días para el amor: 2, 3, 4, 5, 12, 13, 16, 21, 22, 23, 24
Mejores días para el dinero: 7, 8, 17, 18, 21, 22, 25, 26
Mejores días para la profesión: 7, 8, 12, 13, 17, 18, 25, 26

Este mes el poder planetario llegará a la posición inferior máxima de tu carta; está muy alejado de la profesión (la décima casa), así que debes centrar la atención en poner en orden la situación doméstica y familiar; haz lo posible para que sea estable, pues eso permitirá que llegue el éxito profesional futuro.

A partir del 20 es necesario que estés más atento a la salud; tres planetas están en alineación desfavorable contigo, y el 25 serán cuatro. Esto no tendría por qué ser causa de algo grave, pero sí te hace vulnerable si te cansas en exceso. Hasta el 20 fortalece la salud con masajes en el cuello y la garganta, y después con masajes en los brazos y los hombros; el aire fresco te servirá de tónico después del 20; sal al aire libre y haz respiraciones profundas; también es importantísimo el bienestar emocional después del 20, y esto no tiene que ver con la profesión sino que es un asunto de salud; evita la depresión como a la peste. Si puedes arreglarlo te convendría trabajar desde casa; a muchas personas esto les resulta menos estresante que ir a la oficina.

Tu planeta del amor, Mercurio, retoma el movimiento directo el 3. Si estás soltero o soltera, hasta el 16 las oportunidades románticas se presentan cuando estás aplicado a tus objetivos financieros normales; la riqueza es un excitante romántico; demuestras el amor con regalos materiales, de modos tangibles; así es como te sientes amado también. Esta actitud continúa después del 16, pues

Mercurio entra en tu tercera casa, que es Tauro; siguen siendo importantes la riqueza y los regalos materiales, pero también deseas una buena comunicación y un buen intercambio de ideas. El amor es buena comunicación, así que hay oportunidades amorosas en charlas, seminarios o funciones del colegio; también se presentan oportunidades amorosas en el barrio, y es muy probable que haya más vida social con los vecinos.

Aun cuando técnicamente ya terminó tu cima financiera, este es un mes fuerte en las finanzas; está muy poderosa tu casa del dinero; Mercurio está en ella hasta el 16, y Venus y Urano todo el mes. Venus en la casa del dinero indica ingresos provenientes de ventas, mercadotecnia, relaciones públicas y publicidad; es necesario aprovechar bien los medios de comunicación para que la gente conozca tu producto o servicio.

Marte continúa en tu cuarta casa, lo que indica buen apoyo familiar, como el mes pasado. Del 10 al 14 Marte forma aspectos hermosos a Júpiter, y esto trae un bonito día de paga; hay suerte en las especulaciones; podría haber aumento de sueldo; un progenitor o figura parental se muestra insólitamente generoso. Esos días cuentas con el favor financiero de las figuras de autoridad de tu vida.

Junio

Mejores días en general: 5, 6, 7, 15, 16, 24, 25
Días menos favorables en general: 1, 2, 8, 9, 22, 23, 28, 29
Mejores días para el amor: 1, 2, 10, 11, 13, 14, 20, 21, 24, 28, 29
Mejores días para el dinero: 3, 4, 5, 13, 14, 15, 16, 18, 19, 22, 23, 24, 25, 30
Mejores días para la profesión: 3, 4, 8, 9, 13, 14, 22, 23, 30

Este mes sigue muy fuerte tu cuarta casa, la del hogar y la familia; continúa, entonces, centrando la atención en tu vida doméstica y familiar. Estando tu planeta de la salud en tu cuarta casa hasta el 21, el bienestar emocional es un asunto de salud; en este periodo buena salud significa buena salud emocional; si tuvieras algún problema de salud (que hasta el 21 estará más delicada) revisa tus relaciones familiares y restablece la armonía lo más pronto posible.

Una cuarta casa fuerte es excelente en el caso de que estés haciendo psicoterapia; harás muchos e importantes progresos; y en el caso de que no estés tratándote en una psicoterapia formal, la naturaleza se encargará de hacértela. Espontáneamente te vendrán recuerdos del pasado, relativos al amor, a la familia y a las finanzas; a veces en sueños, a veces despierto; de repente, sin ningún motivo aparente, te viene el recuerdo de un incidente, y es posible que te produzca las mismas emociones que sentiste cuando ocurrió. Conviene mirar u observar estas cosas objetivamente; si no puedes, porque la emoción te abruma, podría convenirte hablarlo con una persona amiga o un consejero. En mi libro *Technique for meditation* explico métodos para tratar estas cosas; lo importante es que te mantengas en el momento presente mientras observas y analizas; la emoción se disipará pronto y te sentirás liberado.

El 21 el Sol entra en tu quinta casa y comienzas otra de tus cimas de placer personal. Se te presentan todo tipo de oportunidades para actividades de ocio o diversión; deberías aprovecharlas. Muchas veces la solución a un problema se nos presenta cuando lo dejamos estar y hacemos algo placentero; cuando volvemos a pensar en el problema la solución aparece sola.

Tu planeta del dinero en tu quinta casa, a partir del 4, indica que tendrás los medios para gozar de la vida; gastas en cosas placenteras; disfrutas de tu riqueza. Ganas dinero o encuentras oportunidades financieras cuando te estás divirtiendo, tal vez en un balneario, en una fiesta o en el campo de fútbol. Las especulaciones son más favorables este mes también, aunque en esto debes guiarte por la intuición, no hacerlo nunca a ciegas. Normalmente Piscis es una persona muy creativa; por lo tanto este aspecto indica que tu creatividad personal es más comerciable en este periodo. Los hijos o figuras filiales te apoyan en las finanzas; a veces esto es con aporte monetario, otras veces con aporte de buenas ideas financieras, y a veces simplemente estimulan a la persona a ganar más.

Después del 21 la salud mejora espectacularmente; sigue siendo importante la buena salud emocional, pero también es importante comer bien. Serán buenos los masajes en el abdomen.

Julio

Mejores días en general: 3, 4, 13, 14, 21, 22, 30, 31
Días menos favorables en general: 5, 6, 19, 20, 25, 26
Mejores días para el amor: 4, 10, 16, 19, 20, 25, 26, 28, 29
Mejores días para el dinero: 1, 3, 4, 10, 11, 13, 14, 15, 16, 19, 20, 23, 28, 29, 30, 31
Mejores días para la profesión: 1, 5, 6, 10, 11, 19, 20, 28, 29

Tu periodo de vacación cósmica continúa hasta el 22; la diversión y la creatividad (también placentera) son la orden del día; cuentas con los medios; tu planeta del dinero sigue en tu quinta casa hasta el 20. Repasa lo que dijimos sobre esto el mes pasado.

Tu planeta del dinero en Cáncer mejora la intuición financiera, pero también te vuelve más temperamental en estos asuntos; cuando estás de buen humor te sientes más rico que Bill Gates, y cuando estás de mal humor te sientes indigente; también gastas de acuerdo a tus estados de ánimo; cuando quieras hacer una compra importante o tomar una decisión importante, antes piénsalo bien y consúltalo con la almohada; examínate para ver si te sientes en paz y armonía; entonces será buena la decisión o la compra.

El 22 se hace fuerte tu sexta casa, la de la salud y el trabajo. Este es un periodo excelente para los hijos o figuras filiales de tu vida; ganan más y compran artículos caros. Es un tránsito maravilloso si buscas trabajo o eres empleador y necesitas contratar personal; hay muchas oportunidades. La salud es esencialmente buena, y estás atento a ella, pero, si no tienes cuidado, la atención podría ser excesiva. La persona tiende a convertir en un gran problema algo insignificante, como por ejemplo: «Este granito que tengo en la cara, ¿será cáncer?» «Esta opresión que siento en el pecho, ¿será un ataque al corazón?». Muchas de estas pequeñas molestias se deben a los tránsitos de la Luna y no a una enfermedad grave; la manera más constructiva de aprovechar esta atención a la salud es instaurar un buen programa de salud y una buena dieta. En este periodo te conviene adoptar un estilo de vida más sano y atenerte a él.

Marte, tu planeta del dinero, entra en tu sexta casa el 20; esto indica ingresos provenientes del trabajo, de servicios productivos a los demás. Tal vez continúes siendo especulador en este periodo: Marte está en Leo, pero es tu trabajo el que produce la buena suerte. Gastas más en salud y en artilugios para la salud; también puedes ganar del campo de la salud; tendrás oportunidades.

Tu planeta del amor avanza muy rápido este mes, transita por tres signos y casas. Esto aumenta tu volubilidad o inconstancia en el amor; cambian rápido tus necesidades en este sentido; una persona que te satisfacía a comienzos del mes tal vez ya no te satisface después, pues han cambiado tus necesidades. Un lugar que llevaba al amor a comienzos del mes, ya no lo es tanto más avanzado el mes. Por otro lado, indica más citas y más actividad social; hay más confianza social.

Si estás soltero o soltera y sin compromiso, hasta el 6 el amor se presenta en lugares de diversión: el balneario, el cine, el teatro, el estadio de béisbol. Del 6 al 16 se presenta en el lugar de trabajo o con personas con las que trabajas; te atraen los profesionales de la salud; después del 16 el amor se presenta en los lugares habituales: fiestas, reuniones y funciones sociales.

Agosto

Mejores días en general: 9, 10, 18, 26, 27
Días menos favorables en general: 1, 2, 3, 16, 22, 23, 29, 30
Mejores días para el amor: 4, 5, 9, 10, 13, 14, 18, 19, 22, 23, 28, 29, 31
Mejores días para el dinero: 1, 2, 6, 7, 11, 12, 16, 20, 21, 24, 25, 29, 30
Mejores días para la profesión: 1, 2, 3, 6, 7,·16, 24, 25, 29, 30

Este mes aumenta la actividad retrógrada; se enlentecen los acontecimientos mundiales. Tal vez hay una sensación de malestar, de inquietud, la sensación de falta de dirección; en cierto sentido esto es bueno. Habiendo tantos planetas en el sector occidental de tu carta no hace ninguna falta que seas demasiado independiente; sigue la corriente, como dicen; deja que los demás se impongan mientras esto no sea destructivo. Debes anteponer a los demás, pero eso te resulta difícil; tu sentido de identidad, tu interés propio, es muy fuerte. Pero puedes cultivar tus dotes sociales todo lo que te sea posible.

El mundo va lento, pero las cosas no son aburridas. Dos eclipses se encargan de esto este mes.

El eclipse lunar del 7 ocurre en tu casa doce, la de la espiritualidad; hay, pues, cambios importantes en tu vida espiritual; cambia tu actitud, cambia tu práctica; a veces la persona cambia de maestro o de enseñanza; esto suele ocurrir debido a una revelación interior, y es bueno. Hay trastornos y reestructuración en una organización espiritual o benéfica a la que perteneces o con la que te relacionas; tu gurú o maestro pasa por dramas de esos que cambian la vida. Las amistades tienen dramas financieros y deben hacer cambios en sus finanzas. Hay drama en la vida de tíos y tías, o de personas que tienen este papel en tu vida. Este eclipse hace impacto en Marte, tu planeta del dinero, así que tendrás que hacer cambios importantes en tus finanzas, corregir tu estrategia, tu planteamiento y planificación. Todos los eclipses lunares afectan a los hijos o figuras filiales de tu vida, y este no es diferente; tendrán que reducir sus actividades y estar protegidos de situaciones de riesgo o peligro durante el periodo del eclipse que ocurre en la octava casa de los hijos y podría traer encuentros con la muerte, lo que no significa que alguien muera.

El eclipse solar del 21 ocurre en la cúspide (límite) de tus casas sexta y séptima, por lo tanto afecta a los asuntos de ambas casas. Hay cambios laborales, ya sea un cambio de puesto en la misma empresa o un cambio a otra empresa; cambian las condiciones laborales. Si eres empleador podría haber cambio de personal. Dado que el planeta eclipsado, el Sol, es tu planeta de la salud, podría haber sustos relativos a la salud, pero puesto que tu salud es buena, lo más probable es que sólo sea eso, un susto. También hay cambios drásticos en tu programa de salud. Hay dramas financieros en la vida de hijos y figuras filiales, que se ven obligados a hacer cambios drásticos en sus finanzas, cambios que serán buenos. Dado que el eclipse afecta también a los asuntos de tu séptima casa, se pone a prueba el amor; ten más paciencia con el ser amado durante el periodo de este eclipse; si la relación es buena sobrevivirá, pero si es defectuosa está en peligro. Este eclipse lo sentirás más fuerte si naciste en los primeros días de tu signo, del 18 al 21 de febrero; si es así, reduce tus actividades en este periodo.

Septiembre

Mejores días en general: 5, 6, 14, 15, 23, 24
Días menos favorables en general: 12, 13, 18, 19, 25, 26
Mejores días para el amor: 7, 8, 9, 16, 17, 18, 19, 28, 29
Mejores días para el dinero: 3, 4, 7, 8, 9, 10, 12, 13, 18, 19, 20, 21, 28, 29, 30
Mejores días para la profesión: 3, 4, 12, 13, 20, 21, 25, 26, 30

La vida amorosa y social es el principal titular de este mes. Está dominante el sector occidental o social de tu carta, y tu séptima casa está ultra poderosa. Este mes va de los demás, de sus necesidades y de llevarte bien con ellos. Si hay armonía en tus relaciones habrá dinero, salud, trabajo y armonía emocional; también mejorarán mucho tus facultades mentales, tu proceso de pensamiento; si hay problemas en las relaciones sociales, tendrán un efecto negativo en todas estas otras facetas.

La vida social es muy activa este mes. Si estás soltero o soltera hay oportunidades amorosas; se presentan en los lugares habituales, fiestas, reuniones sociales, bodas, etcétera. Puede que haya o no haya boda, pero conoces a personas con las que considerarías la posibilidad de casarte, personas que son buen material para el matrimonio.

El único problema en el amor es el habitual, la voluntariedad. Hay distanciamiento entre tú y el ser amado, en especial a partir del 10; este distanciamiento no es necesariamente físico, más bien suele ser psíquico; dos personas pueden estar mirando la misma puesta de sol y estar psíquicamente separadas por universos; tú quieres las cosas a tu manera y la persona amada quiere las cosas a la suya; veis las cosas desde perspectivas totalmente opuestas; será difícil resolver estas diferencias, pero la solución está más o menos en el medio; si lográis resolver vuestras diferencias el amor será feliz; florecerá el romance. Se dice que los opuestos se atraen, pero también suelen fastidiarse mutuamente.

Este mes es necesario estar más atento a la salud; cinco planetas están en alineación desfavorable contigo, y hay días en que serán seis. Como siempre, pues, procura descansar lo suficiente; no te exijas continuar trabajando cuando estás cansado; descansa, renuévate y entonces vuelve a tu actividad; con más energía serás menos gruñón con los demás y te irá mejor la vida amorosa. Hasta el 22 fortalece la salud prestando más atención al intestino delgado; para esto es bueno el masaje en el abdomen; después del 22 da más atención a los riñones y las caderas; será eficaz el masaje en las caderas y las nalgas; también son eficaces los regímenes de desintoxicación.

Si este mes surgiera algún problema de salud, es probable que la causa sea un problema o discordia en la vida amorosa; restablece la armonía cuanto antes.

A partir del 5 Marte estará en tu séptima casa, por lo tanto las oportunidades financieras llegan a través de amistades y contactos sociales. Gastas más en la vida social también, pero me parece que es una buena inversión; las personas que conoces son más importantes que el dinero que posees.

Octubre

Mejores días en general: 3, 4, 11, 12, 20, 21, 30, 31
Días menos favorables en general: 9, 10, 15, 16, 22, 23, 24
Mejores días para el amor: 1, 7, 8, 9, 10, 15, 16, 17, 18, 20, 27, 28, 30, 31

Mejores días para el dinero: 1, 5, 6, 7, 8, 10, 11, 15, 16, 20, 27, 30

Mejores días para la profesión: 1, 10, 11, 20, 22, 23, 24, 30

Júpiter ha estado en tu octava casa en lo que va de año; este mes está extraordinariamente fuerte esta casa debido a los planetas rápidos; el 60 por ciento de los planetas o están en ella o transitan por ella; elevado porcentaje. Por lo tanto, los asuntos de la octava casa son ultra importantes.

En la octava casa descongestionamos nuestra vida; esto ocurre en muchos planos, físico, emocional y mental, y también en nuestras condiciones y circunstancias. A veces creemos que podemos conseguir nuestros objetivos «adquiriendo, adquiriendo, adquiriendo»; en la octava casa comprendemos que los objetivos también se consiguen «podando y eliminando», desembarazándonos de cosas. Tu capacidad para hacer esto ha sido útil a tu profesión este año. Cuando una empresa está en dificultades los buenos ejecutivos comienzan a recortar: cierran almacenes o tiendas inútiles, eliminan el personal que no es necesario, reducen gastos y deudas, disminuyen la envergadura de la empresa. Normalmente esto no es agradable, pero tiene una lógica cósmica; para crecer debemos eliminar lo inútil; la muerte siempre precede a la resurrección.

Esto es lo que has hecho en tu profesión y este mes te conviene hacerlo en tu vida personal. Haz una revisión de la casa, la manera más fácil es ir habitación por habitación y armario por armario. Haz un montón con las cosas que encuentres y luego mira cada cosa. «¿Necesito esto?»; si la respuesta es no, líbrate de eso; si la respuesta es sí, la guardas. Lo mismo deberías hacer en tus finanzas. «¿Necesito tres tarjetas de crédito?», «¿Necesito esas cuantas bancarias y de inversión extras?», «Tal vez podría unificar mis diferentes seguros en una sola póliza». Hay una magia fabulosa en esto; la descongestión deja espacio para lo nuevo y mejor que desea entrar. Después de hacerlo te sientes más ligero y mejor.

El 11 Júpiter hace un traslado importante, sale de tu octava casa y entra en la novena. Tu reciente experiencia en descongestionar te será útil el próximo año (Júpiter estará en Escorpio, el signo que rige la eliminación). Pero ahora verás la expansión que hay tras esto: podas un árbol y comienza a crecer más rápido y mejor. Júpiter en tu novena casa es un punto positivo para la profesión; indica expansión profesional. También habrá viajes relacionados con la profesión. Es un aspecto muy bueno si eres estudiante universitario o si estás a punto de entrar en la universidad. Hay éxito el año que viene.

La profesión mejora este mes y mejorará más aún en diciembre y el próximo año. Tu planeta del dinero continúa en tu séptima casa hasta el 22; siguen, pues, siendo importantes en las finanzas la armonía social y los contactos sociales. El 22 Marte entra en tu octava casa y entonces es un buen periodo para pagar deudas, para consolidar o reestructurar la deuda; también es bueno para refinanciarla. La eficiencia en el pago de impuestos es un factor importante en la planificación financiera; si estás en edad, deberías hacer planes testamentarios.

Noviembre

Mejores días en general: 7, 8, 16, 17, 26, 27
Días menos favorables en general: 5, 6, 12, 13, 19, 20
Mejores días para el amor: 6, 7, 9, 12, 13, 16, 17, 19, 20, 26, 27, 29, 30
Mejores días para el dinero: 1, 2, 5, 6, 7, 8, 14, 15, 16, 17, 24, 25, 26, 27, 29, 30
Mejores días para la profesión: 7, 8, 16, 17, 19, 20, 26, 27

Este es un mes feliz y exitoso, Piscis, que lo disfrutes.

Tu novena casa sigue muy fuerte este mes, en especial hasta el 22. Hay más viajes y, ciertamente, oportunidades de viaje. Si tienes pendiente algún asunto legal o judicial, este se soluciona a tu favor. Si eres estudiante universitario te va bien en los estudios; si solicitas entrada en una universidad tienes buenas noticias.

Cuando está fuerte la novena casa es intenso el interés en la religión, la teología y la filosofía. Tú tienes un interés natural por estas cosas, pero ahora lo tienes más. Tu idea de diversión en este periodo es una sabrosa discusión teológica o el estudio de la Biblia, o de otros asuntos religiosos. Según la filosofía de la astrología, el interés por la religión está incorporado genéticamente en la psique. Son inútiles los intentos de abolir la religión; es como intentar abolir la relación sexual. La gente sigue una senda religiosa por muchas leyes prohibitivas que se aprueben; esto ha quedado demostrado a lo largo de los siglos. Incluso las personas que se dicen ateas o no religiosas siguen, tal vez inconscientemente, algún camino religioso. Normalmente este interés, intensificado este mes, trae consigo progreso en la comprensión religiosa y filosófica. Este interés ensancha los horizontes; se te abren más posibilidades.

Este mes buena salud significa algo más que ausencia de síntomas físicos, significa buena salud filosófica, la salud del cuerpo mental superior. Este es un buen mes para examinar tus creencias filosóficas acerca de la salud. Un pastor estadounidense muy famoso asegura que lo que creemos que es un problema de salud es en realidad un problema teológico, y esto es sin duda cierto de ti este mes. Todas las diferentes modalidades curativas que vemos, y hay montones, se basan en una cierta filosofía de la salud y una cierta comprensión metafísica del cuerpo.

La salud es buena hasta el 22, pero puedes fortalecerla más con un régimen de desintoxicación, moderación sexual, sexo seguro y más atención al colon y la vejiga.

El 22 el Sol entra en tu décima casa y comienzas una cima profesional anual; una buena ética laboral produce éxito. Después del 22 la salud es más delicada, tal vez debido a un exceso de trabajo; procura descansar lo suficiente.

Júpiter forma aspectos hermosos a Neptuno todo el mes, pero en especial los días 29 y 30; esto trae dinero y éxito profesional, y oportunidades. Cuentas con el favor de jefes y figuras de autoridad.

Diciembre

Mejores días en general: 5, 6, 14, 15, 24, 25
Días menos favorables en general: 3, 4, 9, 10, 16, 17, 30, 31
Mejores días para el amor: 7, 8, 9, 10, 16, 17, 26, 27, 28
Mejores días para el dinero: 3, 5, 6, 14, 15, 24, 25, 26, 27
Mejores días para la profesión: 5, 6, 14, 15, 16, 17, 24, 25

La profesión continúa fuerte y este mes sigue siendo el principal titular. Sigues en una cima profesional anual. Del 1 al 5 Júpiter sigue formando aspectos hermosos a Neptuno, el señor de tu carta; esto trae dinero y éxito profesional; como el mes pasado, indica armonía con jefes y figuras de autoridad.

Tal vez el principal titular en la profesión no es lo que ha entrado en en tu décima casa (el Sol y Venus), sino lo que sale. Saturno sale de tu décima casa el 21; las cosas van a ser mucho más fáciles en la profesión; sale del cuadro un jefe muy controlador y muy exigente. Te has ganado el éxito por puro mérito estos últimos años; has demostrado tu valía. Ahora el trabajo profesional será menos intenso. Ya avanzado el año que viene, Júpiter entrará en tu décima casa y el éxito se disparará por las nubes. Y puesto que has tenido que hacer frente a tanta resistencia estos últimos años, tendrás la fuerza para sobrellevar el éxito.

Una de las principales cosas que notarás cuando Saturno salga de tu décima casa será un aumento de la energía general. La salud mejora mucho después del 21 y continuará buena los próximos años. Hasta el 21 sigue siendo necesario estar atento; como siempre, procura descansar lo suficiente. La profesión es exigente y el trabajo arduo, pero puedes elevar la energía delegando tareas cuando sea posible, dejando de lado las trivialidades y programando más ratos de descanso.

Tu planeta del dinero entra en tu novena casa el 9 y pasa en ella el resto del mes; esto indica aumento de ingresos; es muy probable que en los meses anteriores hayas descongestionado tus finanzas; esto es mejor cuando se hace conscientemente, pero muchas veces el Cosmos organiza la descongestión; las cosas ocurren aparentemente solas; una empresa de tarjetas de crédito te anula la cuenta por falta de uso; lo mismo ocurre con una cuenta de ahorro. Tal vez se hunde una empresa de la que tenías acciones en tu cartera; parece una pérdida, pero la verdad es que era necesario que la eliminaras. Las cosas que crees que has perdido no las necesitabas, para empezar. Hay muchísimas historias que contar sobre esto, pero el espacio no lo permite.

El planeta del dinero en la novena casa indica buena suerte en las finanzas. Además, Marte forma muy buenos aspectos a Neptuno a partir del 9; esto también indica prosperidad. Los ingresos podrían provenir de empresas extranjeras o de otros países; los extranjeros en general son importantes en tu vida financiera. Hay más viajes relacionados con trabajo o negocios. El juicio financiero es bueno y la intuición es súper.

El amor es complicado este mes; tu planeta del amor hace movimiento retrógrado del 3 al 23. La mayor parte de la actividad social parece relacionada con la profesión.

Otros títulos de
Ediciones Urano

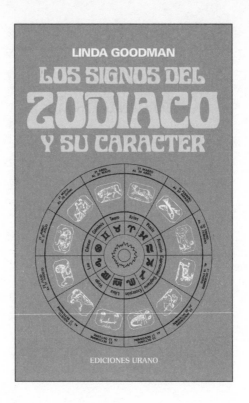

LINDA GOODMAN

Los signos del Zodíaco y su carácter

Nunca antes se había escrito un libro serio y científico que fuera al mismo tiempo tan ameno y entretenido.

Este estudio constituye una valiosa ayuda para comprenderse mejor a uno mismo y para entender a las personas con las que se convive.

Este libro enseña lo que hay que hacer y lo que no se debe hacer con los nacidos bajo un determinado signo solar, lo que se puede esperar de cada uno y a lo que es mejor renunciar para evitarse frustraciones continuas.

Sería mucho decir que este libro le cambiará la vida, pero sí puede ayudarle a comprender mejor a sus hijos, a evitar conflictos innecesarios con su jefe, con su familia y amistades. Además le servirá de entretenimiento.

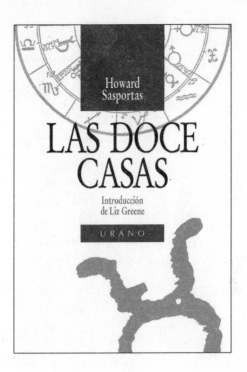

HOWARD SASPORTAS

Las doce casas

Esta obra llena un vacío en la bibliografía actual sobre temas relacionados con la astrología. Pues explora de forma detallada el campo de la experiencia asociado con cada una de las doce casas, dilucidando no sólo lo concreto y tangible, sino también el significado de las esferas más profundas y sutiles de la vida. *Las doce casas* nos ofrece una orientación para la interpretación de los planetas y los signos a través de las casas, incluyendo los nodos lunares y el planeta Quirón. Con numerosas cartas para ejemplificar e ilustrar las técnicas y principios expuestos.

Dulce Regina

Almas gemelas

Con nuestra alma gemela compartimos destino. Nos separamos de ella para adquirir experiencia y progresar. El reencuentro es inevitable.

«He escrito este libro para aquellos que deseen evolucionar. Que sepan que todas las acciones, las palabras y los pensamientos dejan una huella en nosotros, y también que es posible quemar los registros negativos del pasado, y crear otros nuevos y mejores, ensalzando aquello que hay de positivo en nuestro interior. Es posible sintonizar con la grandiosidad del Universo, es posible redescubrir la luz propia, es posible volver hacia la esencia Divina.»

LOUISE L. HAY

Calendario 2017

ABRE LA PUERTA AL NUEVO AÑO.
CONSTRÚYETE UNA NUEVA VIDA

Refuerza la confianza en ti mismo y encuentra la armonía, el equilibrio, la flexibilidad y la paz que necesitas para superar todos los obstáculos y cruzar con alegría todos los puentes. Louise L. Hay, autora del bestseller *Usted puede sanar su vida*, te ofrece una afirmación positiva para cada día del año. Para que día a día, durante doce meses, puedas ser el mejor amigo de ti mismo.

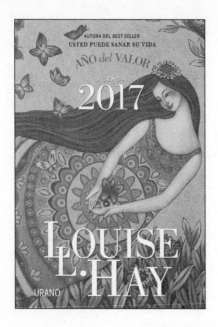

Louise L. Hay

Agenda 2017

AÑO DEL VALOR

*No dejes escapar el presente.
La audacia es genialidad,
poder y magia en sí misma.*

Fausto, Goethe

Esta certera cita de Goethe nos desvela cuál es la verdadera esencia del valor: vivir el aquí y el ahora siendo conscientes de todas sus consecuencias.

El valor tiene muchas caras, la mayoría de las veces anónimas y cotidianas: es levantarse todos los días dispuestos a afrontar nuevas experiencias con el corazón abierto; es dejar en casa la armadura y aceptar que pueden hacernos daño, pero que podremos soportarlo; es atrevernos a hacer lo que nos dicta el corazón sin temor a lo que puedan pensar los demás.

No siempre es fácil reconocer y aceptar nuestras debilidades y asumir nuestra vulnerabilidad. Sin embargo, si mostramos el coraje suficiente para vivir nuestras emociones por dolorosas que sean, estas acabarán dejando paso a una poderosa enseñanza.

Este año te invito a buscar el valor dentro de ti a través del amor. Todos somos valientes si nos atrevemos a conectar con la energía de nuestro corazón. No sufras por las reacciones de los demás, recuerda que sólo puedes controlar las tuyas. Céntrate en ese amor incondicional y sé una antorcha que ilumine y prenda la llama de otras antorchas que también están deseando arder. Adelante.

¡Bienvenido a este maravilloso 2017 y a todas las oportunidades de crecer que tendremos cada día!

ECOSISTEMA DIGITAL

NUESTRO PUNTO DE ENCUENTRO

www.edicionesurano.com

2 AMABOOK
Disfruta de tu rincón de lectura
y accede a todas nuestras **novedades**
en modo compra.
www.amabook.com

3 SUSCRIBOOKS
El límite lo pones tú,
lectura sin freno,
en modo suscripción.
www.suscribooks.com

DISFRUTA DE 1 MES
DE LECTURA GRATIS

1 REDES SOCIALES:
Amplio abanico
de redes para que
participes activamente.

4 APPS Y DESCARGAS
Apps que te
permitirán leer e
interactuar con
otros lectores.